CRAWIA

I MEL A MEI,
Y FELWYTHEN DEG
a'r HIRDDYN DEWR

Diolch eto i deulu, ffrindia a phawb sydd wedi cefnogi ymhob ffordd.

Diolch hefyd, am ffydd a brwdfrydedd parhaol Alun, Lefi, Meinir a holl staff Y Lolfa.

Diolch arbennig i Ian Phillips am glawr trawiadol arall.

Diolch tragwyddol – eto fyth – i Rhian a'r hogia, am roi fyny efo gŵr a thad sy'n aml yn anweledig.

CRAWIA

DEWI PRYSOR

y Lolfa

Argraffiad cyntaf: 2008

Dymuna'r Lolfa gydnabod cefnogaeth ariannol Cyngor Llyfrau Cymru

Clawr: Ian Phillips / Dewi Prysor

Rhif Llyfr Rhyngwladol: 978 184771 088 8

Cyhoeddwyd, argraffwyd a rhwymwyd yng Nghymru
gan Y Lolfa Cyf., Talybont, Ceredigion SY24 5HE
e-bost ylolfa@ylolfa.com
gwefan www.ylolfa.com
ffôn (01970) 832 304
ffacs 832 782

≈ 1 ≈

Y PETH CYNTA welodd Bic wrth ddod dros y grib ar y dympar, oedd rhych tin Drwgi'n ei wynebu, rhwng y doman dywod a'r micsar. Roedd Drwgi yn ei ddwbwl uwchben bag sment, yn codi rhawiad o'r powdwr llyfn i'w luchio i mewn i'r siandri oedd yn tagu troi uwch ei ben o. Roedd ei drowsus jogio, na welodd run jog erioed, yn hongian – efo'i drôns – hannar ffordd i lawr ei din, a labeli'r ddau ddilledyn yn sticio allan a chwifio yn y gwynt, fel breichiau Olive Oyl yn trio dianc o grafangau Bluto. Roedd o'n edrych fel 'sa fo 'di ista ar un o'r *Cheeky Girls*.

Golygfa ddigon erchyll fyddai hon ar unrhyw adeg, ond a fynta efo pen fel rwdan a bol fel tymbyl dreiar, roedd o'n cael yr un effaith ar stumog Bic ag a fasa gwylio Ann Widdicombe – noeth, *baby oil* drosti – yn stwffio grêps, fesul bwnshiad, i bellafion tywyll crwndwll chwyslyd Jabba the Hutt.

Daeth Bic dros yr ysfa sydyn i chwydu, a gwagiodd y cerrig o'r dympar, a'i ddiffodd. Roedd o angan sgeif am bum munud bach cyn mynd yn ôl i fyny at Cledwyn a Sbanish, i'w helpu efo'r crawia. Doedd o'm angan hynny – dim mor fuan â hyn ar fore ar ôl sesh noson pŵl yn yr Het. Be oedd o angen oedd saim a siwgr, a digon ohono fo. Ond yn fwy na hynny, roedd o angen lagyr. Neu gwpwl o Blydi Meris. Blewyn y gath gandryll. Leflar – yr unig ffordd i roi hangofyr yn ei le.

Ond doedd 'na'm tsians o allu yfad cwrw ar y job – roedd hogla'r stwff ar ei wynt yn ddigon iddo gael sac, fel oedd hi. A fydda 'na'm bêcyn ac wy, na panad o de poeth, melys neis, tan ddeg o'r gloch. Tyrchodd trwy bocedi ei gôt fflworesant, felan i chwilio am yr unig gysur oedd i'w gael yn nannadd y gwynt, ganol gaeaf ar y Bwlch.

Taenodd y baco ar y papur risla, cyn gosod y smocsan – heb

ei rowlio – i lawr ar sêt y dympar, rhwng ei goesa, rhag i'r gwynt fynd â hi cyn iddo roi'r býd ar ei phen hi. Rhwbiodd ei ddwylo efo'i gilydd, a'u rhoi at ei geg a chwythu trwyddyn nhw.

"Ffyc mi pinc, ma 'i'n ffycin oer! Ma'n ffycin môls i 'di diflannu fyny 'nhin i!"

"'Di'm yn gynnas, Bic, ma hynna'n saff, mêt," atebodd Drwgi.

Doedd hi'm yn gynnas ar Fwlch y Beddau ar unrhyw adag o'r flwyddyn, heb sôn am ddechra Rhagfyr, ac roedd slafio yn yr awyr agorad, ar waith ffordd, reit ar ben ei ochr gogleddol o, ar drugaradd yr elfennau – efo ffwc o benmaenmawr – yn fwy o joban i Esgimo ar steroids nag oedd hi i *career dole bums* fel Bic Flannagan a Drwgi Ragarug.

Oedd, bob hyn a hyn roedd 'na waith yn dod i'r ardal, efo cyflog gwerth seinio i ffwrdd o'r dôl amdano. Dim 'i fod o'n gyflog da, chwaith. 'Mond digon i gadw'r brodorion mewn cwrw a ffags am flwyddyn, rŵan fod y chwareli bron i gyd wedi cau. A digon da, hefyd, i'r hogia gymryd y cyfla i gael y bobol dôl oddi ar eu cefna am flwyddyn arall. Cyfla i lnau'r llechan yn lân cyn i'r biwrocrats diwynab ddechra brathu'u cynffona nhw eto.

"Faint o'gloch 'di, Drwgi?" gofynnodd Bic wrth daenu'r gwyrdd ar ben y blew brown yn y risla rhwng ei glunia. "'Di 'n amsar panad?"

"Deg munud," gwaeddodd Drwgi wrth reslo efo olwyn y micsar, fel capten llong mewn storm, tra oedd y bwystfil yn chwydu'i lwyth i'r ferfa o'dano. "Ma 'i'n chwartar i, rŵan."

"Diolch ffwcin byth!" medda Bic. A mi oedd o'n feddwl o. Roedd o'n teimlo'r bywyd yn gwaedu allan o'i gorff ers meitin. Erbyn iddo gael smôc, a mynd i fyny at Cledwyn a Sbanish, fyddai'n amsar mynd i lawr yn ôl am y cwt. Dim fod o angan esgus arall i gymryd ei amsar wrth fynd i fyny atyn nhw. Pan ddudodd o ei fod o'n ddreifar dympar, doedd o ddim wedi disgwyl gorfod gwneud gwaith corfforol fel hand-bôlio crawia i dwmbal y ffwcin peth. Ac os oedd o i fyny yno'n rhy fuan, cyn iddyn nhw hel rhai yn barod i'w llwytho, roedd o'n gorfod 'u helpu nhw i gario'r 'ffycin things' o lle oeddan nhw'n gorwadd hefyd. Doedd yr hogia ddim yn mynd i adael iddo fo ista yn ei sêt yn eu gwatsiad nhw'n slafio. Ei fêts o oeddan nhw, dim rhyw nobs oedd yn gweithio i un o'r sybis.

Taflodd Drwgi fwcediad o ddŵr i'r micsar, a'i adael i droi am eiliad neu ddwy, cyn diffodd yr horwth myglyd a'i sŵn. Tagodd y bustach dur i stop.

Taniodd Bic y jointan un-groen. "Cerrig 'ma'n iawn i chdi, Drwgi?"

"Dim gwaeth na'r cachu erill 'ma," atebodd Drwgi, wrth eu stydio o bell.

"Gora o'n i'n gallu ga'l, mêt, sori. Ddudas i wrth Dafydd Mashîn am godi'r rhei o ochor arall y peil, fel ddudasd di."

"A 'nath o, 'fyd?" Roedd Drwgi'n amau, o olwg y llanast oedd Bic newydd eu dympio wrth ei draed.

"Do, ond o'dd 'na lot o rwbal o'danyn nw, ma'n raid. Tisio fi fynd i nôl mwy ar ôl panad?" Roedd Bic yn ysu am esgus i beidio mynd at y crawia. Wrth gario cerrig i'r seiri maen, neu lwythi o bridd a rwbal o un lle i'r llall, doedd 'na'm rhaid iddo godi 'ddar ei din, gan fod dreifar y digar yn gwneud y gwaith i gyd.

"Na, ma'n iawn, Bic. 'Dwi'm ar bris – 'u hamsar nw dwi'n wastio, dim un fi."

"Ia, ond ti'm isio rhoi dy enw i wal gachu, chwaith, nagoes?" Gwenodd Bic, a'i dafod yn ei foch.

"Be ti'n feddwl, y cont?! Ffwcin wal dda honna, màn!"

"Yndi, siŵr, Drwgi. Dwi'm yn deud 'im byd, mêt. Jesd deud 'dw i, 'de, fod o'n shit i be fysa chdi'n gallu'i neud efo cerrig call, 'sdi…" Mygodd Bic y wên oedd yn bygwth agor ei wynab, wrth sylweddoli fod Drwgi 'di bachu.

"Ffwc o bwys, eniwê," wfftiodd Drwgi, chydig yn rhy frwdfrydig. "Nw sy'n iwsio cerrig wâst doman. Be ma nw'n ddisgwyl? Y Jaj Ta-ffycin-hal?"

"Yn union, Drwgi! Dyna dwi'n ddeud. Ti'n ca'l be ti'n dalu am yn y byd 'ma. Gei di'm palas am bris bynglo…"

"Ffycin reit, Bic…"

"... Na saer maen am gyflog labrwr."

"Na, yn union..." Stopiodd Drwgi i feddwl am honna am eiliad.

"Ynda, Drwgi," medda Bic, cyn iddo wneud synnwyr o'r llafn deufin. "Smocia honna."

Taflodd Bic y jointan i'r doman o dywod sych wrth ymyl Drwgi. "A' i fyny i nôl y ddau gont 'ma i fynd am banad. Biga i di fyny ar ffor' lawr."

≈ 2 ≈

ER BOD GWYNT traed y meirw'n rhuo i lawr o Fwlch y Beddau, dros Dre, lawr i Graig, ac i'r dyffryn islaw, roedd 'na fymryn o gysgod yng nghilfachau heglog top y cwm, o leia.

Mewn ceunant bach serth a chul, llawn coed derw hynafol, tewion, cuddiai tyddyn bach Ty'n Twll. Ac mi oedd Ceunant Du yn lle da i guddio. Un ffordd oedd i fynd yno, a honno oedd yr unig ffordd allan wedyn – oni bai fod rhywun yn ddringwr, neu'n bysgodyn, neu'n chydig bach o'r ddau. Ceunant Du – lle'r oedd bwrlwm Nant Royw'n disgyn, weithiau'n chwareus a weithiau'n ffyrnig, i'r gwastad cyfyng, a siarsio'i ffordd drwy'r cysgodion i daflu'i llwyth i'r Gyffes, ger Rhyd yr Eryr Bach.

Bron nad oedd 'na ddau Geunant Du. Roedd un yn ei ogoniant ganol dydd, pan oedd y deri'n suo yn y gwynt, yn hudo'r dydd i'r lloriau trwy'r galaeth o ddiamwntiau heulwen oedd yn pipian rhwng eu dail. Y llall oedd ei frawd chwil-sobor – y gwyllt oer, y corddi llonydd, y llygid gwag dan het gantal, wedi i'r haul ddiflannu ganol pnawn. Doedd wybod pa hwyliau fyddai ar Ceunant Du.

Doedd wybod be ddeuai rhywun ar ei draws yno, chwaith. Yn ista ar ben to sied newydd Gronwy Ty'n Twll, roedd Jac Bach y Gwalch a Tomi Shytyl. Dau gymêr yn eu chwedegau – yn hen, hen ffrindiau, ac yn hen, hen danciwrs, rhegwrs a rôgs. Roeddan nhw'n peintio to'r sied efo paent gwyrdd, tew fyddai'n bodloni'r bobol *planning* i lawr yn eu palas yn Abereryri. Wel, roeddan nhw i *fod* i beintio'r to, ond – oer i ben ôl, neu beidio – roedd rhaid ista lawr i gael ffag, bob hyn a hyn. A gan nad oedd Gronwy byth yn bell o olwg y buarth, doedd hi'm yn hawdd iddyn nhw fynd i lawr yr ystol, ac i'r sied, am sgeif.

Un difyr oedd Gronwy Ty'n Twll. Hen warriar, fel y ddau dderyn to, oedd yntau hefyd. Roedd o'n ffarmio llond dwrn o gaeau ar lawr top y cwm, a phori'r llethrau garw uwchben Ceunant Du. Roedd o'n gymeriad hawddgar a ffraeth, yn gynnes, croesawus a hwyliog. Roedd o'n licio'i beint, yn selog yn y côr, ac, fel ei frawd, 'Beryl', yn un o'r potsiars mwya welodd yr ardal erioed.

Ond, fel amal i ffarmwr, roedd o'n un garw am y geiniog. Deud y gwir, er fod Gronwy Ty'n Twll yn ddyn hael efo popeth arall – o'i letygarwch i'w hwyliau – roedd ei gariad at y geiniog wedi ennill iddo'r llysenw Gronwy'r Geiniog Fain, diolch i'r chwedl amdano fo a'i frawd yn cwffio dros geiniog, a thynnu nes ei bod wedi stretshio'n hoelan chwech.

Doedd Gron ddim isio talu'r un geiniog fain yn fwy nag oedd rhaid iddo, am beintio to'r sied. Roedd Jac Bach y Gwalch a Tomi Shytyl wedi hamro bargan galad allan ohono, felly roedd o'n benderfynol o gael gwerth ei bres. Sied fawr, bum duad o hyd, neu beidio – roedd o'n recno y dylsa'r ddau ddyn orffan y job mewn chwe diwrnod ar y mwya. Dau ddiwrnod i'r preimar, dau ddiwrnod i'r gôt gynta o baent, a dau i'r ail. O nabod Jac a Tomi, yr unig ffordd i sicrhau fod hynny'n digwydd oedd trwy gadw llygad barcud ar y ffycars cyn amlad â phosib. Ac i ddau fel Jac a Tomi, oedd yn licio'u 'pum munud bach' bob hannar awr, roedd hynny'n 'ffycin draconian'.

"Ti'n ca'l ffycin smôc yn jêl, ffor ffyc's sêcs," diawliodd Jac, wrth roi ei frwsh ar ben ei dun paent, a throi i ista ar ei din ar y to sinc. "Ffwcio Gron Geiniog Fain a'i 'Big Brother Tactics'! Fi 'di Spartacus, a dwi'n cym'yd pum munud i injoio 'maco mewn heddwch – am ffycin tsiênj!"

"Wel, Jac," medda Tomi wedyn, wrth roi ei frwsh yntau i lawr ar draws ei dun yntau. "Fi 'di Spartacus hefyd. Dwi'n joinio chdi."

Eisteddodd y ddau dderyn ar eu tinau i rowlio'u ffags yn dawal, y ddau efo un llygad ar y baco a'r llall ar y buarth islaw.

"Do's 'na'm sôn am y contyn yn nunlla, chwaith, Tomi. Welisd di o'n mynd i rwla?"

"Na." Tynnodd Tomi fel megin ar ei smôc, er mwyn sugno fflam ei leitar i'w thrwyn. "Ma'r Land Rofar dal yma."

Taniodd y Gwalch ei smôc yntau, pesychu, a fflemio dros ymyl y to, cyn ateb. "Di hynny'n deud dim byd, Tomi. Do'dd hi'm yma ddoe, ond o'dd *o'n* dal yma, yn doedd? 'Di'i chuddio hi oedd o, 'de. Ffycar slei. Meddylia am y peth, mewn difri calon, Tomi bach – mynd i'r coed i watsiad ni efo sbinglas! 'Na ti ffwc o beth!"

"Gron dio'n de! Fela mae o, a fela fydd o."

"Fydd o'm fela nag unrhyw ffor arall os dri'ith o gwiblo amsar i ffwr' o'r fargian!"

"Ddylia fo ddim. 'Di fforti cwid y dwrnod ffyc ôl, nacdi? Teims tŵ – êti. Teims sics... damia, be 'di teims sics, d'wad...?"

"Sics êts, fforti-êt. Pedwar cant wythdeg. Tŵ-fforti yr un, Tom." Roedd y Gwalch yn un da am wneud syms pan oedd hi'n dod i bres yn ei bocad.

"Peintio to am o dan bum cant. 'Sa'n talu lot mwy i gontractiwrs."

"'Sa'r jipos yn tsiarjio mwy na ni, siŵr dduw."

"A ma 'di ca'l 'i baent am ddim o rwla..."

"Fforestri. Ma'i fab o'n fanijar iddyn nhw. Hwn 'di'r paent ma nw'n iwsio i gamofflajo'r lle mowntein beics 'na'n Coed y Brenin." Tynnodd Jac ar ei rôl, pesychu, a gobio dros ochor y to eto.

"Pa fab sy'n gweithio i'r fforestri?" gofynnodd Tomi cyn hir.

"Gethin."

"Gethin, ia... Be 'di enw'r llall, d'wa'?"

"Gwydion."

"Hwnna sy 'di prodi be-di-henw-hi? Honna o Traws, de?"

"Ia."

"Gethin a Gwydion, ia, 'na fo. Dwi'n cofio'r ddau o'nyn nhw'n betha bach o gwmpas lle 'ma, pan o'n i'n dod lawr 'ma i sgota. Be ma hwnnw'n neud, 'ta – Gwydion?"

"'Dwn i'm, 'sdi, Tom. Ond mae 'u chwaer nhw'n gweithio'n Cop."

"Yndi, wn i. 'Di'n dal efo'r boi 'na? Y Sgotyn?"

"Chris? Yndi, 'sdi."

"Be 'di hanas hwnnw ŵan, d'wa'?"

"Ma'n gweithio'n *Musgroves* ers blynyddoedd, 'sdi."

"Ffycin hel! Yndi?"

"Yndi. Fforman, dwi'n meddwl."

"Arglwydd!"

"Mae o ar gyflog bach go lew, beth bynnag."

"Dow! Wyddwn i ddim fod o'n dal o gwmpas, cofia..."

"Wel, mae o, i ti..."

"Iesu, dwi heb 'i weld o 'sdalwm. 'Di o byth allan ŵan, nacdi?"

"Na. Neb 'di'i weld o'n pyb ers blynyddoedd."

"Oedd o'n chwara pŵl, doedd?"

"Oedd..."

"Yn Bryn Glas welis i o ddwytha, a ma hwnnw 'di cau lawr ers dros bum mlynadd, siŵr o fod..."

"Yndi'n braf..."

Tynnodd Tomi'n ddwfn ar ei ffag, a meddwl yn ddwys am rai eiliadau, cyn ei fflicio i'r awyr o'i flaen. "Ffycin idiot oedd o, 'fyd."

Sugnodd Jac y blewyn ola o fwg o'i ffagsan ynta, a'i gyrru ar ôl un Tomi. "Ia. Ffycin idiot go iawn..."

"Ust!" medda Tomi. "Ti'n clwad hynna?"

Tiwniodd y ddau eu clustiau i'r awel. Roedd 'na sŵn canu'n dod o rwla. Edrychodd y ddau o'u cwmpas fel sowldiwrs, a chyn hir mi welson nhw fo. Goronwy oedd yno, yn codi bwlch yn y wal, rhyw ganllath a hannar i ffwrdd, ym mhen pella'r cae bach serth rhwng y coed ar yr ochr chwith.

"Shit! Ma hwn 'di ffendio rwbath arall i'w neud reit yn ymyl, myn uffarn i! 'Dio'm yn methu ffyc ôl!" medda Tomi, wrth droi'n ôl ar ei bedwar, a gafael yn ei frwsh.

"Dwi'n deud 'tha ti, Tomi," cwynodd Jac, wrth ei ddilyn, "dwi jesd â mynd fflat owt fory i orffan y cwbwl cyn dydd Sadwrn. Gneud o mewn pump dwrnod. Well gena i golli fforti cwid na slafio fel hyn. Ti'n ca'l ffycin smôc yn jêl, ffor ffyc's sêcs!"

≈ 3 ≈

PAN DDAETH BIC â'r dympar atyn nhw, roedd Cledwyn a Sbanish yn ista yng nghysgod y ffens grawia, yn chwysu cwrw a smocio joint.

"Bilbo! Frodo! Dowch 'laen – brecwast!"

Doedd 'na'm angan deud mwy. Roedd y ddau'n ista o bobtu sêt y dreifar o fewn chwinciad.

"Ffyc mi, ma 'i'n oer!" medda Sbanish.

"Duw, be 'san ti?" medda Bic. "Ma 'i'n ffresh neis, siŵr!"

"Clyw arna chdi!" medda Cledwyn. "Scott of the Antarctic, mwya sydyn! Ty'laen – tân 'dani! Dwi jyst â ffêntio isio bwyd – ma bocha 'nhin i'n byta 'nhrwsus i."

Dau funud wedyn, roeddan nhw'n sefyll o flaen trelar bwyd Sue a Glen, tu allan y cantîn yn y compownd, yn glafoerio wrth i'r hogla bêcyn, wy a sosej gorddi'r nwyon yn eu bolia gwag.

Roedd Drwgi 'di cyrraedd yno o'u blaena, wedi cerddad i lawr yn lle aros i'r hogia ddod yn ôl efo'r dympar. Roedd ganddo dri wy, tri bêcyn a tri sosej ar ei blât, a bwcedad o fîns, ac roedd o'n trampio am y cwt i sglaffio'r cwbwl lot.

"'Sgin ti ddigon yn fa'na, Drwgi?" gofynnodd Sbanish, â'i lygid bron mor fawr â'r blât.

"Ga i weld ar ôl i fi 'i fyta fo, Sban," medda Drwgi, â golwg fel blaidd llwglyd ar ei wynab. "Ella a' i am seconds, ffor' dwi'n teimlo ar y funud!"

Beioleg ar waith oedd y munudau nesaf yn y cwt. Bwyd yn diflannu i lawr un pen i gyrff geirwon, a nwyon dieflig yn dod allan o'r pen arall. Bwrdd yr hogia oedd tarddle'r nwyon gwaetha. Doedd effeithiau cwrw'r Het ddim am farw'n dawel.

Roedd Cled bron marw isio cachu, ond roedd Drwgi wedi hawlio'r dalec glas tu allan ers bron i bum munud. Roedd Cledwyn yn diawlio, ac yn gweld ei hun yn mynd i'r coed unrhyw funud, pan ddaeth y Dybyl-Bybyls i mewn, yn rŵd i gyd drostynt, ac ista i lawr efo'r hogia – gan fachu lle Drwgi ar y fainc. Roedd y ddau horwth o efaill, Gwynedd a Gwyndaf, yn stîl-fficsio yn is i lawr ar y seit. Roeddan nhw wedi gorfod gorffan clymu bariau sicstîn-mìl, mewn secshion o'r bont, cyn panad, er mwyn iddo fod yn barod i'r concrit fydda'n cyrraedd am hannar awr wedi deg. Tynnodd y ddau gawr eu bocsys bwyd allan o'u bagia, a dechra chwalu'u ffordd drwy'r rôls tshicen, bêcyn a *mayonaisse* oeddan nhw wedi'u pigo i fyny yn Spar Dre, ben bora.

"Thgnngr-ia-hgia? Dmddlgnithl…" Roedd un o'r efeilliaid yn siarad efo nhw, heb dynnu'i geg o'i rôl.

"Be oedd hynna, Chewbacca?" gofynnodd Cled. Doedd o'm yn gwbod pa Ddybyl-Bybyl oedd yn cyfathrebu efo fo, achos yr unig ffordd i ddeud y gwahaniaeth rhwng y ddau oedd eu clywed yn siarad, gan mai Gwynedd oedd yr un oedd yn siarad efo lithp.

Daeth yn amlwg mai Gwyndaf oedd o, pan ailadroddodd ei frawd be oedd o newydd ei ddeud. "Thgenan ni grawia'n barod? 'Dan ni'n meddwl fo' ni 'di ca'l thêl i rei o'nyn nhw."

"I pwy?" holodd Cled.

"Eddie Siop Jipth."

"Be mae o isio nw i?" holodd Sbanish.

"Patio, dwi'n meddwl."

"Iawn 'lly. Sgenan ni'm rhei digon taclus i wneud llawr tŷ ar y funud."

"Dio'm isio rhei rhy flêr, chwaith, Sban," medda Gwyndaf mewn cawod o friwsion a *mayo*. "'Dyn nhw'n ddigon taclus i batio?"

"Yndi, am wn i," atebodd Sban. "Dibynnu faint o ffysi 'dio… Ellith o lifio nhw efo *stihl saw* os dio isio nhw'n fwy sgwâr…"

"Faint sgena ni?"

"Hannar cant yn braf," medda Cled.

"Yn y coed, fan hyn?"

"Ia. Fuon ni arnyn nhw drwy dydd ddoe, yndo, Bic?"

"Ffycin do! Ma 'nghefn i'n dal yn ffycd…"

"Genan ni rei'n y top 'cw, 'fyd, yn barod i ddod lawr. Ond bo nw'n rhei blêr uffernol..."

"Dal yn werth rwbath, 'thdi. Dyna 'di'r *in thing* ŵan – patioth a garden path-th rythtic."

"Be 'dathd di?" medda Bic, oedd wrth ei fodd yn tynnu ar Gwynedd, drwy'i ddynwarad o. Mae rhai plant yn gallu bod yn hapus efo'r un tegan am flynyddoedd.

"Ffyc off!" oedd atab Gwynedd – un o'r mwyafrif llethol fydda'n diflasu ar eu *Action Mans* ar ôl awr.

"Ddown ni i fyny i nôl y rhei o'r coed heno, ia?" cynigiodd Gwyndaf Dybyl-Bybyl, gan anwybyddu'r ymryson.

Doedd yr awgrym ddim wrth fodd Bic. "Heno?!" medda fo, mewn llais chydig bach yn rhy *high-pitched* i fod yn ymateb naturiol.

"Ia. Pam? Lle ti'n mynd?"

"Nunlla. Be dwi'n feddwl ydi, 'ffyc, dim heno, dwi'n ffycin ffycd!'"

"Dim mynadd?" gofynnodd Gwynedd, drwy gegiad arall o'r bagét.

"Na... wel, ia, ei sypôs... Ffyc, dwi angan leflar! Fydda i'n iawn nes mlaen, ar ôl i'r bwyd 'ma 'neffro fi." Cododd Bic ar ei draed, i nôl panad arall o'r wrn dŵr poeth yng nghornal y cwt. "Rywun arall isio panad?"

Wedi i bawb lowcio'u paneidia, ac estyn eu mygia gwag i Bic, aeth y drafodaeth yn ei blaen.

"Un ai hynny neu gadal hi tan fory?" medda Gwyndaf.

"Fyddan ni'm yma fory, Gwyn..." dechreuodd Cled.

"Pam?"

"'Dan ni'n mynd i Lerpwl, dydan?"

"O ia, ia. Na fo. Wel, heno amdani 'lly, ia? Tua chwech?"

≈ *4* ≈

ERBYN GANOL PNAWN, i fyny ar ben to sied Gronwy Ty'n Twll, roedd Jac Bach y Gwalch a Tomi Shytyl wedi hen gael llond bol.

Roedd hi'n ddau o'r gloch, a mi oedd y gwynt wedi codi rhyw chydig, ac yn dechrau gafael o ddifri. Jac oedd y cynta i gael mỳll.

"Pwy ffwc fysa'n peintio sied yn ganol ffycin gaea?"

"Ia, wel," medda Tomi, "mae'i 'di bod yn bwrw am fisoedd, dydi? Elli di'm beio'r boi am fachu ar y cyfla, a hitha'n gaddo wsnos sych."

"'Sa waeth 'ddo ada'l o tan ha nesa, ddim. Jesd deud wrth bobol *planning* fod o heb ga'l tywydd…"

"Ia, ond ma'r sied i fyny ers blwyddyn gena fo. Dwi'n meddwl fo nw 'di gyrru llythyr twrna iddo fo, i ddeud 'tha fo am neud o."

"Yr hen gybudd, ddim isio ffycin gwario, ma'n siŵr, nagoedd? Cadw pres yn banc i ga'l intrest. Os oes *ganddo* fo ffycin acownt – ella fod ganddo fo ffortshiwn dan y fatras, yn tŷ 'cw…"

"Ma'n ddigon pell o dy afa'l di, beth bynnag, Jac Bach y Gwalch," medda llais Gronwy, o ben yr ystol, tu ôl iddo.

Neidiodd Jac yn ei groen. "Ffycin hel, y bastad! Watsia'n ffwcin nghalon i, wir dduw, ddyn!"

"'Sgin ti'm calon, y Gwalch!" medda Gron yn ei ôl, fel siot.

"Hi-hiii!" medda Tomi. "Ma hynna'n ffycin wir!"

"Cau hi'r cont!" diawliodd y Gwalch. "Neu mi beintia i di'n wyrdd fel y corrach ag wyt ti!"

"Wel gobeithio 'nei di job well na be ti'n neud ar y to 'ma, Jac!" Roedd Gronwy'n gwbod yn iawn sut i gorddi'r Gwalch.

"Be haru ti'r diawl digwilydd! Ffwcio di, dwi'n cym'yd smôc. Ti'n ca'l smôc yn jêl!"

Fedrai Tomi na Gron ddim peidio gwenu. Tynnodd y ddau o'nyn nhwtha eu powtshys baco allan, a dechra rowlio'u ffags.

"Be allan ni 'neud i ti, eniwê, Gron?" gofynnodd Tomi. "Heblaw gorffan peintio'r to, 'lly?"

"Ia, sgweiar," ychwanegodd Jac, wrth weld llygid Gronwy'n fflachio nôl a mlaen dros y to. "Wat ffor dw wi ow iw ddus onyr, ior majesti?"

"Duw, jesd dod draw am smôc a sgwrs, ynde hogia?"

"O ia…" Doedd Jac, na'i bardnar, heb fethu sylwi mai dyma'r

tro cynta iddo ddod fyny atyn nhw ers iddyn nhw ddechra'r job, ddydd Llun. A mi oedd hi'n ddydd Iau, bellach. Mynd fyny, ben bora, cyn i'r hogia gyrraedd, oedd tric Gron, fel arfar, pan oedd o isio gweld os oedd yr hogia'n gneud job iawn arni neu beidio.

"Ia, duw… O's 'na rwbath dach chi isio, o gwbwl?"

"Fasa panad yn ffycin lyfli, Gron."

"Ti 'di anghofio dy fflasg, Jac?"

"Panad ffresh o'n i'n feddwl – o decall! Sgin ti decall yn tŷ 'cw, 'ta ti rhy fîn i brynu tîbags?"

"Oes, ma gin i decall, Jac."

"A?"

"Ma raid 'fi fynd i'r dentist pnawn 'ma. Tynnu'r hen ddant, 'ma."

"Ffwcinél! Ti'n gada'l i'r dentist gym'yd dy ddant di heb dy dalu di amdana fo?" Doedd Jac ddim mewn hwylia i gymryd prisonars.

"Ia, digri iawn, Jac Bach y Gwalch. Ma croeso i'r cont 'i gadw fo, eniwê. Ma'r bastad peth wedi pydru'n dwll. Ma 'di bod yn 'n lladd i ers misoedd."

"Misoedd? Be oedd? Ddim 'di dallt fod dentists am ddim o' ti?"

Roedd Jac a phawb arall yn y plwy yn gwbod fod Gron yn tynnu'i ddannadd ei hun allan, efo pleiars a pob matha o gontrapshiwns. Roedd o wedi yfad potelad o wisgi unwaith, ac ymosod ar ei geg efo gefail ffensio. Un o'i feibion ddaeth o hyd iddo, yn waed i gyd, wedi nocio'i hun allan efo'r wisgi a'r boen, a'r gegin yn racs oherwydd ffyrnigrwydd yr ymdrech. Doedd hynny heb ei rwystro rhag trio eto, chwaith. Ar ôl wythnos o lyncu *painkillers*, mi gleciodd botal arall – brandi'r tro yma – a chlymu edau rownd y dant, a'i redag rownd pwli'r ceffyl dillad uwchben tân, a chlymu'r pen arall wrth fonyn drws y gegin. Mi weithiodd, achos pan slamiodd y drws ar gau, mi ddaeth y dant allan yn ddigon sydyn. 'Blaw mai'r dant anghywir oedd o – un o'r rhai oedd wedi dod yn rhydd yr wythnos gynt, diolch i'r ymosodiad efo'r efail ffensio.

"Ffwcinél, Jac! Pryd fuasd di at ddentist ddwytha?" dechreuodd Tomi Shytyl. "Wti'n gwbo faint o draffath 'di ffwcin ffendio un, dyddia yma?"

"Cau di dy geg, y cont, ne fy' ditha angan ffendio un!"

Gwenodd Gron ar dynnu coes y ddau gradur, wrth dynnu'n hamddenol ar ei smôc. "Wel, ma'r wlad 'ma 'di mynd tw pot, beth bynnag. Methu'n lân â dallt ydw i, lle ffwc ma'r dentists wedi mynd i gyd? Ma 'na ddigon o waith i'r diawliad. 'Dio'm fel bo 'na brindar o ddannadd yn y wlad 'ma, nacdi? A'r holl joclets a fferins 'ma'n pydru dannadd y plantos."

"Dwn i'm am hynny, Gron bach," medda Jac. "Doedd 'na'm llawar o fferins i ga'l pan o'n i'n fach, a sbia…" Tynnodd Jac ei ddannadd gosod allan i ddangos rhes dop ceg gwag, heblaw am un dant blaen, ar yr ochor chwith.

"Ia, ond disgyn i gysgu efo dy ben dan y pilw, 'nes di, ynde Jac," chwerthodd Tomi, "wedi planio mygio'r Twth Ffêri!"

Pesychodd Jac yn galad, a chodi fflemsan, a mi gollodd ei gyfla i ymatab. Bachodd Gron ar y cyfla i ddianc. "Reit, wela i chi. Fydda i 'nôl cyn pedwar, siawns."

"Well 'ti ffwcin fod, 'fyd!" siarsiodd Jac, i atgoffa Gron mai fo oedd yn rhoi lifft adra iddyn nhw. "Dwi'm isio bod yn styc yn y lle 'ma ar ôl 'ddi dwllu. Llawn o ffycin ysbrydion. Rheiny, chdi a dy ddefaid a cŵn 'di'r unig betha sy ddigon gwirion i fyw'n y twll lle!"

Ond roedd Gron wedi diflannu i lawr yr ystol. Gwyliodd Jac a Tomi fo'n croesi'r buarth ac yn gollwng Pero a Mot, dau o'i hoff gŵn defaid, i gefn y Land Rofar, ac yn cychwyn am Port.

"'Na hi," medda Jac, yn ochneidio wrth 'mystyn ei goesa. "Ffwcin pum munud bach…"

≈ 5 ≈

DYMPIO'R CRAWIA YN y doman rwbal tu ôl y compownd oedd yr hogia i fod i wneud. Doedd y cwmni adeiladu ffordd ddim yn gweld gwerth iddyn nhw. Ond mi oedd yr hogia.

Yn draddodiadol, roedd pob ardal yn defnyddio'r deunydd oedd wrth law ar gyfer swyddogaethau pob dydd y gymdogaeth. Mewn ardaloedd creigiog, waliau cerrig oedd y dull mwyaf cyffredin o amgylchynu caeau, bueirth a chorlannau. Yn ardaloedd y llechi, fodd bynnag, ffensys crawia llechi sydd i'w gweld. Petha syml ydyn nhw – darnau mawr o lechfaen gwastad, wedi'u plannu â'u traed yn y ddaear, a dwy weiran wen yn rhedag i mewn ac allan rhyngddyn nhw, wedi'u twistio'n dynn rhwng pob crawan, i wasgu ar y garrag a'i rhwystro rhag disgyn yn araf tua'r llawr. Bellach, yn rhan annatod o dirwedd a hunaniaeth yr ardal, roedd rhywun yn gwybod ei fod o adra wrth weld ffensys crawia.

Roedd gwaith ffordd Bwlch y Beddau dros filltir o hyd, a ffens grawia'n rhedag o boptu'r hen ffordd, o'r gwaelod i'r top. Roedd rhaid tynnu'r rhain i gyd oddi yno, i wneud lle i'r ffordd newydd. Roeddan nhw wedi dechra'r job o'u tynnu, efo Hymac a Moxy. Ond roedd o'n anghyfleus, ac yn cymryd gormod o amsar, oherwydd fod angen labrwrs yno, drwy'r adeg, i dorri'r weiran a gwahanu'r crawia. Felly yn hytrach na defnyddio oriau'r ddau beiriant *ac* oriau dyn neu ddau'n ychwanegol, penderfynwyd ei bod yn gwneud llawer mwy o synnwyr i roi dau ddyn ar y job, ac un i'w cario i ffwrdd efo dympar bach cyffredin.

Wnaeth hi ddim cymryd yn hir i'r hogia weld cyfla am sgam. Felly yn lle eu dympio efo'r rwbal, yn y dymp yn y coed tu ôl y compownd, roedd yr hogia'n eu cario heibio'r doman rwbal, ar hyd y trac fforestri am hannar canllath, ac yn gollwng y crawia rownd y tro, mewn llannerch bach unig. Mater bach oedd hi, wedyn, i fynd yno efo pic-yp, liw nos, ar hyd hen ffordd fforestri – na wyddai neb ond y locals amdani – oedd yn rhedag i fyny o'r ffordd gefn am Llety Dafydd, yr hen ffermdy hynafol, yr ochor isaf i'r gwaith ffordd.

Roedd yr holl opyrêshiyn yn top sicret, wrth gwrs. Fiw iddyn nhw ddeud wrth neb arall, neu mi fyddai 'na un o ddau beth yn siŵr dduw o ddigwydd. Un ai fyddai cenfigen yn gyrru rhywun i sbragio ar yr hogia, neu fyddai rhywun yn mynd i'r coed, liw nos, i ddwyn y crawia iddyn nhw'u hunain.

Criw bach oedd i mewn ar y project, felly. Cledwyn a Sbanish, oedd yn tynnu'r ffens i lawr, Bic, oedd yn eu cario nhw ar y dympar, a'r Dybyl-Bybyls – y bois efo pic-yp Transit, efo twmbal tipio, yn handi. Yr unig broblam oedd, fod y Dybyl-Bybyls – pan oeddan nhw tu ôl olwyn unrhyw gerbyd ar y ffordd fawr – yn fagnet i blismyn. Roedd Gwyndaf Dybyl-Bybyl wedi'i fanio rhag dreifio am bum mlynadd, am ddreifio JCB drwy dri car heddlu – yn chwil gaib ar wisgi cartra – mewn ymdrech i gael Bic a Cled drwy rôdbloc ac i'r ysbyty mewn pryd i weld genedigaeth eu merched bach, Branwen a Swyn Dryw.

Roedd hynny flwyddyn a thri mis yn ôl, a mi oedd Gwyndaf druan wedi cael tri mis o garchar am ei gymwynas, hefyd. Roedd y cops â'u cyllell ynddo fo ers hynny – ac yn ei frawd, Gwynedd, oedd yn dreifio'r fan efo'r hogia'n y cefn, tu ôl y JCB, ac hefyd yn chwil gachu gaib ar y ddiod danllyd.

Newydd gael ei leisans yn ôl oedd Gwynedd, ers rhyw fis. Blwyddyn a hanner o waharddiad gafodd o, ond am ei fod o wedi mynychu cwrs dreifio diogel, ac ail drio rhan o'i dest, cafodd bedwar mis wedi ei dorri i ffwrdd o'r ban.

Gwynedd, felly, oedd yr unig efaill oedd â hawl i ddreifio'r pic-yp ar y ffyrdd. Ond gan na allai neb ddweud y gwahaniaeth rhwng yr efeilliaid, roedd y naill a'r llall tu ôl i'r olwyn cyn amled â'i gilydd. Yr unig beth oedd rhaid gofalu, os oeddan nhw'n cael stop pan fydda Gwyndaf yn dreifio, oedd fod Gwyndaf yn cofio lispio'i esus, fel ei frawd, a bod Gwynedd yn cadw'i geg ar gau – neu o leia'n gofalu peidio dweud geiriau efo 's' ynddyn nhw. Ac yn hynny o beth, meddai Gwyndaf, wrth ymarfer dynwared ei frawd, roedd hi'n "tho ffar tho gwd".

Yr unig berson arall oedd yn gwybod am y seidlein crawia oedd Drwgi. Roedd o wedi cael ei wadd i mewn i'r fenter, gan fod pâr ychwanegol o ddwylo wastad yn handi. Ond doedd ganddo fo mo'i hawydd hi. Er fod 'na bres da i'w wneud – roedd crawia taclus, modfadd a hannar o drwch, yn gwerthu am unrhyw beth o hannar cant i naw deg o bunnau yr un, yn newydd – roedd o jysd yn swnio fel gormod o waith calad i Drwgi. Roedd yn well ganddo weithio ar ei sgams ei hun – rhai efo llai o siawns o hernia...

Crafu'i ben, uwchben ei gerrig, oedd Drwgi. Roedd o'n chwilio am garrag gornal ynghanol y llanast dan ei draed. Roedd hynny'n ddigon o gontract fel oedd hi, â'r cerrig mor uffernol – a Bic yn stopio am joint bob tro oedd o'n pasio – heb sôn am y ffaith ei fod o'n cael abiws gan bobol oedd yn ei nabod o, wrth iddyn nhw basio yn eu ceir. Ac roedd 'pawb' yn nabod Drwgi.

Y broblem oedd fod y gweithiwrs wedi newid y system oleuadau traffig yn ystod y pnawn. Rŵan bo'r golau o fewn decllath i Drwgi, unwaith oedd o'n troi'n wyrdd roedd 'na resiad cyfan o geir yn gyrru heibio'n ara deg, a'r rhan fwya o'r ffycars ynddyn nhw'n weindio'r ffenast i lawr ac yn gweiddi petha. Doedd Drwgi'm yn ca'l llonydd i feddwl, heb sôn am ffendio carrag. Ac mi oedd 'na lot o waith meddwl ar ôl blastan o joints Bic.

"'Na hi'n fa'na, dan dy drwyn di!" gwaeddodd Stan Sgaramŵsh, yn hongian allan o ffenast ei fan bôst, a chwerthin fel dyn yn cael ei diclo i farwolaeth.

"Pryd ti'n mynd i blastro'r wal 'na?" gwaeddodd Gwyn Drops o'i fan 'Cefn Coch Demolition', efo gwyneba drwg ei gyd-weithwyr Gai Goch a Hed Ddy Bôl yn chwerthin tu ôl iddo.

"Hei, Drwgi," rowliodd llais Desi Evs, yn wên o glust i glust, isio i'r byd weld yr hen ambiwlans pinc oedd o wedi'i sgrynshio i ben y llwyth sgrap, ar gefn ei lori. "Ro i'r Hyab 'ma ar rheina i ti, dympio nw ar ben y wal 'na – fydd o'n edrach yn well! *Twenty pound an hour!*"

Roedd Rhagfyr Sbygodyn chydig yn gynilach. Swagrodd y slebog hyll drwy'r ciw yn ei fan 'Wizard's Grove Hotel', a gweiddi, "Wal gachu!"

Doedd ond un ffordd i atab Sbygodyn, a hynny oedd mor gynnil â fynta, ond canodd corn un o ar-tics John Bont, ac achosi i Drwgi neidio'n ei groen cyn iddo gael ei ddeuair i mewn. Erbyn i'r ciw traffig fynd heibio doedd Drwgi druan ddim yn gwbod os oedd o'n mynd ta dod. Roedd o'n falch o weld Bic yn dod amdano ar ei ddympar, newydd ollwng ei drydydd llwyth o grawia yn y coed. Roedd hi'n chwartar i dri, ac roedd o ar ei ffordd yn ôl i fyny at Cled a Sban. Stopiodd i wastio mwy o amsar Drwgi.

"Ti heb neud llawar heddiw, naddo? O'n i'n meddwl 'sa ti'n barod am lwyth arall erbyn rŵan."

"Ffyc! 'Sa bobol yn stopio dustracdio fi, 'sa'n help! 'Sgin bobol ddim byd gwell i neud, d'wad?!"

"Gwell na be?" Roedd Bic wedi dechra sginio fyny eto.

"Ffycin pasio ffor' 'ma i haslo fi bob munud!"

Chwerthodd Bic iddo'i hun wrth feddwl am griwiau o bobol yn dod i fyny'n un swydd i weindio Drwgi i fyny. A'r peth mwya digri am y syniad Pythonesque hwnnw, oedd, os fysa fo'n digwydd go iawn, fedra neb 'u beio nhw am wneud hynny. *Roedd* weindio Drwgi i fyny yn ofnadwy o entertêning, os oedd rhywun isio pasio chwartar awr yn gwylio'r fersiwn meddyliol o drên yn dod oddi ar ei draciau.

"Basdads didrugaradd, Drwgi. Cadw dyn da o'th 'i waith."

"Ia."

"Crefftwr o'th 'i gampwaith."

"Ia..."

"Artist..."

"Sgin ti ddim byd gwell i neud, Bic?" Roedd Drwgi wedi sysio'i gêm o.

"Wel, ga i weld os oes gan y ddau gont yma fwy o grawia i gario, dyna hi am y dwrnod, wedyn. Ma Sharon wedi mynd, beth bynnag..."

"Yndi? Ffyc it, dwi am orffan ar ôl y mics 'ma, felly. Jysd dangos 'ngwynab yn y cwt, banad dri, ac awê..."

Sharon oedd pawb yn galw Derek Shannon, y seit manijar. Roedd o'n hen foi iawn yn y bôn, yn enwedig o feddwl ei fod o wedi gweithio i'r cwmni am flynyddoedd. Tueddu i gael tantryms oedd o, a bod yn chydig o drama cwîn pan oedd petha'n mynd o'u lle.

"Sut ti'n mynd adra, ta, Drwgi? Thymio?"

"Run ffordd ddois i i mewn bora 'ma..."

"Ti'n ffycd mêt. Ma'r Dybyl-Bybyls yn gweithio tan bump..."

"Eh?!"

"Ma nw'n goro gorffan stîl-fficshio rhyw ffwcin secshiyn arall. Pôr concrit ben bora fory…"

"Fydd hi'n dywyll yn munud!"

"Ma genan nhw halogens, Drwgs. Dim yn eidîal, ond ti'n gwbo fel ma nhw. Grabars – gymran nhw bob awr sydd ar ga'l, siŵr…"

"Ffyc's sêcs!"

Taniodd Bic y jointan, a gwenu wrth weld Drwgi efo gwynab cnoi cachu. "Paid poeni, Drwgs. Ma pawb arall yn ffwcio'i o'ma'n gynnar. Ma 'na ddigon o liffts."

≈ 6 ≈

FFLACHIODD WALTER SIDNEY Finch oleuadau ei jîp Cherokee newydd sbon danlli ar Rhagfyr Sbygodyn, oedd yn dod i'w gwfwr drwy'r goleuadau o'i flaen. Gwenodd Rhagfyr fel ynfytyn wrth fflachio'n ôl, a chwifio'i fraich fel melin wynt yn y sgrin o'i flaen. Cododd Finch ei law yn ôl. Cont gwirion, meddyliodd, wrth aros am y golau gwyrdd.

Hannar ffordd drwy'r goleuadau, a fynta'n cael busnesiad go dda ar be oedd yn digwydd yr ochor arall i'r rhesi o gôns coch a gwyn o'i boptu, sylweddolodd Sid Finch ei fod yn nabod y ddau weithiwr oedd o'n weld, rhyw ganllath o'i flaen, ar y chwith. Er fod y ddau mewn cotia melyn, ac yn gwisgo hetia calad, gwyn, roedd hi'n amhosib peidio nabod y ddau. Doedd y ffaith eu bod nhw'n ymddangos mewn sefyllfa hollol wahanol i'r arfer – gwaith, yn lle off eu penna mewn pyb – ddim yn drysu'r cof, chwaith. Roedd delweddau'r ddau lajico wedi'u llosgi ar du mewn cloriau llygid Finch ers digon o amsar, bellach…

Tynnodd ar ei sigâr a throi ei CD *Duke McTaggart's Wildest Country* i fyny, wrth nesu at y ddau. Gwyliodd nhw'n siarad a malu cachu, wrth eu pasio.

"Drwgi Ragarug a Bic Flannagan," sgyrnygodd dan ei wynt, fel tasa fo'n trio cadarnhau iddo'i hun fod yr hyn oedd o'n ei weld o'i flaen yn wir. "Ers pryd ma'r ddau yna'n cuddio i fyny'r topia 'ma?"

Gwnaeth nodyn meddyliol i gofio tshecio oedd y ddau'n dal i seinio mlaen – ac yn achos Bic Flannagan, i weld oedd ganddo dicad i ddreifio dympars – cyn gwasgu'r botwm 'sgip' ar y CD, er mwyn neidio i'w hoff gân gan Duke.

Daeth allan o'r goleuadau, yr ochor draw, a chan floeddio canu 'Bounty At El Paso', rhoddodd ei droed i lawr, a'i dyrnu hi am Dre.

≈ 7 ≈

I LAWR YNG Ngheunant Du, roedd Jac a Tomi'n ystyried be i neud. Roedd hi'n chwartar wedi tri yn y pnawn, a'r haul ar fin disgyn tu ôl i'r llechwadd unwaith eto, ac roedd y tamad o do'r sied oedd ar ôl heb ei beintio yn ddarn oeddan nhw'n mynd i allu'i orffan mewn llai na dau ddiwrnod. Petaen nhw'n bwrw iddi am yr hannar awr o lwydolau oedd ar ôl yn y ceunant, byddan nhw'n siŵr o adael gwerth diwrnod a hannar o waith peintio – diwrnod llawn drannoeth, a hannar diwrnod bach braf at fore Sadwrn. A byddai bore ar ben to a phnawn yn y dafarn yn gweithio'n daclus ar ddydd Sadwrn.

Ond y broblam oedd Gronwy a'i geiniogau main. Fyddai Gron byth yn talu am y diwrnod iddyn nhw, fel bonws, dydd Sadwrn. Wrth y dydd fuon nhw'n gneud y job, yn hytrach nag wedi rhoi pris pendant. Oedd, mi oedd y temtasiwn i orffan yn onest amsar cinio dydd Sadwrn yn gryf. Ond os fysa nhw'n ei stretsio hi i ddiwrnod llawn, byddai ugian punt yn fwy yn eu pocedi yn mynd i lawr yn dda yn yr Het ar bnawn dydd Sul.

Roedd hi'n dipyn o ddeilema – un fu'n destun trafodaeth rhwng y ddau ers i Gron adael am y deintydd, yn gynharach yn y pnawn.

"Gawn ni weld sut eith hi'n 'de, Jac?" medda Tomi, wrth godi ar ei draed ar ben to. "Croesi'r bont pan ddown ni ati. Os fyddwn ni 'di gorffan yn gynnar, gawn ni haglo'r cont. Ella geith o foment wan…"

"Ffwcin hel! Paid â dal dy wynt! 'Sa hwnna'n ca'l moment wan, 'sa fo'n ei gwerthu hi!"

"Duwcs, dau gant ag ugian yr un, yn lle dau gant pedwar deg. Dio'm gymaint â hynny o broblam, nacdi, Jac?"

"Wel ffycin yndi, siŵr dduw! Twenti cwid yn llai, a'r pyb yn 'gorad. Wariwn ni twenti arall yn y pyb yn pnawn, felly fyddan ni fforti cwid i lawr erbyn amsar te!"

"Gin ti bwynt yn fa'na, Jac… Ond dwi 'di ca'l llond bol ar y ffycin lle 'ma, i ddeud gwir 'tha ti. Ma'n werth colli fforti cwid i ga'l mynd o 'ma!"

"Hmmm… Ma gin titha bwynt yn fa'na, 'fyd, Tomi…"

"Gawn ni weld sut eith hi fory, 'ta, ia?"

"Ia, 'na ni. Ond synnwn i ddim fydda i 'di ca'l gymint o lond bol erbyn hynny, fydda i 'di cael uffarn o sbîd, a 'di gorffan y ffycin to i gyd erbyn amsar te!"

"'Sa'm isio ecsajerêtio, nagoes, Jac? Ffwcio'i eniwê. Dwi'n mynd am gachiad. Mae'i drwyn o ar y brethyn, myn uffarn i."

"Ma'r cont 'di cloi tŷ, ma siŵr, Tom…"

"Duw duw – a' i i'r coed 'cw eto. Sgin ti bapur cachu ar ôl?"

"Na."

"Mwsog a dail amdani, felly."

Rowliodd Jac smôc, a gwenu, wrth wylio'i fêt yn brasgamu ar draws y cae bach serth, a diflannu i goed y ceunant. Tynnodd ar ei ffag yn braf, a phesychu. Roedd ei frest yn ddiawledig o dynn yn ddiweddar. Mymryn o annwyd, mwya tebyg, meddyliodd. Roedd ista ar ben to am wythnos yn ffordd go effeithiol o wadd oerfal i mewn i'r corff.

Daeth sŵn cerbyd yn dod i fyny'r ffordd fach at y buarth. Allai Jac ddim gweld pwy oedd yno, dros grib to'r sied, ond mentrai mai Gron oedd o, yn dod nôl o'r deintydd, efo'i gŵn. Bu bron iddo wislo ar Tomi, ond meddyliodd eto. Roedd 'na hawl i gachu'n jêl, ffor ffyc's sêcs…

Yna clywodd Jac y cerbyd yn stopio ar y buarth, a sŵn mwy nag un drws yn agor a chau. Daeth cwpwl o leisiau diarth i'w glyw, yn siarad Susnag, a clywodd ddrws y sied yn agor islaw.

Cerddodd Jac ar flaenau'i draed at grib y to, i gael sbecian pwy oedd yno. Daeth ei amheuon yn wir pan welodd ddyn yn ei dridegau'n rhegi wrth gario bocs twls Gronwy i gefn y fan.

"Fuckin boxa fuckin spanners! But there's a tank o' diesel 'ere… Get the bolt-cutters on the padlock. And keep yer eyes peeled, there must be sommat else 'ere, for fuck's sakes!"

Ffycin lladron! Trodd Jac i edrych lle oedd Tomi, ond doedd 'na'm sôn amdano'n ailymddangos o'r coed. Trodd ei olygon yn ôl i'r buarth. Roedd 'na rywun yn gweiddi o du mewn i'r sied. Roedd o wedi dod o hyd i jênso…

Roedd rhaid i Jac neud rwbath, a hynny'n sydyn. Doedd ganddo'm signal ffôn, a gan fod y fan wedi'i pharcio â'i hochor tuag ato, fedra fo'm gweld rhif ei nymbyr plêt. Roedd ei reddf yn dweud wrtho am weiddi, ond fydda hynny ddim yn stopio'r ffycars rhag dreifio i ffwrdd efo stwff Gron yng nghefn y fan. Meddyliodd. Dau foi – tasa fo'n cael gafael ar ddarn o bren go galad, neu fwrthwl, fysa fo'n gallu'u handlo nhw. A mi fydda Tomi 'nôl yn munud, i'w helpu. Duw â helpo'r wancars 'ma wedyn. Aeth i lawr yr ystol, yn dawal bach.

Fel oedd o'n cyrraedd cornal y sied, gwelodd Jac fod Tomi'n ymddangos ym mhen pella'r cae bach. Amneidiodd arno i ddod draw'n sydyn, ond wnaeth Tomi ddim ond codi'i law yn ôl, heb ddallt be oedd yn digwydd.

Sleifiodd Jac ei ben rownd y talcan. Roedd y boi oedd yn cario'r bocs twls, funud ynghynt, wrth y tŷ, yn sbecian drwy'r ffenestri ac yn chwilio am y goriad o dan cwpwl o gerrig wrth y drws. Roedd rhaid stopio'r contiaid yma cyn iddyn nhw fynd â pres rhen Gron i gyd, meddyliodd Jac. A ffycin cyflog fo a Tomi…

Edrychodd o'i gwmpas. Gwelodd damaid o beipan haearn rydlyd, modfadd a hannar o drwch a llathan o hyd, yn gorwadd wrth wal y sied, rhyngtho fo a fan y lladron. Aeth amdani, a'i chodi. Reit 'ta'r basdads!

Gwelodd foi go ifanc yn cerdded tuag at y fan o'i flaen. Aeth amdano, a chodi'r beipan uwch ei ben, a'i dal yn yr awyr. "Hoi! Ârs-hôl! Pwt efrithing bac un ddy sied and get ddy ffyc owt of

. hiyr biffôr ai mêc iw intw corn bîff wudd ddis paip!"

Neidiodd y boi, a throi rownd i wynebu Jac. Rhoddodd ei ddwylo allan wrth ei ochra, wedyn, a dechra paldaruo. *"Calm down auld feller. No need te get werked up, mate... We're bailiffs..."*

"Bêliffs mai ffycin ârs! Têc efrithing awt of ddy fan, and lîf ut on ddy fflôr ddêr, and ffyc off! Iw thinc ai wont pylp ior ffycin hed wudd ddus?!" Cododd Jac y beipan eto.

"Mr Jones?" medda llais y boi arall, wrth ddod yn ôl o gyfeiriad y tŷ.

"Nais trai, wancyr," medda Jac. "Dder's no ffycin Jôns hîyr!"

"Don't be daft, Taffy, yous are all Jones when it boils down to it!"

"Wel dder usynt eni hîyr. And dder's nything els hîyr ffor iw, îddyr – ecsept ffor ddus..." Cododd Jac ei beipan i'r awyr, eto.

"Well, considering you sheepshaggers are all inbred, I find everything you say hard to fuckin swallow... Have you met my friend – Mr Wrench?"

"Wat?"

Amneidiodd y lleidar i gyfeiriad y sied, tu ôl i Jac, a throdd Jac i gael golwg sydyn. Y peth olaf welodd o oedd pâr o *bolt cutters* mawr, yn nwylo gorila o ddyn efo pen moel, yn swingio amdano o'r tu ôl. Chafodd o'm cyfla i osgoi'r glec. Hitiodd y teclyn trwm o'n sgwâr ar ei dalcan, ac aeth popeth yn dywyll. Disgynnodd Jac fel sachad o lo.

"Fuckin 'ell, Porky, you fuckin' killed 'im!" gwaeddodd y boi cynta.

"Don't be daft, soft lad. It's just a whack on the 'ead..."

"But 'e's an auld feller!"

"Fuck 'im!" medda'r boi fu'n sbio i mewn i'r tŷ. *"He shouldn't've had a go. Fuckin' action hero. Porky, check 'is pockets, see if 'e's gorra phone... Fuck the diesel, just get the chainsaw. We better gerrout of here. It's on top."*

"Anythin' in the 'pad?" gofynnodd Porky, wrth fynd drwy bocedi Jac druan.

"Nah, it's just a fuckin mess, lar... Come 'ed, outta here. It's all

fucked up."

"*We should call an ambo for 'im…*" Roedd y lleidr ifanc yn poeni wrth weld y gwaed yn llifo o dalcan yr hen gradur, ar lawr.

"*Let's gerrouta here first, Billy. Come 'ed, will yer!*" medda'r boi yn wyllt, a throi am ddrws dreifar y fan.

Cododd yr epa uwchben Jac, wedi cael gafael ar mobeil ffôn a walat yr hen foi. "*What the fuck's this?*" medda fo, wrth weld y sgwennu ar flaen y walat, blastig goch a gwyrdd. "'*Taid'. Wassa'? Fuckin' Welsh or fuckin Scottish?*" Rhoddodd y ffôn a'r walat yn ei bocad, a dilyn y lleill am y fan.

"*Hoi, you fuckers!*" Daeth llais Tomi Shytyl i stopio'r dihirod yn eu sgidia. Roedd o newydd ddod rownd talcan y sied, yn gobeithio gweld pa ddireidi'r oedd Jac i fyny iddo ar y buarth. Yn ei sioc o weld ei fêt yn llonydd gwaedlyd ar lawr, roedd o wedi gweiddi, heb feddwl, ac wedi dechra rhuthro tuag at y lladron fel tarw gwyllt.

Roedd hynny'n gamgymeriad.

Erbyn i Tomi gyrraedd o fewn dwylath roedd yr arth wedi cydio yn y beipan haearn o ddwylo llipa Jac, ac wedi dod i'w gwfwr, yn swingio fel helicoptar. Drwy lwc, mi lwyddodd Tomi i osgoi y beipan, a phlannu biwtar o *right hook* o dan ên yr horwth. Fel reidio beic, unwaith oedd rhywun wedi bocsio, doedd o'm yn anghofio wedyn – yn enwedig os oedd o'n gyn-*schoolboy champion* a chyn bencampwr amatur gogledd Cymru, fel Tomi. Ac fel amal i labwst mawr arall o'i flaen, aeth y bwli mawr i lawr ar ei ochr, wrth ymyl Jac.

Ond codi wnaeth y cawr, ac er i Tomi ei landio efo swadan arall, cafodd ei draed 'dano, a rhuthro am y Cymro eto. Erbyn hynny roedd y ddau leidar arall wedi rhedag yn ôl o'r fan, ac wedi dechra peltio Tomi efo dyrna a thraed, nes y disgynnodd 'rhen warriar ar ei wynab ar lawr. Y cwbwl allai wneud wedyn, ynghanol y storm o sgidia a dyrna, oedd diolch ei fod wedi llwyddo i wneud ei hun yn bêl cyn i'r gweir droi'n fudur. Gwaeddodd mewn poen wrth i gic chwalu'i drwyn fel wy 'di'i ferwi yn ei blisgyn, ac eto wrth i gic arall chwalu ei foch, ac eto wedyn, wrth i'r nesa rwygo'i weflau drwy ei ddannadd. Yr unig beth allai Tomi'i wneud oedd gweddïo y bydda'r anifeiliaid yn blino cyn ei ladd o.

Ac yna, trodd petha'n fileinig. Roedd o'n gwybod, am fod rhai o'r ergydion wedi troi'n rhai deg gwaith mwy trwm a phoenus – ergydion oedd yn ei lonyddu efo poen, ac yn teimlo fel eu bod yn gwneud difrod *go iawn* i le bynnag oeddan nhw'n glanio. Rhywle ynghanol yr hunllef agorodd Tomi'i fysedd ddigon i weld y beipan haearn yn swingio am ei asennau. Roedd hynny cyn i'w goesau ei chael hi... yna ei ben... ac aeth popeth yn ddu...

≈ 8 ≈

SYCHODD DRWGI'I GOC efo tywal gwlyb, a rhoi ffling i'r tywal i'r fasgiad ddillad budur. Aeth yn ôl i'r bocs rŵm, lle oedd y cyfrifiadur teuluol, a'i gau i lawr. Agorodd y cyrtans ac edrych allan i'r cefna.

Heblaw am oleuada Nadolig y Cyngor, a'u bylbs bob lliw yn nadreddu rownd y polion lamp, draw ar stryd isa Graig, ym mhen draw'r patsh, doedd 'na'm arwydd o fywyd yn nunlla. Doedd 'na'm gola yng nghefna run o'r tai, dim hyd yn oed yn ffenast gegin Jac Bach y Gwalch, oedd i fyny fel wiwar cyn saith bob bora, fel arfar. Ac mi oedd hi'n ddiwrnod budur. Gwelai Drwgi'r glaw mân yn cael ei sgrialu i bob cilfach gan y gwynt. Wythnos sych, o ddiawl, meddyliodd. Sut ffwc oedd Derek Brockway dal mewn gwaith? Ochneidiodd...

Drwgi dynnodd y fatsian fyrra. Roedd yr hogia'n mynd i Lerpwl heddiw, tra'i fod o'n gorfod mynd i weithio, er mwyn dod â cyfloga'r hogia adra. Roedd y cwmni'n talu mewn cash, a hynny ar ddydd Gwenar, a fysa Sharon ddim yn rhoi'r cyfloga i unrhyw un o'r sybis, felly roedd y Dybyl-Bybyls allan o'r cwestiwn. Typical, meddyliodd Drwgi. Diwrnod ffycin shit.

Roedd hi'n dawal yn y gegin wrth i Drwgi groesi'r llawr... tan i lais metalig ei slipars nofylti – â llun Dalek ar flaen pob un – ddechrau mynd '*EXTERMINATE... EXTERMINATE,*' efo pob cam oedd o'n gymryd.

Rhoddodd Drwgi rhyw 'ha-ha' fach wrth sylweddoli fod y slipar dde, oedd yn cynnwys y batri a'r mini-sbîcyr cuddiedig, wedi dechrau gwneud y sŵn efo pob cam a gymerai, yn hytrach na phan fydda rhywun yn pwyso ar drwyn y Dalek efo'i fys, fel y dyliai wneud. Roedd y plygiad oedd wedi ymddangos yn nefnydd y slipar, wedi chydig ddyddiau o'i gwisgo, yn pwyso ar y botwm bob tro'r oedd o'n rhoi ei droed dde ar y ddaear. Cymrodd Drwgi gwpwl o gamau ymlaen, a chwpwl o gamau at yn ôl, yna am ymlaen eto, a gwenu wrth i'r Dalek bach gael 'fflipsan' bob tro y plygai ei droed wrth lanio ar lawr.

"*Drwgi Ragarug fucks up the Daleks!*" medda Drwgi, a gwenu'n braf.

'*EXTERMINATE… EXTERMINATE… EXTERMINATE…*' Croesodd y llawr a throi'r radio fach ymlaen i barablu'n gysurus, fel deryn bach, ar ben y ffrij. Roedd hi'n fore Gwener, y seithfed o Ragfyr, meddai Heledd Sion yn llawn bywyd, ac roedd hi'n saith o'r gloch.

Plygodd Drwgi'i droed i gyfarch y gyflwynwraig, ac mi ufuddhaodd y Dalek i'r gorchymyn, a sgrechian ei '*EXTERMINATE…*' bygythiol. Ail-lenwodd Drwgi'r tecall, hitiodd y switsh ymlaen ac i ffwrdd gwpwl o weithia, cyn ei adael ymlaen i ferwi.

Ar ôl blynyddoedd o ymdrech, roedd Drwgi wedi llwyddo i reoli ei OCD – yr *Obsessive Compulsive Disorder* fuodd o'n ddiodda ohono ers pan oedd o'n blentyn – yn weddol effeithiol, o'r diwadd.

Switshys oedd ei broblam o – roedd *rhaid* iddo'u switshio nhw ymlaen ac i ffwrdd bob munud – ac ar ôl sawl anffawd allai wedi arwain at ganlyniadau trychinebus – fel llosgi garej ei dad pan oedd o'n blentyn, a chwythu cwcyr hen fflat Cled yn dipia mân, gwpwl o flynyddoedd yn ôl – roedd o wedi rhoi mewn i alwadau ei deulu a'i ffrindia, a'r gymuned ehangach, iddo fynd am therapi. Roedd y ffaith fod Working Links wedi ei yrru ar gwrs compiwtars, efo'i wraig, Fflur, rhyw chwe mis yn ôl, hefyd wedi bod o help i benderfynu chwilio am gymorth. Os oedd o am wneud pres o adra drwy ddefnyddio'r cyfrifiadur, doedd ffidlan efo switshys ddim yn syniad da.

Ond mi drodd y cyfrifiadur yn therapi buddiol, ynddo'i hun, yn ddigon buan. Achos, mwya sydyn, roedd gan Drwgi owtlet i'w obsesiwn – rhyw fath o *release valve* oedd yn caniatáu iddo 'switshio' pethau mlaen ac i ffwrdd am gyfnodau intensif ar y tro – a hynny drwy ddim byd mwy na chlicio'r teclyn bach diniwad hwnnw, y llygodan. A be oedd y we fyd eang ond nefoedd i switshiwr compylsif fatha Drwgi Ragarug?

Oedd, roedd Drwgi'n falch iddo gael ei yrru ar y cwrs. Y peth gorau wnaeth bobol dôl erioed. Roedd o fel agor drysau i fydoedd eraill, a phob un yn llawn o sgams Get Ritsh Cwic, a phob math o demtasiynau eraill. Fel porn...

Noson ddi-gwsg gafodd Drwgi. Roedd o wedi disgyn i gysgu wrth watsiad y niws, ar ôl te, a heb ddeffro tan wedi naw, felly roedd o'n effro fel ellyll am weddill fin nos. Roedd Cled wedi galw heibio wedyn, tua deg, ar ôl bod efo'r Dybyl-Bybyls yn nôl crawia i Eddie Siop Jips, a mi smocion nhw amball i sbliffsan o scync, a llowcio cwpwl o Stellas. Fel arfar fysa hynny'n ddigon i wneud Drwgi'n swrth eto, rŵan fod o'n gneud gwaith corfforol yn ystod y dydd. Ond y cwbwl wnaeth y scync oedd animeiddio'i frên, jysd fel oedd ei gorff yn dechra sgrechian am y gwely. Eisteddodd i lawr a gwatsiad *Saw 3* ar DVD – un o'r copïau peirat oedd o'n eu creu, a'u gwerthu, ar y slei – yn y gobaith y bydda hynny'n blino'i lygid a'i wneud o'n gysglyd.

Ond weithiodd o ddim. Pan oedd hi'n hannar awr wedi dau yn y bora, roedd Drwgi wedi troi am y cae sgwâr gan obeithio y deuai Huwcyn Cwsg i'w ddal o'n go fuan – yn enwedig a fynta angan codi am saith. Ond troi a throsi fuodd o am awr arall, cyn dechra chwara efo tits Fflur, a sdicio'i godiad rhwng bochau'i thin hi, i drio'i deffro hi. Ond ar ôl cael penelin ffyrnig yn ei 'sennau, mi godadd, a mynd drwodd at y compiwtar, a chlicio'i ffordd at bwdin rhithiol ar safle wankbucket.co.uk. Ac yno fuodd o am weddill y nos, yn clicio a wancio'i ffordd trwy webcams rhyw hŵrs o Thailand, Japan, Mecsico, Rwsia, Brasil a'r Ffilipîns, a hyd yn oed un o Affganistan...

Agorodd Drwgi ddrws y ffrij, a sefyll yno'n stydio'r posibiliadau. Roedd o wastad yn bwriadu gneud ei focs bwyd y noson gynt. Weithia roedd o'n llwyddo, ond gan amla' doedd o ddim – a weithia fydda fo'm yn llwyddo i'w wneud o yn y boreua, chwaith, a byddai dim amdani ond llond plât o 'hart atac' o drelar bwyd Sue a Glen, ar y seit.

Edrychodd ar y silffoedd. Tamad o gaws â'i ochra fo'n galad, chydig o sleisys o ham sî-thrw – yn socian yn y dŵr yng ngwaelod y pacad – a tomato. Caeodd y drws. Saim Sue a Glen amdani. Rowliodd ffag...

Da oedd y coffi. Aeth drwy wythiennau Drwgi fel arian byw. Pan oedd ar ei drydedd panad, dechreuodd ystyriad oedd o am fynd i'w waith ai peidio. Digon hawdd piciad i fyny i'r seit at amsar cinio, i nôl ei gyflog a chyflog yr hogia. Fyddai'm yn anodd ffendio esgus pam nad oedd wedi troi mewn i weithio. Dim fod o'n poeni llawar os fyddai'n cael y sac neu beidio. Roedd o wedi bod yno am chwech wythnos bellach, ac wedi cael llond bol ar y job. Fydda 'na broblam efo'r dôl wedyn, wrth reswm. Yn syml iawn, fysa fo ddim yn ei gael o, am fod o wedi cael sac. A go brin fysa Sharon yn rhoi 'redundancy' i lawr ar ei P45 – fyddai'n ei olchi o bob bai am golli'i waith.

Ond roedd 'na fwy nag un ffordd o gael Wil i'w wely. Fysa fo'n gallu mynd ar y sic, wrth gwrs – ffugio salwch, neu rhyw boena'n y cefn – gan fod yr hen Dr Geraint yn sofft tytsh pan oedd hi'n dod i betha felly. Neu fysa fo'n gallu byw ar gyflog Fflur, o'i gwaith yn y Cartra. Roedd hi newydd gael mwy o oriau yno, a fydda hi'm yn hir cyn iddi fynd yn ffwl teim. Ac mi oedd ganddo fo'i 'seidlein' yn gwerthu copis o CDs a DVDs. Ers iddo ddechra gweithio ar y Bwlch roedd ei *customer base* o wedi tyfu...

Penderfynodd Drwgi y byddai'n aros iddi oleuo chydig, tu allan, i weld sut fydda'r tywydd erbyn hynny. Os oedd hi'n edrych fel ei bod hi am gau am y dydd, ffyc it, yn ôl i gwely amdani. Rowliodd ffagsan arall, a rhoi blewyn bach o wyrddni i mewn ynddi – jesd digon i gael *buzz* bach – a dechreuodd wrando ar y radio.

Roedd hi wedi troi hannar awr wedi saith, ac roedd Heledd Sion yn darllen y bwletin eto. Cododd Drwgi i fynd draw at y radio i chwilio am rwbath efo miwsig. Dawnsiodd ar draws y llawr, gan drio cael y Dalek i weiddi mewn rhythm, heb fawr o lwc, ac estynnodd am ddeial tiwnio'r radio, a'i droi.

Symudodd y bys ar hyd y 90au, i gyfeiriad Radio 1, a phob yn hyn a hyn, roedd Radio Cymru'n stwffio'i ben drwy'r tonfeddi, gan ollwng ambell i ddafnyn o lais cynnes y ddarlledwraig i glyw, gair neu ddau ar y tro. Pan glywodd Drwgi'r geiriau, "… ger Drefiniog, Sir Feirionnydd…" stopiodd droi, er mwyn trio clywed gweddill y frawddeg. Ond methodd â chael y signal yn ôl, ac erbyn iddo ffidlan digon i gael signal clir eto, roedd Heledd wedi symud yn ei blaen at stori arall.

Doedd gan Drwgi ddim syniad lle oedd Radio Wales, a doedd 'na'm Champion FM yn cyrraedd Graig, felly doedd 'na'm byd allai o wneud ond aros tan y bwletin nesa. Roeddan nhw'n dod yn weddol amal ar y rhaglan fora 'ma – os oedd Drwgi'n cofio'n iawn. Prin oedd o'n cymryd llawar o sylw o'r geiriau ddeuai o'r bocs bach du. Cael cysur o'r sŵn cefndirol oedd o, fwy na dim. Aeth am gachiad.

Pan ddaeth yn ôl i lawr grisia, roedd 'na fymryn o ola'n ymddangos tu allan. Aeth am y drws cefn, â sgrechiadau'r Daleks yn ei arwain. Agorodd y drws. Roedd 'na gymylau duon o hyd, ac roedd hi'n dal yn wyntog, ac yn dal i fwrw glaw mân.

≈ 9 ≈

AGORODD DRWS Y gell, a daeth y sgriw i mewn efo'i bad papur a beiro.

"*Thomas?*"

"*Mr G.*"

"*Let's go, lad!*"

Cododd y carcharor ar ei draed, a rhoi ei flancad a'i shît gwely, wedi 'u rowlio, dan ei fraich. Cofleidiodd ei ffrind efo'i fraich rydd. "*Johnny, lad!*"

"Taff!"

"See you next year!"

"Have a good Crimbo, kidder... And keep them home fires bernin'!"

Gwenodd, a throi at y sgriw, a'i ddilyn allan. Tarannodd clec y drws, tu ôl iddo, drwy'r wing. Clec mor bendant ag oedd hi'r tro cynta iddo'i chlywed hi. Ond y tro yma, roedd o tu allan i'r gell.

Cerddodd i lawr y landing, am y grisiau metel yn y pen draw, heb edrych yn ôl.

"Now then, Taff!" gwaeddodd Mickey Reilly trwy *spy-hole* drws ei gell, wrth iddo basio. *"Fuckin buzzin', la!"*

"Good luck, Taff!" wedyn, gan Jimmy Lannigan, a'r un neges gan Carl Easter, o'r un gell.

Daeth at ddrws Billy Whizz ym mhen draw'r landing, ac roedd Pablo a hwnnw yn y *spy-hole* yn barod.

"Is rite, Taff!"

"All the best, Taffy, lad."

Cyrhaeddodd ben y grisia, lle'r oedd Neil, un o lanhawyr y *Fives* yn mopio'r llawr. Estynnodd hwnnw'i law tuag ato, a gadael i ddoethineb amrwd ei patwa Jamaicaidd, hawddgar lifo rhwng ei farf wen a'i chwerthiadau mwyn. *"Com an' see me, Taffee, on de outside. Com an' see me, Taffee."*

"I will."

Ond gwyddai'r ddau ddyn mai celwydd gobaith oedd hynny.

Pan gyrhaeddodd y *Twos*, roedd rhaid aros am sgriws y Dderbynfa i ddod i fyny i'w nôl o. Roedd glanhawyr o gwmpas y lle, yn mopio a sgamio, a hannar dwsin o garcharorion eraill yn ciwio i weld y doctor, oedd yn ffidlan efo pacad o *paracetamols* tu ôl ei ffenast, yn y gornal.

Edrychodd o gwmpas y Wing am y tro olaf. Roedd y lle 'di bod yn gartra iddo am bymthag mis – hannar ei ddedfryd. Doedd petha heb fod yn rhy galad. Amsar oedd y prif fwgan, doedd y cwmni ddim yn rhy ddrwg. Roedd o wedi gneud ffrindia da yma, deud gwir, a hyd yn oed wedi cael hwyl ar adega. Gwenodd yn eironig wrth gofio rhai o'r trips asid wnaeth o yma. Roedd hi'n hawdd deud pan oedd 'na drips ar y landings, achos roedd pawb yn clebran fel brain, allan drwy'r ffenestri, ac yn canu petha gwirion fel honna oddi ar y *Muppet Show* – "mynymyny, dw dww dw-rw-rw…" Gwenodd eto, wrth gofio swrealaeth hynod y peth. Bydd ganddo straeon i ddeud wrth bobol, roedd hynny'n saff.

"If yer' trahnerr escape, I'd be a tad more incognito about it, if I was you, Taffy mate!" Llais hwyliog Essie Cullen oedd o, ar ei ffordd o ffenast y cwac, efo'i seid-cic, Tommy Mac. Gwenodd ar y ddau rôg hoffus, cyn i lygid Tommy fynd yn syth am y ffags wedi rowlio, tu ôl ei ddwy glust.

"Giss one o' dem bifters, lar!"

"Fuck off, Tommy – I need them for Reception. I'm gonna be stuck there for a couple of hours…"

"Given yer burn away, 'den?"

"To Johnny, obviously."

Gwenodd. Falla fod Tommy'n meddwl fod o'n dipyn o flagiwr, ond doedd o'm patsh ar ei badmêt – ei gyn badmêt bellach – Johnny Kavanagh.

"Worrabou' ye' phonecard, Taff?"

"Ffycin hel, you're like a ffycin magpie, you are! You back on the brown, or what, you cunt?!"

"Now then, now then! No need fer tha', is there!" atebodd Tommy'n syth, efo un fraich allan i'r ochor a'r llall dros ei galon.

"Don't forget, Taffy," medda Essie, i ddod â'r tynnu coes i ben, am eiliad. *"Anythin' ye' need, ye know where I am. I'm not goin' any place forra while!"*

Chwerthodd Essie dros y lle, fel y Count ar *Sesame Street* ersdalwm. Gallai hyn fod y tro cynta i Essie ddeud y gwir ers cryn dipyn o amser.

"Will do, mêt. *I'll keep in touch* eniwê, *I've got your name and number, and Johnny's phone too…"*

Torrwyd ar ei draws gan sgriw arall efo pad a beiro, yn gweiddi ar ganol y patsh. *"TX4023 Thomas?!"*

"Here, boss."

Ticiodd y sgriw ei bapur, ac edrych o'i gwmpas wrth weiddi enw rhywun arall.

"*Ey, good luck, kidder,*" medda Essie, ac estyn ei law.

"*Have a buzz, Taffy, lad!*" medda Tommy'n siriol, wrth gynnig ei law yntau.

"*Oh! I* ffycin *will, don't* wyrri*!*"

"*Jus' don' be goin' too 'ard on 'dem sheep, do'!*" medda Essie wedyn, â'i wên mor lydan â'i hyfdra. "*Ye' gorra watch yer ticker after eatin' all da' stodge in 'ere, lar!*"

"*Don't worry, Essie, I'll be thinking about you!*"

Chwerthodd y ddau Sgowsar yn iach efo'r Cymro, ac er bod y ddau wedi gweld sawl ffrind yn dod a mynd o'r carchar yn ystod eu 'gyrfa,' roedd y ffarwel yn gynnes a diffuant.

Torrodd y sgriw ar eu traws, wrth gamu tuag atyn nhw. "*Yet another Celtic rascal to be released back in the wild, is it?*"

"*Aye, boss... That'll be me.*"

"*Fuck me, lock up yer bloody wives and daughters!*" Gwenodd y sgriw, wrth ysgwyd ei ben mewn anobaith chwareus. "*This way, Caratacus.*"

"*Take care, lads. Be good.*"

"*Always, Taffy, lad!*" medda Essie. "*And kiss a fanny for us, will yer!*"

"*I will, Essie.*"

Doedd hynny ddim yn gelwydd.

꞊ 10꞊

ROEDD CLEDWYN WEDI anghofio dyfrio'r planhigion wedi i'r golau fynd i ffwrdd am wyth o'r gloch y noson gynt, felly roedd rhaid iddo wneud hynny ben bora, cyn i'r lampau ddod nôl ymlaen.

Wedi rhoi dŵr ym mhotyn pob un o'r chwech planhigyn, yng ngolau normal y sied, safodd yno'n gwylio'r eiliadau'n diflannu ar y teimar electroneg, yn y plwg ar y wal. Cyfrodd y ddeg eiliad olaf, yn uchel, "Deg... naw... wyth... saith... chwech... pump... pedwar... tri... dau... un... *Let there be light!*"

Cynheuodd y lampau efo 'sgwydiad diog, a arweiniodd at sŵn hymian undonog, wrth i'r teimar gyrraedd wyth o'r gloch y bora. Llanwodd y sied efo golau oren, cynnes, oedd yn cryfhau wrth i'r ddwy lamp gnesu. Gwenodd Cled, ac anadlu'n ddwfn drwy'i drwyn, i atgoffa'i hun o fendigedigocaf arogl yr hyn oedd i ddod. "Mmmmm!"

Gafaelodd yn y chwyddwydr, a phlygu at flodau'r planhigyn agosaf ato i weld os oedd y pistilau bychain ar flewiach y blodau yn newid eu lliw o glir i laethog. Er fod y blew wedi hen droi'n wyn, ac yna'n frown – oedd yn dangos fod y planhigion wedi aeddfedu'n llawn – roedd yn well gan Cled aros nes bod hanner y pistilau bychain 'ma wedi troi'n llaethog, cyn medi'r cnwd, a'i sychu. Byddai hynny'n golygu hit cliriach, mwy tripi, a mwy chwerthin-llygid-coch, yn hytrach na hit trymach, diocach a sownd-yn-gadair-yn-gneud-ffyc-ôl. Gwenodd. Tri neu bedwar diwrnod arall, meddyliodd. Hyfryd…

Pan aeth yn ôl i mewn i'r tŷ, roedd Caio a Rhys yn ista wrth y bwrdd yn byta cornfflêcs, a Swyn fach yn ista'n ei chadair fwyta, a Sian yn sefyll uwch eu penna nhw i gyd, yn siarad ar ei ffôn. Roedd golwg boenus arni.

Cerddodd Cled am y stafall fyw, yn meddwl mynd fyny grisia i hel ei betha ar gyfar y daith heddiw, ond estynnodd Sian ei llaw a chyffwrdd ei fraich. Arhosodd, a gneud siâp 'be sy' efo'i geg.

Diffoddodd Sian ei ffôn. "Medwen oedd honna…"

"Dy gnithar?"

"Ma Tomi'n 'sbyty. Ma'n siriys…"

"Pam? Be sy'n bod arna fo?"

"'Di ca'l ffwc o gweir, aparentli…"

"Cweir? Gin pwy?" Roedd Cled yn syfrdan. Roedd petha'n dirywio o gwmpas lle'n ddiweddar, ond fysa neb yn meddwl rhoi cweir i hen gradur fel Tomi Shytyl – hen warriar ryff neu beidio.

"O'dd hi'm yn siŵr iawn – yn gwaith oedd o…"

"Gwaith? Lle ffwc oedd o'n gwe… yn Ty'n Twll?"

"Dwi'm 'bo – 'nath hi'm deud."

"Yn Ty'n Twll o'ddan nw wsos yma, dwi'n siŵr, fo a Jac…"

"Jac o'dd 'di'i ffendio fo, medda Medwen…"

"Sut ffwc…?"

"Mae o yn 'sbyty 'fyd…"

"Jac?"

"Ia…"

"Ti'n ffycin jocian!"

"Nacdw, ar fy marw. Medwen ddudodd, ŵan…"

"Be ma Jac yn neud 'no?"

"O'dd o i fewn dros nos hefyd…"

"So ma'r ddau o'nyn nw 'di ca'l cweir? Be ma hi'n feddwl, fod Jac wedi'i 'ffendio' fo?"

"Sgena i'm syniad, Cled. Ond dyna ddudodd hi, dwi'n siŵr…"

"Ond pwy ffwc fysa'n rhoi cweir i'r ddau yna? Yn Ty'n Twll o bob man!" Eisteddodd Cled i lawr. Roedd hyn yn anodd ei gymryd, a hyd yn oed yn anoddach i'w ddallt.

"Wel, mae o ar leiff sypôrt, beth bynnag…"

"Leiff sypôrt?"

"Dyna ddudodd hi…"

"Jîsys Craist!" medda Cled, ac ysgwyd ei ben.

"Tisio panad?"

"…Ia, plîs, diolch… ffycin hel… Jac a Tomi!" Tynnodd ei faco, sgins a gwair allan, i rowlio joint. "Be ffwc sy'n digwydd yn y ffycin lle 'ma?!"

≈ 11 ≈

ROEDD HI'N HANNAR awr wedi deg arno'n gadael y stafall fawr yn y Dderbynfa. Roedd o 'di smocio'r ddwy rôl oedd tu ôl i'w glustia, ac un arall a sgafiodd oddi ar ryw foi o Crewe, oedd hefyd ar ei ffordd allan, ac yn gaddo peidio dod 'nôl. Ac fel 'tâl' am y ffag honno, roedd o wedi gorfod gwrando ar y byrglar yn adrodd hanas ei wraig a'i blant, faint oedd o wedi'u methu nhw, a gymaint oedd o'n edrych mlaen at eu gweld eto. Roedd y lleidr 'di cynhyrfu gormod, ac yn rhy thic, i sylwi nad oedd hynny'n mynd i lawr yn dda efo'i wrandawr.

Doedd 'Taff' heb weld ei blant o ers pymthag mis. Roedd o 'di sgwennu, ffonio a pasio negeseuon allan, ond doedd Glenda heb hyd yn oed atab. Digon teg, roeddan nhw'n byw ar wahân ers blwyddyn cyn iddo fynd i jêl, ond doedd o'm yn iawn iddi gadw'i blant oddi wrtho, a fynta mewn lle digon anodd i ddygymod heb eu gweld, a chael eu hanas. Roedd o wedi gyrru *Visiting Orders* iddi'n rheolaidd, hefyd – un y mis iddi hi a'r plant. Ond ddaeth y gont byth. Dim ond trwy Cled a'r hogia – fydda'n cael y *V.O.* arall bob mis – oedd o'n cael unrhyw sniff o newyddion amdanyn nhw. Roedd rhaid i Cledwyn fynd i weld tad Glenda, cyn iddo gael lluniau o'r plant i roi i fyny ar wal y gell. Roedd y lluniau oedd ganddo fo'i hun, yn dal yn y fflat ar y pryd, ac roedd honno owt-of-bownds fel *crime scene*, tan ar ôl yr achos llys.

Roedd o'n crynu efo ofn weithia, wrth ddychmygu'r funud y byddai'n gweld gwynebau'r plant eto... y sioc o weld plant hŷn, i ddechra, wedyn y sioc o'u gweld wedi newid, cyn yr hedffyc o sylweddoli faint o'u bywydau oedd o wedi'i fethu. Pymthag mis – doedd o'm yn swnio fel lot, ond roedd o'n hir uffernol pan oedd plant yn tyfu. A fydd hi'm yn hir rŵan, cyn fyddai rhaid dod wyneb yn wyneb â'n union faint mor hir oedd o, yn nhermau prifiant plant. Hedffyc. Hedffyc go iawn...

Ar ôl newid yn ôl i'w ddillad ei hun, ffarweliodd â glanhawyr y dderbynfa – Willo, Sulley, Sadiq a Frogger – a dilynodd y sgriw i lawr y coridor, ac at y stafall lle oedd y ddesg. Wedi ista ar y fainc am bum munud, galwyd o draw i arwyddo'r papura, ac i dderbyn ei bres, a'r stwff personol a gymerwyd oddi arno, bymthag mis ynghynt. Fyddai'r mobeil ffôn yn da i ddim rŵan, meddyliodd, tan gâi o gerdyn SIM newydd. Ond roedd y cash yn mynd i fod yn handi. Cant a thri deg un o bunnoedd, a thri deg wyth o geinioga. Brecwast, wythfad o scync, rap o *charlie*, powtsh o faco, rislas, deg peint o Stella, ffiw Bacardis, carri-owts a kebab.

Wedi'r ddefod, awyr iach... a niwl a glaw mân. Croesodd y tarmac, tu ôl i'r sgriw, i gyfeiriad y porth mawr. Roedd hi'n anlwcus i edrych nôl ar waliau'r carchar ar ôl cael ei draed yn rhydd, ond er nad oedd sbio nôl ar yr adeiladau tu fewn i'r waliau'n cyfri, doedd o ddim am gymryd y siawns. Cadwodd ei lygid yn syth tuag ymlaen.

Roedd o'n clywad carcharorion yn ffenestri'r wings, yn gweiddi a pasio leins, ac roedd o'n ymwybodol fod F-Wing allan ar yr iard yn 'ecserseisio'. Ond doedd o ddim isio sbio. Cadwodd i ganolbwyntio ar gefn y sgriw, a sŵn ei oriadau'n janglo fel cythreuliaid bach sbeitlyd – yn chwerthin o hyd.

Daeth cryndod mawr drosto wrth nesu at y porth. Gwyliodd fws yn aros i fynd drwyddo, yn cario hogia remand i'r llysoedd. Dechreuodd y porth agor yn araf, gan sleidio, i'r ochor, i mewn i'r wal. Dreifiodd y bws i mewn i'r ogof. Daeth y golau oren-codi-cyfog ymlaen, a chwythodd brêcs y bws fel hen neidr fawr, flin, a caeodd y drws ar ei hôl...

Gwasgodd y sgriw'r botymau ar glo electroneg y drws bach ochor, yna rhoi un o'i oriadau i mewn yn y clo cyffredin, a'i droi. Daliodd y drws ar agor, i'w garcharor gerddad drwyddo, i mewn i'r un ogof ag aeth y bws gynt. Arwyddodd y sgriw fwy o bapurau wrth gowntar arall, cyn arwain ei gyd-gerddwr at y drws bach ar ochr allan y wal. Agorodd hwnnw...

"*Well, Tomo? What yer waiting for? Freedom beckons, son!*"

"*Aye...*"

"*They'll be singing in the valleys tonight!*"

"*...I don't live in a valley, Mr Johnson. I live on a mountain...*"

Gwenodd y sgriw yn oer-gynnes, a rhoi pwt iddo ar ei fraich wrth iddo gamu i'r byd. "*Good luck, son.*"

Caeodd y drws tu ôl iddo, ac roedd ei draed yn rhydd. Safodd yno, a gadael i'r glaw mân gosi'i wyneb. Caeodd ei lygid, a gwelodd ei hun ar Foel Gwrach. Agorodd nhw drachefn. Niwl Lerpwl. Ond roedd o'n rhydd, o leia.

Rhydd. Rhydd o be? O'r walia? Be oedd walia o'u cymharu â be oedd o'i flaen? Er ei fod wedi cyfri'r dyddiau wrth aros am yr union funud hon, daeth ysfa sydyn, byrhoedlog i droi ar ei sodlau a churo'r drws, i gael mynd yn ôl i mewn – mond am funud – i aildiwnio'i ben i'r donfedd newydd. Ond, fel ar ôl mynd i mewn, roedd hi'n rhy hwyr ar ôl dod allan. Doedd 'na'm dewis ond wynebu'r her.

Anadlodd yn ddwfn, a daeth yr emosiynau, don ar ôl ton, yn bendil am yn ôl ac ymlaen, o wefr i banig, o banig i wefr – fel petai newydd ddybyl-dropio ecstasi. Gallai glywed ei galon yn llenwi'i frest.

Dyma fo – ar ôl pymthag mis o gael ei fwyd yn ei gyrraedd, wedi'i goginio, bedwar gwaith y dydd – yn sefyll ar drothwy'r broses o ailddarganfod sut oedd byw. Roedd y byd i'w weld yn gyfarwydd, ond roedd o'n teimlo fel 'tai o newydd lanio o ben draw'r bydysawd, heb fap.

Sodrodd ei feddwl, a ciliodd y panig, gan adael dim ond yr unigrwydd dryslyd hwnnw ar ôl. Safodd yn y niwl a'r glaw mân, ar goll yn llwyr, mor unig â'r dyn olaf ar y ddaear.

Anadlodd yn ddwfn, yn y gobaith y gallai flasu rhyddid, ac y byddai'r rhyddid hwnnw'n rhuthro trwy'i gorff fel cyffur, a'i adfywio, ei adnewyddu, ei ail-lenwi â'i arferion a'i reddfau, ei synnwyr, a'i ymwybyddiaeth o'i le yn y ras fawr, orffwyll.

Anadlodd eto, ac eto y trydydd tro. Caeodd ei lygaid, a galwodd ar ei gof i gyflwyno un o'r miloedd o luniau oedd wedi'u cadw yno, a gwelodd ei hun mewn tafarn efo'i fêts, yn ôl yng Nghymru. Rhuthrodd y wefr trwy'i wythiennau fel tân. Llanwodd bob cornelyn a chilfach o'i gorff, pob cell a phob moleciwl, nes nad oedd mwy o le i'w dal, a dechreuodd weithio'i ffordd allan trwy bob chwaren yn ei groen. Gwasgodd ei lygaid i rwystro'r dagrau. Ffrwydrodd y wên dros ei wyneb fel lleuad llawn yn neidio o du ôl cwmwl. Cododd ei ddyrnau i'r awyr, a gadael i'r geiriau chwythu rhwng gwefusau main. "Ffycin iiesss!"

Tarfwyd ar y ddefod gan sŵn corn car yn canu, a rhywun yn gweiddi.

"Hoi! Montezuma! Ty' laen 'nei'r cont! 'Sgin ti'm amsar i weddïo!"

Ddalltodd o ddim cweit be ddudodd y llais, ond roedd o'n ei

daro fel rwbath Cymraeg, yn ôl y tinc cyfarwydd yng nghlecian y geiriau. Ac yn y llais…

Trodd i graffu trwy'r niwl, a gweld Fiesta bach coch wedi'i barcio ochr arall y ffordd, tu draw i fynedfa maes parcio'r carchar. Roedd hi'n anodd gweld yn iawn, efo'r niwl yn chwyrlïo fel clogyn matador dros y ffordd. Ond o be allai wneud allan, roedd 'na ddau neu dri o bobol tu mewn i'r car, ac roedd y dreifar yn chwifio'i fraich drwy'r ffenast. Gwenodd y cyn-garcharor Thomas. Cododd ei fag, a cherddad draw.

Wrth nesu at y car, gwelai lygaid glas yn dawnsio uwchben gwên ddrwg y boi â gwallt byr, brith, oedd yn ista'n y cefn, a daeth sŵn *reggae dub* i fŵmio allan o'r sbîcars, wrth i'r boi â gwallt byr brown a thrwyn fflat, yn y set ffrynt, droi'r foliwm i fyny. Aeth y sŵn yn ôl i lawr yn syth, wrth i'r dreifar, a'i fop o wallt du tywyll, ddiawlio'r llall am dynnu sylw'r awdurdodau at y car llawn o fwg ganja, oedd wedi'i barcio tu allan un o sefydliadau Ei Mawrhydi. Doedd dim byd yn newid, meddyliodd y cyn-garcharor Thomas, wrth nabod y tri nytar yn y car…

Croesodd y ffordd, ac agorodd Bic Flannagan y drws cefn i'w gwfwr. "Ti'm 'di ca'l llawar o liw haul, chwaith, y cont!"

"Na! Sgalis 'di dwyn y *sun bed*!" Taflodd ei fag i mewn, ac ista i lawr.

Trodd y dreifar rownd i'w gyfarch efo gwên fawr lydan a llygid coch, a pwsio bomar o sbliffsan fawr dew, heb ei thanio, a leitar iddo. "Duwcs, yr hen Tintin, myn diawl…!"

"Yr hen Cled! Be ddigwyddodd i'r fan?"

"*Choir almighty*, Tint. Y scrapiard fawr yn yr awyr. Walia Cwm Derwyddon oedd ei diwadd hi."

"Bechod…" Taniodd y sbliff, nes bod cwmwl mawr o fwg yn llenwi'r car eto. Pesychodd nes bod ei ben o'n jerian, cyn cymryd swal arall ar y joint. "Neis 'ych gweld chi'r basdads hyll…"

"A chditha, Tint," medd yr hogia, fel un.

"Sud ma'r tywydd adra?"

"Fel 'ma, ond bod o'n well," medda Sbanish, wrth bopian potal o Grolsch yn agorad, a'i phasio iddo fo.

"Awê, 'ta!" medda Tintin. "Cyn iddyn nhw benderfynu fo 'nw 'di gneud mistêc!"

= 12=

SAFODD SIAN, JENI Fach a Drwgi'n fud am gwpwl o eiliada, yn cael traffarth dod dros y sioc o weld Tomi Shytyl yn gorwadd yn intensif cêr. Doeddan nhw ddim yn 'i nabod o. Dim oherwydd y beipan hŵfyr oedd yn dod allan o'i geg o, na'r peipia a weiars eraill oedd yn sticio o bob rhan o'i gorff o, ond oherwydd y llanast oedd ar ei wynab. Roedd o 'di chwyddo fatha meipan, a'r un lliw â bag o blyms.

"Dach chi'n siŵr gymwch chi'm sêt?" gofynnodd Medwen, merch hyna Tomi, gan wneud ystum i godi.

"Asu, nagoes siŵr!" medda Drwgi'n barchus a llawn shifalri, am ei fod o mewn 'sbyty. "Ista di'n fa'na, siŵr dduw! 'Dan ni'n iawn yn sefyll."

"Dach chi'n siŵr?" gofynnodd Alis, yr ienga o'r ddwy chwaer, wedyn. "Fedrwn i neud efo stretshio 'nghoesa…"

"Twt twt!" medda Drwgi, fel acshiyn hîro. "'Dan ni'n iawn, Alis bach… So be ffwc oedd y crac 'lly?"

"Peintio to sied Gronwy Ty'n Twll o'ddan nw," dechreuodd Medwen, a chodi ar ei thraed beth bynnag, "a ddoth 'na ladron yna, a ma rhaid fo Dad a Jac wedi styrbio nhw, a…"

"Ffwcin hel!" medda Drwgi ar ei thraws, yn uchal, heb sylwi ar lygada'r nyrs yn fflachio o ochor arall y ward.

"Yr unig beth ma Jac yn gofio ar y funud ydi deffro a gweld Dad yn gorwadd 'na…" Estynnodd Medwen am ei hancas, ac aeth Drwgi yn ôl i shilfari môd, a neidio i estyn y gadair iddi. Ond wnaeth hi'm ista.

"Lle ma Jac?" gofynnodd Sian, oedd yn perthyn rhywsut i fynta hefyd, drwy ochor arall ei theulu.

"Yn ward Meirion. Ma'n iawn, 'de. Ond gafodd o uffarn o glec. Ma'i ben o fel blydi ffwtbol, ochor ei wynab o, fel 'na, i gyd…"

"Bach yn ffwndrus ydi o, ar y funud, ynde, Med?" medda Alis.

"Mi ddaw, medda nhw. Ond ma rhaid fo ganddo fo benglog fel *cannon ball*…!"

"Cradur…" Llyncodd Drwgi ei boer. Roedd meddwl am hen gont drwg fel Jac Bach y Gwalch yn ffwndro yn ei wely yn ei ypsetio fo. "Jac ffoniodd ambiwlans, 'lly?"

"Naci, Gronwy," atebodd Medwen. "Gyrhaeddodd o nôl ar ôl i Jac ddod rownd. Oedd y basdads 'di dwyn 'i ffôn o, a'i walad o."

"Ffycin hel!" medda Drwgi eto.

"Ma raid fod 'na griw o'nyn nw, felly?" gofynnodd Jeni Fach, wedi ffendio'i llais o'r diwadd.

"Ma raid…" Stopiodd Medwen i roi hancas i'w thrwyn unwaith eto.

"Ond oeddan nw 'di iwsio peipan haearn ar Dad," medda Alis, a'i llais fel briwsion.

"Ffycin hel!"

"Malu'i ribs o, 'i fraich o…"

"Ffycin basdads!"

"…ei law o, ei ên o… Be arall, Medwen?"

"Dau fys… *cheekbone*, a'i *skull* o, yn fan hyn…"

"Basdads, màn!" Roedd Drwgi'n cynhyrfu.

"…a'i ddannadd o – hynny oedd gena fo ar ôl…"

"Basdads! Ffycin basdads!!"

"Ond yr *internal bleeding* laddith o, os neith rwbath…"

"Ffwwciiin hels bels!!"

"Drwgi, ma'r nyrs 'cw newydd ddeud 'shwsh'…" rhybuddiodd Jeni Fach.

"Sori…" Gostyngodd Drwgi'i lais. "Internal blîding?"

"Ia, gath o *ruptured bowel*… Dyna ma nw'n boeni am fwya…"

Aeth pawb yn ddistaw, wrth i ddifrifoldeb anafiadau Tomi druan ddisgyn dros bawb fel cwmwl du. Roedd Tomi mewn cyflwr drwg. Roedd o mewn traffarth – yn cwffio am ei fywyd – ac roedd 'na jans na fydda fo'n tynnu drwodd. Fedra neb feddwl be i ddeud. Be oedd rhywun fod i ddeud wrth rywun oedd newydd restru'r ffasiwn anafiadau ar eu tad – anafiadau oedd yn ffitio'n well yn *Saving Private Ryan* na chefn gwlad Cymru?

'*EXTERMINATE...!*'

"Be di hwnna?" gofynnodd Medwen.

"Ia, o'n i'n glywad o cynt," medda Alis. "Dy ffôn di 'dio?"

"Na, y slipars 'ma 'dyn nw – fethis i ffendio'n sgidia bore 'ma – ma'r Daleks yn chwara i fyny."

Shifftiodd Drwgi ar ei draed eto, er mwyn i'r slipar dde ailadrodd y sŵn. "Stead and Simpsons Port. Bai won get won ffrî."

"Be? Prynu slipar a ti'n ca'l y llall am ddim?" Fuodd Medwen erioed y slecsan gocha'n y tân.

"Naci siŵr!" gwenodd Drwgi. "Pâr a pâr arall am ddim, 'de. Blaw pâr o sgidia brynis i, a ca'l rhein am ddim. Da 'dyn nw, 'de?" Shyfflodd Drwgi'i draed eto, fel cath yn claddu'i chachu, a chwerthin wrth i'r Dalek fynd drwy'i betha. '*EXTERMINATE... EXTERMINATE... EXTERMINATE...*'

Tawodd pawb eto, wrth i Drwgi roi sioe iddyn nhw.

Sian chwalodd yr eiliadau annifyr. "So, be 'di'r peth nesa, Medwen? Efo Tomi, 'lly?"

"Wel, os ddeith o drwy'r twenti-ffôr-awyrs nesa, fydd petha'n edrach yn well..."

"Ia, dyna ma nw'n ddeud," ychwanegodd Alis.

"Duw, fydd o'n iawn, genod," medda Drwgi, yn *matinee idol* unwaith eto. "Gewch chi weld."

Edrychodd Medwen arno'n syn i ddechrau, wedyn yn obeithiol. "Ti'n meddwl, Drwgi? Thyrti-sefnti tsians, medda'r doctor..."

"Ia, ond di'r doctors ddim yn nabod Tomi, nacdyn?"

"Wel... dwi'n gobeithio i'r nefoedd fo' ti'n iawn, Drwgi..." medda Alis. "Mae o'n ca'l 'i ben-blwydd wythnos nesa. Sicsti-êt. Oddan ni 'di planio syrpreis, toeddan Med..." Methodd Alis orffan y frawddag. Torrodd i lawr, a chwythu'i thrwyn i'r hancas bocad.

"Gowch chi weld," medda Drwgi. "Doeddan nw'm yn 'i alw fo'n Tomi Shytyl am ddim byd. Wastad yn dod nôl..."

Claddodd Medwen ei thrwyn yn ei hancas hitha, a thorri i lawr.

Aeth Sian a Jeni at y ddwy i'w cysuro nhw, ac estynnodd Drwgi'r gadair i Medwen eto, ond ysgwydodd hithau ei phen.

"Duwcs, ty'd, ista," medda Drwgi.

"Na, ma'n iawn," medda Medwen, rhwng beichiadau.

"Fyddi di'n teimlo'n well…"

"Drwgi!" medda Jeni'n flin. "Gad lonydd i'r hogan!"

"Sori… Wela i chi'n munud." Trodd Drwgi i gerddad allan. Roedd o angan siarad efo Jac.

≈ 13 ≈

"PEINT YN GYMRU ddudas i, ddim ffycin Queensferry!" gwaeddodd Tintin dros y miwsig.

Roedd Tint wedi gwrthod yr opsiwn o gael peint yn y pyb cynta iddyn nhw weld ar ôl gadael y carchar. Roedd o isio cyrraedd Cymru gynta, ac roedd Cymru'n golygu'r Gymru go iawn – lle oedd bobol yn siarad Cymraeg, neu'n bobol Gymreigaidd o leia, a dim crys ffwtbol Lloegar i'w weld yn agos i'r lle.

"Lle own ni 'ta?" gofynnodd Bic. "Fydd 'na nunlla Cymraeg tan Llanrwst…"

"Troia am ffordd Recsam fan hyn, Cled. Awn ni *inland*."

"Fydd 'na nunlla tan Bala, wedyn, eniwê!" nododd Sbanish. "Be am Recsam? Ma 'na fois da'n Recsam. Bois ffwtbol Cymru…"

"Weeeel…" meddyliodd Tintin yn uchal. "Dwi'm bo… Ma 'na acenion Sgows yno 'fyd, does? Paid ca'l fi'n rong, ma Sgowsars yn iawn, ond dw i jysd 'di ca'l llond bol ar glywad "*a'rite der lar*" rownd y ffycin rîl…"

"Llangollan, 'ta?" cynigiodd Bic.

"Ti'n jocian, wyt?" medda Cled.

"Duw, fydd o'n tsiênj, bydd?"

"Ma rwla'n mynd i fod yn tsiênj i fi!" nododd Tintin.

"Ffwcio Clangothlen!" medda Sbanish. "Saeson sy'n y ffwc lle!"

"Corwan!" medda Cled, mewn eiliad eurikaidd. "Awn ni i Corwan! Ma 'na Gymry'n siŵr o fod ar ôl yn fa'na…"

"Wel… ma'n well na Llangollan, 'de…" medda Sban.

"Neith tro, 'ta!" Setlodd Cled ar yr *inland option*, a swyrfio'r Fiesta bach drwy'r *lanes* i droi i'r A55 am Caer, i gael y troiad am Wrecsam a Rhuthun. "Pasia botal imi, Sban. Ma 'na sychad mwya uffernol yn codi…"

≈ 14 ≈

CAFODD DRWGI SIOC ar ei din pan gerddodd i mewn i *day room* Ward Meirion at Jac Bach y Gwalch. Dim fod 'na gymaint o olwg ar Jac ag a oedd 'na ar Tomi. Y cwmni oedd efo fo – yn ista wrth ei ochor o, yn sgwennu yn ei lyfr bach du – wnaeth i Drwgi neidio.

Cododd PC Pennylove ei ben pan glywodd o slipars Drwgi'n agosáu, a trodd ei wyneb yn swejan pan welodd o pwy oedd yn eu gwisgo.

Anwybyddodd Drwgi fo.

"Iawn Jac?"

"Pwy sy 'na?" mymblodd Jac trwy'i chwyddiadau.

"Drwgi."

"Drwgi? Drwgi, Drwgi…" Roedd yr hen gradur yn cael job i gofio.

"Fi, 'de! Drwgi Ragarug… Martin, Martin Wyn."

Gwenodd Jac hynny fedra fo, efo ochor dde ei wynab, gan na fedra fo symud rhyw lawar ar yr ochor arall. Roedd Drwgi'n siŵr ei fod wedi'i weld o'n wincio.

"Ma'r hen Walch yn dal efo ni, 'lly?" Gwenodd Drwgi'n ôl, er, roedd hi'n anodd gwenu wrth weld hannar gwynab yr hen gradur wedi chwyddo fel balŵn, a bandej rownd ei ben. "'Dyn nhw am adal chdi fynd i barti ffansi dres y nyrsys heno 'ma, Jac? O'n i'n gweld y postar ar wal y rusepshiyn ar y grownd fflôr. 'Edri di fynd fel yr Elephant Man, yli!"

Chwerthodd Drwgi ar ei jôc ddiflas ei hun, wrth i Pennylove ysgwyd ei ben fel y ci yn yr adfyrt Churchill ar deledu. Aeth Drwgi i nôl cadair, ac eisteddodd i lawr wrth ymyl Jac. Cymrodd gip sydyn ar y copar, a throi 'nôl i sbio ar Jac, cyn dechra edrych o gwmpas y *day room* am ysbrydoliaeth i ddechra sgwrs. Sylwodd ar y trimings Nadolig, yn hongian o'r to a'r walia, a'r goedan yn y gornal bella. "Duwcs, ma hi'n Crusmasi yma, o leia, Jac!"

Sbio'n syth drwyddo fo wnaeth y Gwalch. Roedd yn gas ganddo fo nonsans Nadoligaidd.

"Ma 'na griw o carol singars ar eu ffordd rownd, 'fyd. Welis i nw cynt. O'ddan nw'n deud fo nw ar 'u ffordd i fyny 'ma – jysd aros am fand y Salfêshiyn Armi."

Atebodd Jac ddim – dim ond gneud sŵn hyll o dan ei wynt, oedd yn swnio fel "ffycin racet", a gollwng rhech fach siarp a sydyn.

"Sgwn i sut ma cinio Dolig mewn lle fel hyn?"

Cododd Jac ei ddwrn i'r awyr. "Ffycin cont!" medda fo. "Pam nag ei di i fwydro rywun ar y *cancer ward*, y ffycar? Fydd rheiny'n ddigon hapus i gael eu diflasu i farwolath!"

Chwerthodd Drwgi. Roedd o wedi cael yr ymatab oedd o isio. Edrychodd drosodd yn sydyn at Pennylove, oedd â golwg dyn oedd newydd rechan yn uchal mewn cnebrwn, a ddim yn gwybod lle i roi ei hun, ar ei wynab – cyn troi'n ôl at Jac. "Ti'n brysur, Jac?"

"*Just a few questions*, Drwgi," medda Pennylove, yn ei dybyl-dytsh-dysgwr-Cymraeg-acen-Recsam arferol. "I trio cael *leads* i dal yr *assailants*... Gobeithio..." Rhoddodd y plismon edrychiad wnaeth i Drwgi feddwl ei fod o 'di cael traffarth cael unrhyw sens allan o Jac.

Trodd Drwgi i ffwrdd o'r copar. Roedd y ddau wedi magu casineb pur tuag at ei gilydd dros y ddwy flynadd ddwytha. Ond gan fod hyn yn fatar difrifol, penderfynodd ei atab – heb edrych arno. "Be oeddan nhw, Pennylove? Lladron?"

"*It would appear so*. Mr Williams yma wedi dal nhw'n dwyn *farm implements. Have a go hero*, Drwgi, *conscientious member of the public...*"

"Ffycin hîro, mai ârs," mymblodd Jac. Roedd wedi mynd nôl i gogio bach methu siarad. "Tomi?"

"Newydd fod efo fo, ŵan, Jac," medda Drwgi. "Doedd o'm yn edrach yn dda, ond mi ddaw."

Mymblodd y Gwalch rwbath yn ôl.

"Be, Jac?"

Mymblodd rwbath eto.

"Be oedd hynna?"

"Ffycin hel! Croeshi byshidd!"

"Croesi bysidd? Ia'n de Jac. Gobeithio ddaw o at 'i hun. So be ffwc ddigwyddodd?"

"Wel, dyna dw i'n trio *ascertainio*, Drwgi," medda Pennylove, efo pesychiad bach.

"Ia, wel, 'sa'm llawar o ffycin boint o hynny, nagoes? Ma'r contiad 'na'n dwyn o ffermydd a tai ers ffycin misoedd, a dach chi'm 'di ca'l sniff o'nyn nhw!"

"Fedran ni'm dal pawb, Drwgi…"

"'Da chi'n dal digon o bobol am sbîdio dydach?"

"*Here we go!*" medda'r plîsman, a rowlio'i lygid. "Os ti ddim yn meindio, Drwgi…" amneidiodd y copar at Jac, ac at ei lyfr bach du.

Anwybyddodd Drwgi fo eto. "So, lladron oeddan nw, Jac?"

Nodiodd y Gwalch ei ben.

"Pa fath o fan oedd hi?"

"Un wen…"

Prin allai Drwgi ei ddeall, ond roedd o'n llwyddo i ddilyn, yn weddol. "Fan fawr? Fel Mercedes?"

Nodiodd Jac ei ben, y mymryn lleia. Roedd o mewn gwendid erbyn hyn.

"Dyna fo, Pennylove. Ma honna 'di ca'l 'i gweld o gwmpas y ffermydd bob tro ma 'na ddwyn. Be fwy dach chi isio?"

Edrychai Pennylove ychydig yn embarasd. Ond dilynodd y *party line*. "Mae lot o *Mercedes vans* o gwmpas…"

"Ond dim ond *un* sy'n dwyn. A dach chi'n methu'i dal hi…" Trodd Drwgi'n ôl at Jac. "Be o'ddan nw'n siarad, Jac? Seuson o'ddan nw?"

Ysgwydodd Jac ei ben, rhyw fymryn, a mymblo rwbath…

"Be oedd hynna, Jac?" gofynnodd Drwgi, a troi'i glust yn agosach at geg yr hen gradur.

"Sgwsars..."

"Sgowsars! Pennylove..." dechreuodd Drwgi, fel 'sa fo 'di setlo'r matar, "...fan Mercedes wen, a Sgowsar bia hi..." Stopiodd Drwgi wrth sylweddoli na allai o feddwl am 'run Sgowsar efo fan wen, yn lleol.

Edrychodd Pennylove drwy Drwgi, efo llygid fel llafnau o rew. Roedd o wedi treulio bron i hannar awr yn trio cael y wybodaeth yma gan Jac, a rŵan roedd Drwgi Ragarug, o bawb, wedi wôltsio i mewn – mewn pâr o ffwcin slipars Daleks – ac wedi'i gael o'n syth.

"Dwi'n meddwl 'na 'diolch' 'di'r gair?" medda Drwgi.

"Your co-operation with North Wales Police will be noted, Drwgi."

"Na, ma'n iawn. Anghofia fo." Trodd Drwgi at Jac. "Jac, dwi'n mynd. Ddo i nôl fory. Ddoith Cled a rheiny efo fi, ma siŵr. O'ddan nw'n mynd i Lerpwl heddiw 'ma, i nôl Tintin..." Stopiodd pan synhwyrodd glustia'r copar yn pingian. Ond doedd 'na'm byd i guddio mewn nôl rhywun o jêl, felly cariodd ymlaen. "O'ddan nw'n nôl Tintin o jêl."

Winciodd Jac, a codi'i fawd. Cododd Drwgi i fynd. "So, dwi'n edrach mlaen i dy weld di'n y pyb cyn hir, Jac, iawn? Ma hi'n uffernol o ddistaw 'na heb dy geg di, medda nw!"

Pesychodd Jac eto, a trodd Drwgi i edrych arno. Roedd o'n ista yno, efo sbarc yn ei lygid a'i fys yn yr awyr. Llwyddodd i gael y gair "cont" allan dros ei wefusa. Gwenodd Drwgi. Roedd y Gwalch yn OK. Trodd, ac aeth am y drws. *'EXTERMINATE... EXTERMINATE... EXTERMINATE...'*

= 15 =

ROEDD TINTIN YN hongian cyn cyrraedd Corwen. Roedd o wedi ca'l amball i smôc tra oedd o'n jêl, ond efo'r profion cyffuriau mor llym ag oeddan nhw'r dyddia yma, mi wnaeth ei ora i gadw draw ohono. Gan fod ganja'n aros yn y gwaed am o leia mis, doedd o'm isio tsiansio cael ei destio, a'i roi ar *closed visits*, a chael ei ERD

– ei *earliest release date* – wedi'i symud bellach ymlaen.

Felly roedd yr un cônar mawr honno gafodd o gan Cled pan eisteddodd o'n y car, tu allan i'r jêl, yn ddigon i chwalu'i ben o'n racs – heb sôn am y bedair neu bump arall oedd o 'di smocio wedyn.

A'r Grolsch. Doedd o heb gael *wine gum* ers blwyddyn a chwartar, heb sôn am lagyr cry. A rhwng Lerpwl a Corwen, roedd o 'di yfad pump o'r rheiny hefyd, diolch i'r cyffro o fod yn ôl yn y byd go iawn. Dim ei fod o'n cwyno. Roedd o wrth ei ffycin fodd.

"Sgenna chi *wizz*, 'gia?" gofynnodd Tintin, wrth i Cled barcio ym maes parcio hen fart ffarmwrs Corwen, allan o'r ffordd.

"Oes," medda Bic, wrth agor y drws i fynd i biso'n y gwrych. "Ond genan ni rwbath gwell i chdi, 'fyd. Sban?"

Ffidlodd Sbanish yn ei bocad am gwpwl o eiliada, a dod allan efo rap o cocên. "Ynda – i chdi ma hwnna. Gan yr 'ogia…"

"Nais won! Dwi'n cym'yd does 'na'm point i fi drio rhoi pres i chi?"

"Corecto-ffycin-mwndo," medda Cled, wrth dynnu rapsan ei hun allan, a'i hagor uwchben clawr CD.

"Hogia – diolch yn fawr. Dwi'n *touched!*"

"Ti'm yn mynd i grio, nagwyt?" medda Bic, a'i biso fo'n tatsian dros hen botal blastig, o dan y gwrych, llathan i ffwrdd o ddrws agorad y car.

"Na, ond, gadwch i fi neud lein i bawb efo hwn…"

"A-tat-tat-tat-tat…!" dwrdiodd Cled. "Cadw di hwnna…"

"'Sna'm llawar o jans i hynna ddigwydd, Cled. Chwala i hwn heno…!"

"Ynda!" medda Bic, wrth ddod 'nôl mewn i'r car, ac estyn bag bach o *base* i Tintin. "Cym hwnna i gadw chdi fynd efo'r cwrw. Fydd hi'n noson hir heno 'ma, mêt."

Gwenodd Tintin fel giât, cyn dechra chwerthin yn ysgafn. Roedd hyn yn ffycin grêt! Dyma fo, yn rhydd o'r diwadd, yn ista efo'i fêts – y bois oedd wedi sticio efo fo drwy'r adag – efo cwrw, ganja, wizz, côc a duw a ŵyr be arall yn fflio o gwmpas! Ffwcin amêsing! Roedd hi mor dda i fod yn rhydd. Yr unig beth oedd ar goll oedd...

Cipiodd ei hun o'r llwybr meddyliol. Roedd o wedi gaddo i'w hun y bydda fo'n cael ffwc o iahŵ cyn meddwl am drio gweld y plant. Roedd o wedi aros pymthag mis. Doedd diwrnod neu ddau arall ddim yn mynd i neud llawar o wahaniaeth. Stwffiodd ei fys i mewn i'r bag o *base*, a cymryd lwmpyn seis pysan o'r pwti melyn, a'i roi yn ei geg.

"Ynda, Tint," medda Sban, wrth roi potal o Grolsch dan ei drwyn o. Cymrodd jochiad dda i gael gwarad o flas chwerw'r *base*.

"Ffwcin hel – dach chi'n sboilio fi, 'ogia!"

"Tint! Ti newydd ddod allan o jêl, mêt," medda Bic. "Ti fod i fynd off dy ffycin rocar. A dyna 'dan ni am neud – ca'l chdi off dy ffycin rocar!"

"Ia," medda Sban. "Ma genan ni'r sdwff i neud hynny. Yr unig beth sgenan ni ddim, ydi dynas fudur i chdi. Wel, dibynnu faint o ffysi wyt ti – ma Bic yn ddigon hapus i roi'i din i chdi. Os mêts, mêts, a ballu!"

Chwerthodd yr hogia, a stopiodd tap-tapio cerdyn Matalan Cled ar glawr y CD. O fewn eiliad roedd 'na bedwar lindys gwyn, tew yn hofran dan ffroena Tintin, a tenar wedi rowlio i fyny'n diwb, yn ei law. Meddyliodd, eto, faint mor wych oedd hyn, cyn hŵfro'r llinell dewaf i fyny'i goncar, mewn un.

≈ 16 ≈

GADAWODD SID FINCH ei 'balas' yn Tyddyn Tatws am hannar awr wedi un ar ddeg. Roedd o angan bod yn ei westy newydd, y Wizard's Grove, erbyn deuddag o'r gloch, i gael cinio efo Marcus Digby OBE, un o ben-biwsiaid mwya asiantaeth twristiaeth y gogledd.

Roedd o'n gyfarfod pwysig, achos roedd Finch am iddo weld yr adnoddau pum seren oedd o'n ei gynnig yn y gwesty. Stafelloedd *en suite*, lownj a restront, stafall gynhadledda, pwll nofio, spa, *sauna* a chwrt tennis – os nad oedd hynna'n mynd i demtio pryfid tewion byd y siwtiau, be oedd? Yr unig beth oedd o'i le efo'r adnoddau oedd ar ddangos, oedd ei bod hi'n bwrw glaw mân. Mi oedd Sid Finch yn licio meddwl amdano'i hun fel dyn allai sortio unrhyw beth, ond roedd y tywydd yn un peth oedd allan o'i gyrraedd.

Hefyd yn dod i ginio efo nhw, oedd James Codd Jnr o gwmni Codd Construction Ltd. Roedd o'n dod yno ar gais Sid Finch, i roi'r argraff i Digby ei fod yn *'blown away with the facilities and I and my associates will definitely be hiring the place'*.

Fel oedd yn digwydd bob tro wrth iddo daranu i fyny Allt Ddu, am bentra Graig, yn ei Cherokee Jeep ffôr-bai-ffôr-bai-ffâr, cofiodd Sid Finch am Ding Bob Dim yn cloi ei hun i mewn yn ei hen jîp, tu allan i'r Trowt un pnawn. Off ei ffycin ben ar ddrygs, yn chwerthin ar ei ben o, Sid Finch, o flaen pawb ar y stryd! Ac, fel bob tro'r oedd o'n cael ei atgoffa o'r digwyddiad hwnnw, crwydrodd meddwl Finch i'r ffeit gafodd o a'i frawd, a'i frawd-yng-nghyfraith, efo Cledwyn Bagîtha a Sbanish Newman, tu ôl i fflat Bagîtha, wedi i'r cops gornelu'r giang yno, allan o'u penna ar fyshrwms neu rwbath...

Bagîtha! Roedd o angan setlo hwnnw. Roedd hi 'di costio ffortiwn iddo ailsetio'i drwyn, diolch i'r cont yna. A Tintin a Drwgi! Ar eu hôla nhw oeddan nhw – y cops a nhwtha – am ddwyn ei bysgod o Tyddyn Tatws Trout! A mi gafon nhw getawê yn y cwrt, hefyd!

Tintin! Gostiodd hwnnw ffortiwn iddo pan driodd o roi capal Ramoth ar dân, a gneud gwerth miloedd o *smoke damage* i'r grisiau derw *custom made*. Gobeithio fod y twat yn pydru'n y jêl 'na, a'i fod o 'di mwynhau darllan y *cutting* papur newydd 'na yrrodd o i mewn iddo fo – hwnnw efo'i lun o, Finch, yn sefyll o flaen Ramoth, ar ôl gorffan y job, ac wedi'i werthu am dri chwartar miliwn...

Chwalodd meddyliau Sid Finch i bedair cornal y jîp pan gyrhaeddodd o Graig. Y siacedi melyn llachar ddwynodd ei sylw, dwy o'nyn nhw, ar gefnau dau ddyn efo helmets glas, yn sefyll yn nrws ffrynt y Trowt. Y peth cynta feddyliodd Finch oedd fod 'na ddau fath o bobol yn gwisgo siacedi melyn a helmets; y rhai mae'r dillad yn eu siwtio nhw – fel gweithiwrs ar seit – a'r rhai sy'n edrach yn rêl ffycin twats ynddyn nhw – fel merchaid, politisians sy 'di dod ar y seit i blannu coedan, y buldar o'r Village People, a *surveyors*. Yr ail beth feddyliodd Finch oedd, be oedd cwpwl o *surveyor-types* yn wneud yn snŵpio o gwmpas y Trowt?

Sicrhaodd Finch ei hun y byddai'n cael yr atab, a hynny'n fuan. Tsieciodd y cloc ar y dash, a gan obeithio y byddai'r goleuadau traffig ar y Bwlch ar wyrdd, trodd Finch am Dre, a'i bordio hi.

≈ 17 ≈

DECHREUODD Y DAITH adra o'r ysbyty efo trafodaeth ddwys am gyflwr Tomi Shytyl druan. Ond erbyn Bethesda roedd Drwgi 'di ysgafnhau petha drwy sôn am Jac Bach y Gwalch yn ei *dressing gown* a slipars, yn cogio bach fod o'n methu dallt cwestiyna Pennylove. Roedd y genod i gyd yn gytûn y byddai wedi gneud llun da i'w roi i fyny ar wal yr Het.

"Bechod 'na'n yr Het 'sa'n goro bod, yndyri? Y Trowt oedd local Jac, 'de?"

"Local? O'dd o fwy yn y lle nag oedd o adra!" medda Sian.

"Fel rhei erill 'dan ni'n nabod," medda Jeni Fach, y gochan fach coci, uwchben yr olwyn.

"O'dda chitha ddim ecsactli'n strenjyrs i'r lle'ch hunan, nag 'ddach?" medda Drwgi, yn amddiffyn y ddynol ryw.

"Ges i mobeil ffôn i Cled ar 'i ben-blwydd unwaith," medda Sian. "Total wâst o amsar. Os o'ch di isio ca'l gafal 'na fo, 'mond ffonio'r ffycin Trowt o'dd isio!"

"Dwi'n gwbo!" medda Jeni. "Bic run fath. Sa'n mynd â *sleeping bag* efo fo 'sa'm rhaid 'ddo wastio amsar yn dod adra. Yr unig reswm 'nes i'm rhoi *sleeping bag* iddo fo, oedd bo fi'm isio fo dan yr un to â'r sguthan Tabitha 'na, dros nos!"

"Asu, Jeni!" medda Drwgi, yn herian. "Paid â siarad yn filan am yr ymada… yr yma… y meirw! Ma'r hogan 'di marw, cofia! Wedi'i mwrdro, Jen! Efo'i dildo hi'i hun!"

Chwerthodd pawb, cyn stopio'n sydyn wrth gofio na ddylian

nhw'm chwerthin. Roedd Tabitha, dynas y Trowt, wedi cael ei churo i farwolaeth – efo dildo mawr du, Black Mamba, medda nhw – chydig dros flwyddyn yn ôl. Roedd y cops yn recno mai'i gŵr hi, Tiwlip y landlord, oedd wedi gneud. Doeddan nhw byth wedi'i ffeindio fo, chwaith – oedd yn boen, achos tan fyddai hynny'n digwydd, doedd 'na neb yn mynd i allu prynu'r Trowt, a'i agor o'n ôl.

Cyn hir, roeddan nhw'n dreifio drwy Betws-y-Coed, ac mi gofiodd Drwgi fod Sid Finch wedi prynu gwesty Coed Myrddin, heb fod ymhell. Fasa peint a busnés bach yn syniad da, meddyliodd, cyn rhoi'r syniad ger bron y ddwy dduwies. Wedi cael Drwgi i gytuno i dalu am y drincs, cytunon nhwytha'u dwy i'r cynllun – dim fod Drwgi'n credu am eiliad mai dim y cyfla i fusnesu oedd eu gwir gymhelliad nhwtha.

Cofiodd ei fod isio ffonio Cledwyn a'r hogia, i weld oedd Tintin allan yn saff, ac i riportio ar gyflwr Tomi a Jac. Dangosodd i Jeni lle i droi am westy Finch, cyn tynnu'i ffôn o'i bocad a byseddu'i ffordd at rif Cled, a gwasgu'r gwyrdd.

꞊ 18 ꞊

MYNNODD TINTIN MAI fo oedd yn cael y rownd gynta. Waeth be oedd neb yn ddeud, roedd o isio'r plesar o godi rownd i'w fêts unwaith eto. Felly dyna sut buodd hi. Ac er ei fod o 'di bod yn yfad Grolsch yn y car, byddai'r beint gynta mewn pyb yn dal yn sbesial. Peint oer, neis, llawn bybyls, efo pen fel Mr Softy…

Ond mi oedd 'na fwy iddi na hynny. Mae codi peint mewn tafarn yn weithred bersonol a chymdeithasol bwysig, yn cysuro'r enaid a bodloni'r angen greddfol i deimlo'n rhan o lwyth neu deulu estynedig. Mae hi'n seremoni syml ond symbolaidd – sanctaidd, hyd yn oed – sy'n sicrhau aelodaeth llawn o'r ddynoliaeth. Un o'r *rites of passage*, y 'gwasanaeth derbyn' mae pob llencyn ifanc yn edrych ymlaen iddo. Ochor yn ochor â'r jymp gynta – neu ddod am y tro cynta wrth halio – cael codi peint cyfreithlon mewn tafarn ydi un o'r cerrig milltir pwysicaf ar y daith at ddrysau

Clwb Dynoliaeth. A dydi'r sancteiddrwydd hwnnw, na'r hud sydd ynghlwm wrtho, byth yn gadael...

Ac roedd 'na rwbath arbennig am fod mewn tafarn yn y pnawn. Roedd 'na fwy o ddireidi, a mwy o gymuned, ac mi oedd 'na rhyw naws hynod i'r hinsawdd. Cerddad i mewn i gyfarchion ffraeth cymrodyr... lleisia cras, chwerthiadau garw... swn dominôs a phres citi'r cardia, hogla cwrw, mwg ffags a Brasso... cysur y traddodiad yn yr hen luniau ar y waliau melyn... yr optics yn wincio, a'r pympia fel sowldiwrs o bob rhan o'r byd, ar parêd... Dewis dy lagyr, y gwydr yn llenwi dan bistyll melyn, swn y *spill* fel glaw trana ar y trê...

Doedd hi ddim yr un orau'n y byd, fel oedd hi'n digwydd bod, ond aeth peint cynta Tintin i lawr ei gorn cwac heb dwtsiad yr ochra. Galwodd Cled am beint arall iddo fo, ac un yr un i Sban a fynta. Doedd Bic ddim isio un arall, am y tro. Roedd o'n cael traffarth clecio ar y funud, diolch i'r *cha* oedd yn pwmpio drwy'i waed. Aeth draw at y jiwcbocs i weld be oedd arni.

"Deuddag o' gloch," medda Tintin, yn rowlio ffag o faco Sbanish tra bod Cled yn codi'r cwrw. "Deuddag o' gloch, seithfad o Ragfyr, tŵ-thowsand-and-sefn. Wan tŵ, siro siro, siro sefn, wan tŵ, tŵ siro, siro sefn."

"O ia?" medda Sban, wrth glecian ei wydryn gwag i lawr ar y bar.

"Dwi'n mynd i ga'l y nymbyr yna wedi'i datŵio ar draws 'y nhin." Sbiodd Tintin ar wynab gwag ei fêt am eiliad, cyn ehangu. "Yr amsar a'r dyddiad ges i 'mheint cynta efo'n nhraed i 'nôl yn rhydd yn Gymru fach!"

"Pam ar dy din?"

"Dim rhaid 'ddo fod ar 'y nhin i. Geith o fod ar 'y nghoes, neu nghefn i. Rwbath i gofio..."

"Ia, ond 'nei di'm anghofio, eniwê, na 'nei, Tint? Deuddag o' gloch, a dyddiad dy *release*. Mae hwnnw ar dy bapura di, siŵr o fod."

Daeth Bic yn ôl at y bar, fel oedd swn tebyg i Bob Marley'n canu 'Exodus' efo hosan yn ei geg yn dod i glyw, o'r sbîcyr Fictoriaidd yr olwg, ym mhen draw'r bar. Gofynnodd i'r barman droi foliwm y jiwcbocs i fyny, cyn mynd yn ôl i ddewis mwy o ganeuon. Aeth Sbanish i'r bog i biso, a canodd ffôn Cledwyn. Atebodd Cled hi, taflu papur tenar ar y bar i'r barman, a cerddad allan i'r stryd i gael clywed yn well dros yr uwd basaidd ddeuai o'r jiwcbocs. Rhoddodd y barman bres Cled yn y til, a gadael ei newid ar y bar, cyn mynd drwodd i'r cefn i wneud be bynnag mae barmyn yn ei wneud yn y cefn. Setlodd Tintin ar ei stôl, a rhoi ei ffag yn ei geg.

Drwgi oedd ar y ffon, yn riportio ar Tomi a Jac, ac yn holi am Tintin.

"*Mercedes Van* wen…? Sgowsar…? Hmmm, edra i'm meddwl ar y funud, 'de, ond ma 'na rwbath yn canu cloch…" Symudodd Cledwyn o'r ffordd, i gwpwl o hogia lleol gerddad i mewn drwy'r drws. "Yndi… Corwan… Stori hir… Ah? Ffwcin hel, yndi, ma'n fflio mynd…! Yndi… haha… Bydd…"

Tynnwyd sylw Cled gan sŵn lleisia 'di codi yn dod o'r bar. "OK, Drwgi, dwi'n mynd… Ah? *Wizard's* ffycin *Grove*? Am dwat!"

Pan ddaeth Cled yn ôl i mewn roedd 'na ddadl wrth y bar. Doedd Tintin ddim yn coelio be oedd y ddau foi oedd newydd gerddad i mewn yn ddeud, ac yn gwrthod rhoi ei ffag allan. "*Listen* mêt, *I've had enough people telling me what to do over the last fucking year…*" Doedd 'na'm sôn am Bic.

"Tint! Be sy?" medda Cled.

"Cymraeg dech chi, ie?" medda un o'r ddau arall.

"Ia, mêt. Tint, cer allan i smocio, gyfaill. Chei di'm smocio'n pyb ŵan, 'sdi. Ma nw 'di banio fo, mêt."

"Cer o'na!"

"Do, dyna 'di'r seins 'ma o gwmpas lle, 'li. 'Dim ysmygu yn y fangre hon'. Gei di ffein am neud ŵan…"

"Ffyc, sori – o'n i'n meddwl na restront oedd 'mangre'… neu 'na rhyw '*eating area*'•oedd y darn yna o'r bar, ne' rwbath…" Cododd Tintin i fynd am y drws allan. "Pam na iwsian nw Gymraeg call, eniwê? 'Mangre' – be ffwc ma hwnna'n feddwl, ta?"

"*Who's fuckin' smoking?*" oedd geiriau cynta'r barman pan ddaeth yn ei ôl drwodd o'r cefn.

"Sorry about that, my mate forgot."

"Forgot?!"

"Long story…" Winciodd Cled ar y barman, ond ysgwydodd y boi ei ben. Doedd o ddim wedi dallt, a doedd o ddim yn gweld yr ochr ddigri, chwaith. Cont anserchus oedd o, beth bynnag.

"Be with you now, lads," medda fo wrth y ddau foi lleol, cyn codi hatsh y bar a mynd draw i agor un o'r ffenestri, gan chwifio'i freichia wrth fynd.

"Ffacinél, ma hwn yn foi hapus, dydi?" medda Cled wrth y boi Cymraeg wrth y bar.

Wnaeth hwnnw'm cydnabod y jôc. "Lle dech chi'n dod o, hogie?" gofynnodd fel atab.

"Fan hyn a fan draw," medda Cled – fel oedd ei nain, Neli Bagîtha'r sipsi, yn arfar ddeud erstalwm – cyn gafael yn ei beint a mynd allan at Tintin.

Roedd Tintin yn methu coelio be oedd y byd yn dod iddo, wir. Stopio bobol smocio? *Nanny* ffycin *state!* Be nesa, banio rhegi? Banio yfad? "Ma smôc a peint yn mynd efo'i gilydd fel gwadan a swdwl, Cled!"

"Ia, wel…"

"Ti'n ca'l smôc yn jêl, ffor ffyc's sêcs!" Tynnodd Tintin yn wyllt ar ei ffag, a'i fflicio i'r stryd o'i flaen, a methu dynas oedd yn pasio efo pram o fodfeddi. "A ma hi'n ffycin oer i sefyllian yn nrysa pybs yn ganol ffycin glaw, fel plant isio cwrw slei!"

"Tyd, 'ta, awn ni mewn," medda Cled. "Clec i'r beint 'ma, ac awê. Gawn ni smôc gall yn car."

≈ 19 ≈

"MARCUS! PLEASED TO meet you. Walter Sidney Finch, but they call me Sid."

Ysgwydodd y ddau ddyn eu sgwydiad llaw winc-a-nod, ac arweiniodd Finch ei westai drwodd i'r lownj, ac at y bar.

"I'm sorry I'm a tad late, Marcus – traffic lights on the pass."

"That's no problem, Sidney, I've only just arrived. This really is a nice place. Very impressive…"

"Yes, I think so too."

"Tell me, Sidney…"

"Twt-twt! Call me Sid…"

"…Sid, tell me – the extension, it's very big. Did you have any problems with planning?"

Chwerthodd Sid Finch yn bwmbastic. "What would you like to drink?"

"I'll have a brandy, please, thank you very much."

"Any brandy in particular? We have nice Cognacs and Armagnacs."

"Oh, a simple Courvoisier pour moi, Sidney…"

"Two brandies, please, Rhagfyr."

"Pa un, Sid?" gofynnodd Rhagfyr Sbygodyn.

"Pardon?"

"Pa frandi ti isio?"

"A Courvoisier for me," medda Marcus Digby.

"Ia, and for… finna 'fyd, Rhagfyr, diolch… Sorry, I didn't know you spoke Welsh, Marcus?"

"Oh, good God, no, I don't speak it, no, no…" chwerthodd Digby, "but I do manage to pick up a few things, of course."

"Of course. So, you were saying – you're impressed with what you've seen so far?"

"Yes, it's very nice, I must say. So far, anyway… Who's your chef?"

"Oh, he's a hot young local talent… Going places. But not soon, hopefully, har-har! Have a look at the menu, we'll order as soon as James arrives… Ah! James! Talk of the devil… Marcus, this is…"

"James! Good to see you!"

"Marcus! How's things?"

"Good, thanks, very good."

Byrstiodd balŵn Sid Finch. "I see you know each other, then…?" Arhosodd am eglurhad. Ddaeth 'na run. "Well, gents, if you'd like to take a table, I'll bring the menu over… Rhagfyr, can we have

58

another Choirvoyeur?" Edrychodd Finch draw at y ddau arall, i jecio'u bod nhw'n ddigon pell. "A Rhagfyr, well 'ti fynd i'r citshin 'na i gwcio, unwaith gei di'n ordor ni. Dwi'n gobeithio fydd rhein 'im isio rwbath rhy ffansi i fyta."

≈ 20 ≈

"Y FFYCIN CORRACH 'na oedd yma tro dwytha i fi fod yma," medda Tintin. Roedd o newydd sylwi ar y gofgolofn newydd o Owain Glyndŵr ar sgwâr y dre, ar ei ffordd o'r pyb i'r car. Doedd o heb sylwi ar y ffordd *i'r* dafarn, achos roedd ganddo rwbath amgenach ar ei feddwl. "Es pryd ma hwn yma?"

"'Im llawar. Flwyddyn yma rwbryd," medda Sban. "Ma'n un da'n dydi?"

"Da? Ma'n ffycin ffantastig!"

"Ond glywisd di am hon 'ta?" dechreuodd Cled, yn 'gonspuratorial' i gyd. "Glywis i, 'de, fod y statshw i fod i gyrradd efo coron ar ei ben o… Fod 'na goron yn y plans 'lly – y cynllunia aru nw roid i'r sgylptshyrar – ond pan gyrhaeddodd y statshw, doedd hi'm yna!"

"Be, oedd 'na rywun 'di'i dwyn hi?" gofynnodd Bic.

"Naci, y ffycin Seuson ar y comiti – y pwyllgor aru hel pres i ga'l hwn yma, 'lly – y Seuson ar hwnnw aru gael gwarad o'ni o'r plans, last munut, heb ddeud ffyc ôl wrth y rest o'r pwyllgor!"

"Pam?" holodd Tintin.

"Am 'na coron Tywysog Cymru ydi hi, a bod teitl Tywysog Cymru yn perthyn i fab hyna brenin Lloegar – *officially*, yn ôl y Seuson – achos bo'r Seuson wedi dwyn y teitl pan aru nw fwrdro Llywelyn. *Conquered people* 'dan ni iddyn nw, 'de? *To the victor the spoils*, a ballu… Y Cymry nath goroni Owain Glyndŵr yn Dywysog ynde. *Rebel Prince* oedd o, 'de…"

"So ma'r Seuson sy'n byw yn y lle 'ma 'di rhoi *veto* ar y goron, am bo nw'm yn recogneisio Owain Glyndŵr fel tywysog Cymru?"

"Nionyn – *an onion* – yn union, Sbanish. Ecsacto-ffycin-mwndo!"

"Go iawn?"

"Wel, dyna glywis i, beth bynnag…"

"Ffycin basdads digwilydd!" poerodd Tintin. "Dod yma, dwyn 'yn tai ni, newid bob dim i Susnag, a newid 'yn ffycin hanas ni!"

"Dyna ma'r contiad 'di neud yn bob gwlad ma nw 'di bod ynddi, Tint," medda Sban.

"'Sa nw'm yn gallu gneud 'sa ni'm yn ffycin gadal iddyn nw neud," medda Bic, a'r gwir yn ei ddatganiad difater yn atsain fel cloch. "Dowch, neith hi lein."

Dechreuodd pawb gerddad eto, ond arhosodd y sgwrs yn yr unfan. "Sud 'sa nw'n licio 'sa ni'n byw yn Lloegar ac yn stopio Lisi wisgo coron?" mynnodd Tintin, yn dechra corddi. Am yr ail waith mewn pum munud, roedd o'n hollol gobsmacd efo sefyllfa'r wlad oedd o newydd ddychwelyd iddi.

"Fysai'n hôli ffycin myrdyr, Tint, ma hynna'n ffycin saff iti," medda Cled. "Rêsism a bob dim fysa hi wedyn, siŵr! Seuson bach yn ca'l cam, didyms… Ond y peth ydi, 'de, ma nw 'di gneud ffwc o fistêc efo'r statshw 'ma, achos rŵan bod 'na'm coron ar 'i ben o, ma bobol Gymraeg y lle 'ma'n mynd i neud coron 'u hunan, a ca'l seremoni coroni yma bob blwyddyn…"

"Be? Coroni'r statshw?"

"Ia, Tint, coroni Glyndŵr yn Dywysog Cymru – bob ffycin blwyddyn ar Un Deg Chwech o Medi, Dydd Glyndŵr, y dyddiad aru nhw'i goroni fo gynta, yn Glyndyfrdwy… fyny ffor'cw'n rwla…"

"Bob blwyddyn? Ri-enacdment y coroni?"

"Ia!" chwerthodd Cled. "Ma'n well na ca'l coron ar ei ben o'n y lle cynta! Tsians i rwbio'u trwyna nw ynddi, bob ffycin blwyddyn! Hi-hi! Dyna be di ôn gôl! Fydd Glyndŵr wrth 'i fodd, i fyny fa'na'n rwla, yn gwatsiad!"

"Ma 'na naw mis tan hynny, 'gia," medda Bic. "Dowch i'r ffwcin car. Dwisio lein."

'EXTERMINATE… EXTERMINATE… EXTERMINATE…'

Bownsiodd Drwgi ar hyd carpad matras derbynfa swanc y 'Wizard's Grove' – fel oedd Finch wedi ailenwi Coed Myrddin – yn chwilio am ddrws y bar. Roedd y genod wedi mynd i mewn o'i flaen o, tra oedd o'n siarad efo Cled ar y ffôn.

Sbiodd o'i gwmpas ar y pren wedi'i bolishio, y siandelîyrs crisial ffug, y gwydr *frosted*, handlenni pres y drysa, y papur wal digon tew i chwara snŵcyr arno fo, y llunia o nobs blin mewn dillad Nelson, a wancars tew efo bocha Winston Churchill, y grisiau gosgeiddig a'r… switshys golau pres… yn sgleinio… ac… yn gofyn am gael eu switshio mlaen ac i ffwrdd…

Ymwrthododd â'r demtasiwn, ac aeth am y chwith, lle'r oedd y dderbynfa'n agor allan i stafall fawr, agorad, a honno'n arwain drwodd eto i stafall fwy fyth, efo byrdda â lliain lliw hufen drostyn nhw, a gwydra efo hancesi wedi plygu yn bob un. Aeth drwodd i'r stafall gynta, a gweld fod 'na rhyw fath o far yno, ond 'i fod o 'di cau.

Trodd ar ei sodla, a mynd 'nôl i'r lobi, â'i slipars yn adleisio drwy'r siambrau gwag. Cerddodd heibio'r grisia a sylwi ar gwpwl o ddrysa erill. Roedd 'na un efo'r gair *'Lounge'* arno. Roedd hynny'n ddechra, beth bynnag. Agorodd y drws, a gweld bod Jeni Fach a Sian Wyn yn sefyll wrth y bar, yn aros.

"The duck's off, I'm afraid!" medda Sid Finch, pan holodd Marcus Digby lle gafodd y chwadan ei saethu. Chwerthodd wedyn. *"Only joking! Had to get my Basil Fawlty impression out of the way!"*

"Is the salmon local?"

"Of course. We have fishing rights on this stretch of river."

"And the pheasant?"

"Shot it myself."

"Hmmm…" Roedd Digby'n darllan y fwydlen. *"'Pan-fried breast of pheasant with calvados and apple on a bed of puy lentils, roasted root vegetables, garlic roasties and rosemary'? Interesting. Who did*

you say your chef was?"

"Erm, his name's Rajveer E'spargodoin, young lad, but very, very good."

"Local, you said?"

"Yes. Penmachno."

Sylwodd Finch fod llygid James Codd wedi crwydro. Dilynodd lwybr ei olygon, a gweld dwy hogan â'u cefnau atyn nhw, wrth y bar, ym mhen draw'r lownj. Roedd un o'nyn nhw'n slim a siapus, efo gwallt hir brown, ac un yn fyrrach, efo gwallt hir, coch, a ffwc o bâr o dits. Roedd Finch yn siŵr ei fod o'n eu nabod nhw.

"What's the clientele around here like?" gofynnodd Marcus, wedi i hwnnw hefyd gael cip sydyn ar y merchaid.

"Well," dechreuodd Finch, *"it's a select clientele, really, no pop-ins and no public bar types. As you can see, there's a certain kind of ambience…"*

'EXTERMINATE… EXTERMINATE…'

Trodd Finch i edrych at y bar eto, i weld be oedd yn gyfrifol am dorri ar ei draws. Bu bron i'w ên hitio'r bwrdd wrth weld Drwgi Ragarug yn bowndio'i ffordd at y bar.

"Ffwcin hel, am shit o ffycin le, y cont!"

Disgynnodd gwynab Rhagfyr Sbygodyn, tu ôl y bar, ar yr union yr un eiliad ag un ei fòs.

"Rhagfyr Sbygodyn! Well bod y cwrw 'ma ddim mor ddrud â'r ffycin carpad 'ma! Deud gwir, 'sa'n well 'sa ti'n roi o i fi ar yr hows. Arna'r twat Sid Finch 'na ddigon o gwrw i fi am yr holl hasyl ma'r mwngral tew 'di achosi!"

Roedd Rhagfyr Sbygodyn wedi rhewi'n ei unfan, yn edrych ar ei fòs am arwydd o ryw fath. Roedd ei fòs, fodd bynnag, yn trio aildanio'r sgwrs efo Marcus a James, i dynnu'u sylw nhw oddi ar Coco Ddy Clown wrth y bar, tra hefyd yn trio gwneud arwydd 'kill' efo'i law o dan y bwrdd, i Rhagfyr weld na ddylai syrfio'r ffycar digwilydd.

"Wel! Sbygodyn! 'Wal gachu' 'di'n wal i, ia? Ty'd i fi ga'l gweld sud beint ti'n dynnu, 'ta…! Be sy? Ti 'di gweld gôst, neu rwbath?"

Trodd Drwgi i weld yr 'ysbryd'. Ond dim ysbryd oedd yna, ond y diafol ei hun, Sid Finch, yn ista wrth fwrdd yn y ffenast, efo dau siwt. Ac roedd y tri o'nyn nw'n sbio arna fo.

"Ti'n mynd, rŵan, wyt Drwgi?" medda Finch rhwng ei ddannadd.

"Wel, meddwl ca'l peint o'n i… Jyst i ga'l golwg ar y lle 'ma… Gweld be o' ti fyny i, efo dy '*Wizaurd's Groove*'." Doedd Drwgi 'rioed wedi bod yn un da am ddynwarad acen Seusnag posh.

"Ma'r bar 'di cau, Drwgi. *And it isn't open to the public anyway.*" Edrychodd Finch draw at ei westeion, i drio mesur eu hymateb. Ar y funud, roedd o'n gymysgadd o ddifyrrwch a dychryn pur – Codd wedi'i ddifyrru, a Digby wedi dychryn.

"OK, dim problem," medda Drwgi wrth droi 'nôl am y drws. "So, rŵan dwi'n gwbod. Dim rhaid fi foddran eto, na? Dowch genod, shit o le 'di hwn."

'*EXTERMINATE… EXTERMINATE…*' Pwsiodd Drwgi'r drws, a methu'i agor, cyn ei dynnu, a llwyddo. A mi fyddai wedi cerddad drwyddo, oni bai iddo glywad Sid Finch yn dweud fod y "'shit' newydd gerddad i mewn."

"Ty'd Drwgi," medda Sian Wyn, pan welodd ei fod o'n troi 'nôl.

"Ia, well 'ti fynd rŵan, Drwgi," medda Rhagfyr Sbygodyn. "Ma Mr Finch wedi deu…"

"Cau hi 'Igor' – efo'r 'Master' dwi'n siarad, dim y gimp… Cachu 'dw i, 'lly, ia Finch? Be ma hynna'n gneud chdi, 'ta? Ah? Ti'n dod o'r un lle â fi…"

"Cŵlia lawr, Drwgi…" medda Finch, mewn tôn o lais oedd yn rhybuddgar tra hefyd yn twt-twtio'r holl ffrae yng ngŵydd y ddau bwysigyn. "*I'm sorry about this. He's a… very old friend…*"

"'*Old friend*'? Be ffwc ti'n wbod am ffrindia, Sid Finch? 'Sgin ti un, 'lly?"

Gafaelodd Jeni Fach ym mraich Drwgi, a dechra'i hebrwng o am y drws. Ond roedd Drwgi am ei deud hi fel ag yr oedd hi, beth bynnag. "*He put my 'old friend' in hospital for fuck all…*"

"*Look, I really think that's enough…*" medda Digby, mwya sydyn, gan groesi'i freichia mewn protest yn erbyn yr iaith anweddus.

"*It's OK, Marcus, I can handle this,*" medda Finch, a chodi ar ei draed, a dal ei ddwylo allan mewn ffordd gyfaddawdol. "*Drwgi, we can talk again about your concerns, but I'm in a meeting at the moment...*"

"Ia, ty'd Drwgi!" medda Sian, "cyn i betha fynd yn flêr..."

"Ia," medda Jeni Fach, wrth dynnu'n ysgafn ar ei fraich o. "'Dan ni'm isio rhoi pres yn bocad hacw, beth bynnag."

Dechreuodd Drwgi'i dilyn hi, ond doedd o heb orffan deud 'i ddeud.

"Cadwa dy Susnag cachu pwmp i dy ffrindia newydd, Finch... *Hey mate – he's a crook, him. He put my other mate in jail, yeh. And guess what? He's just come out today...!*"

"Drwgi!" Roedd Jeni Fach wedi dechra'i bwsio fo rŵan.

Gwenodd Drwgi wrth weld fod y grynêd wedi hitio'i marc – roedd gwynab Finch wedi troi'n wyn pan glywodd fod Tintin allan. Honna oedd hi. Roedd o wedi ennill, a doedd 'na'm angan deud mwy. Ond mi sticiodd y bŵt i mewn, beth bynnag. "*And I wouldn't touch the salmon if I was you, 'Marcus'. It's not smoked, it's poked. With a gaff. You'll be handling stolen goods, sort of* peth... thing, *I mean...*"

"Watshia di be ti'n ddeud, Drwgi," medda Finch, efo edrychiad tywyll ac oer, ar ôl cael ei synhwyrau nôl.

"Ia, a watshia ditha be ti'n *neud*, Sid Finch," atebodd Drwgi, cyn cymryd cam penderfynol am y drws... a'i bwsio yn lle'i dynnu, eto...

Ac yn yr ennyd o ddryswch hunanymwybodol honno, ynghanol embaras ei *botched grand exit*, chwiliodd Drwgi'n ffrantig am ffordd i ddwyn y 'last laff' yn ôl i'w gornal ei hun. Edrychodd draw at fwrdd Finch a'r ddau siwt, cyn troi at y switshys golau pres, posh ar y wal wrth ymyl y drws, a'i fflicio nhw i gyd ymlaen ac i ffwrdd, lot o weithia, mewn ffrensi a barodd bedair eiliad o leia – cyn diflannu drwy'r drws, fel dyn ffair, a'i slipars yn datgan i'r byd be fydda fo'n licio'i neud i Finch tasa fo'n ca'l hannar siawns.

'*EXTERMINATE... EXTERMINATE... EXTERMINATE...*'

≈ 22≈

"FFYCIN DRWGI!" DIAWLIODD Gwyndaf Dybyl-Bybyl. "Ma'n gwbod fod 'na'm signal fyny Cwm Derwyddon! Be ffwc oedd point tecstio i ddeud fod o'm yn dod mewn heddiw?"

"Tha di gallu cer'ad i ffor' fawr, thbario ni droi mewn i Bryn Derwydd..." ychwanegodd Gwynedd.

Yn y cwt bwyd oeddan nhw, yn siarad efo Kev Cwd, oedd newydd ofyn pam oeddan nhw'n hwyr i gwaith yn bora. A nhwtha hannar awr yn hwyr beth bynnag, roeddan nhw wedi mynd draw i Bryn Derwydd, i bigo Drwgi i fyny, ac wedi cael y tecst unwaith ddaethon nhw i signal, reit o flaen ei dŷ fo. Erbyn iddyn nhw droi nôl, roedd y lori ailgylchu wedi cyrraedd i wagio poteli a cania cwrw gwag pawb o'r bocsys glas, ac wedi blocio'r ffordd. Bu raid iddyn nhw aros deg munud arall cyn iddi gyrraedd pen y stryd, heibio'r holl geir oedd wedi parcio, cyn iddyn nhw allu ailgychwyn am y Bwlch.

Roedd hynny wedi'i gneud hi'n naw o'r gloch arnyn nhw'n cyrraedd y seit – ac roedd hynny'n rhy hwyr i osgoi sylw'r seit manijar. Ugian munud i hannar awr, ia, tri chwartar hyd yn oed, weithia – doedd Sharon byth allan o'i gwt cyn hynny. Ond awr, roedd awr yn gofyn gormod. Roedd o wedi dechra cerddad o gwmpas i ddangos ei wynab erbyn hynny.

Drwy lwc, doedd o heb fod i lawr at le oedd yr efeilliaid yn gweithio, y bora hwnnw. Ond dim dyna oedd y pwynt. Y pwynt oedd fod y Dybyl-Bybyls isio rwbath i gwyno amdano.

Rhoddodd Kev Cwd rawiad arall o grisps yn ei geg, a dechra crynshio. "Drwgi 'de... *sgrynsh sgrynsh*... sa gena fo frên 'sa'n berig... *sgrynsh sgrynsh*..."

"Dwywaith cyn beryclad, ti'n feddwl!" medda Gwyndaf. "Ma'n ffycin dedli, fel ma hi!"

Canodd mobeil ffôn Gwynedd. Edrychodd ar yr enw ar y sgrin, a phasio'r ffôn i'w frawd. Doedd 'na'm pwynt iddo siarad efo'r galwr – Dic Be oedd yno, a roedd o'n fyddar bost yn un glust, a byth yn gallu dallt Gwynedd yn siarad. "Ynda, Wynff," medda fo, gan ddefnyddio'r llysenw oedd yr efeilliaid yn ddefnyddio am ei gilydd ers iddyn nhw fethu cytuno pwy oedd yn cael bod yn Syr Wynff, wrth wylio *Teliffant* ar y bocs, pan yn blant. "Dic Be. Dwi'n mynd i bitho."

Fel oedd Gwyndaf wedi amau'n syth, isio crawia oedd Dic. Rhai go lew o sgwâr 'fyd, achos roedd ei gwsmar isio'i batio i fod yn agosach i steil slabs concrit nag i grêsi pêfing. Fel oedd hi'n digwydd bod, roedd gan yr hogia tua ugian o grawia tewion oedd wedi'u torri'n weddol sgwâr. Roedd Cled a Bic wedi'u cael nhw mewn stretsh o'r ffens oedd yn cynnwys corlan ddefaid wedi'i gneud o grawia taclus.

"Ffonia i di 'nôl yn munud, Dic," gwaeddodd Gwyndaf i lawr y ffôn, cyn gwasgu'r botwm coch, wedyn cwpwl o fotyma eraill, a'i rhoi 'nôl i'w glust.

≈ 23 ≈

ROEDD BALA'N FWY o *'friendly territory'* i hogia Dre. Roedd 'na wastad groeso yno os oeddan nhw'n galw am beint ar eu ffordd o Wrecsam adag ffwtbol, neu os oeddan nhw'n mynd yno i chwara poker yn un o dwrnameintiau'r Ship. Lle da i yfad yn y pnawnia. Llawn cymeriada fysa'n yfad Cymru'n sych 'sa nw'n ca'l hannar tsians.

Lle digon peryg allai o fod ar wicends, hefyd, i griw diarth fynd i byb-crôlio. Yn enwedig criw fel Cled, Sbanish a Bic, oedd yn reit amlwg i bawb eu bod nhw off 'u penna ar sylwedda heblaw alcohol a nicotîn. "Balabama," oedd Cledwyn yn galw'r lle, am fod ganddo "gymint o red-necs â'r ffwcin Deep South!"

Ond doedd Bic ddim yn gyfforddus efo stopio'n Bala. Roedd o 'di clywad eu bod 'nw'n lynshio "drygis" yn y lle, a – pnawn dydd Gwenar neu beidio – doedd o'm isio cymryd y risg.

Felly cadw ar yr A5 wnaeth yr hogia, a throi mewn i un o'r tafarndai *quaint* yr olwg sy i'w cael yma ac acw ar hyd ochor y ffordd. Tawelodd eu carlo-barablu wrth gyrraedd y pren, a stydiodd pawb y pympia, cyn deud wrth Sbanish be oeddan nhw isio, a diflannu at y bwrdd pŵl, a'i adael o i sortio'r lysh.

"Ma 'i'n wag yma," medda Cled wrth luchio'i jaced ar ben stôl.

"Be ti'n ddisgwyl ar ôl banio smocio?" nododd Tintin. Falla nad oedd o cweit yn wir am y dafarn yma, ar yr adag yma o'r dydd, ond roedd gwirionedd ei eiriau yn dangos fod hyd yn oed rhywun oedd 'di bod i ffwrdd ers dros flwyddyn yn gallu gweld effaith y strôc ddiweddara o ffwlbri biwrocrataidd ar fywyd bobol cyffredin.

Plygodd Bic i lawr i weld pa bres oedd y bwrdd yn gymryd. "Sgin rywun bishyn chweig?"

"'Sgenan ni be?" medda Tintin, a chwerthin am y tro cynta ers gadael Corwen.

"Pishyn chweig, 'de!"

"Be ffwc 'di 'chweig'?"

"Pishyn chweigian! Paid â deud bo ti'm yn gwbo be di chweigian!"

"Chweigian!" Chwerthodd Tintin eto. "Ti'n cym'yd y piss!"

"Nadw, màn! Chweigian 'di ffiffti pî, siŵr! O' ti'm yn gwbo hynna? Ffacin hel, Tint! Dwi'n gwbo fo chdi 'di bo'n jêl a ballu, 'de, ond rhaid i chdi gadwi fyny 'fo'r strît lingo, 'sdi, *bra*!"

Chwalodd Tintin i gigyls afreolus. Roedd o wedi'i diclo'n racs. "Chwigian… wahaaaa…!"

Doedd Bic heb ddisgwyl ymateb mor hwyliog i'w ymholiad am bishyn pum deg ceiniog i chwara pŵl. Roedd o'n gwbod mai gair hen ffasiwn oedd 'chweigian', ond roedd o'n meddwl y bysa Tintin, o bawb, wedi'i glywad o o'r blaen. Ac er ei fod o'n meddwl fod 'chweigian' yn air difyr – dyna pam oedd o 'di dechra'i ddefnyddio fo pan oedd o'n cofio – doedd o rioed wedi sbio arna fo fel gair digri. Tan rŵan, â'i fêt yn rowlio o gwmpas ar y fainc o'i flaen, yn biws ac yn gafa'l yn ei ochra.

Mewn eiliad, datgysylltodd Bic ei hun o'r gair, yn ei ben, ac 'edrych' arno o safbwynt rhywun yn ei glywed am y tro cynta erioed. Chweigian. Chwigian. Chwigian! Oedd, mi oedd 'na rwbath doniol amdana fo… mewn rhyw ffordd ddiniwad, plentynnaidd, falla... Ond doedd o'm yn gweld sud medra fo gracio rhywun i fyny gymaint ag oedd o'n ei wneud i Tintin ar y funud...

Ysgwydodd Bic ei ben. "Sgin ti ffwcin chwigian, 'ta be?"

"Waaaahaaaaa-ha-ha...!"

"Tyd cont!" Roedd Bic yn dechra mwynhau chwalu pen Tintin yn racs.

"Chwi-chwi-chwaaaaahaaaaa....!"

"Chwichwawa? Be ffwc 'di hwnna, *Scouse backslang*, ne rwbath? Cled! Sgin *ti* chwigian, 'ta?"

"Waaaaahaaaaaaaaa...!"

"Ffwcinél, ma hwn 'di'i cholli hi, Cled! Dwi'n mynd i'r bar i 'nôl un... Tintin! Dwi'n mynd i'r bar i nôl *chwigian*. Aros di'n fa'na mêt, i ddod dros dy drafferthion...!"

Gadawodd Bic Tintin mewn dagra ar y bwrdd. Daeth Sbanish draw efo dau beint, ac ista i lawr. "Ti'n iawn Tint?"

Roedd Tintin yn cwffio am ei wynt. "... Nacdw...!"

Aeth Sban i'w bocad a tynnu pishyn ffiffti allan, a'i roi i mewn yn y slot. Rowliodd y peli o grombil y bwrdd, a tynnwyd sylw Bic gan eu dwndwr. Daeth yn ôl o'r bar, yn hyderus na fydda fo angan pishyn chweigian, wedi'r cwbwl, gan mai 'wunar stês on' oedd y drefn.

Daeth Tintin at ei hun yn ara bach, wrth i Sbanish suddo pum pêl mewn brêc, yn syth ar ôl i Bic dorri. Ond roedd yr holl chwerthin wedi ysgwyd ei ben, ac wedi bywiogi pob cyffur oedd yn fflio o gwmpas tu mewn iddo, fel ysgwyd potal o lagyr. Gwaeddodd dros y lle, "Ma hi'n ffycin braf i fod yn ôl yn Gymru fach, bois!"

"Ma hi'n dda i dy ga'l di 'nôl, Tintin Tomos!" medda Cled, heb ormod o anogaeth yn ei lais, wrth sylwi ar ddynas y dafarn yn sbio dagyrs. "Awn ni adra ar ôl y beint 'ma, ia?"

"Ia! Ffycin reit! Peint yn y Trowt!"

"Do's 'na'm Trowt ddim mwy, Tint..." medda Cled yn hiraethus. "Ma 'di cau ers y mwrdwr, yndo?"

"O ia... Anghofis i am hynna... Cat 'de?"

"Ia, cat..."

"Dre amdani, 'lly!"

"Ia – neith hi ffiw swigs, Tint." Roedd Cled yn bod yn ofalus i beidio codi gormod ar hwylia'i ffrind, yn y stad oedd o ar y funud. A doedd o'm isio i Tintin dreulio gormod o amsar yn Dre, beth bynnag, rhag ofn i rywun roi hanas Glenda iddo fo.

"Deutha fi, Cled – sut ma Glenda a'r plant?"

Cuddiodd Cledwyn y ffaith iddo bron â thagu wrth swigio'i beint. Roedd o 'di bod yn dredio honna. Roeddan nhw wedi trafod hynt a helynt y Trowt, a chyflwr Tomi Shytyl a Jac Bach y Gwalch, ar y ffordd o Corwen, ond doedd Tintin heb bori yn y cae personol yna eto. Ond gwyddai Cled mai matar o amsar fydda hi.

"Hoi! Cofia be 'nes di neud i fi addo gneud!" Atgoffodd Cledwyn ei ffrind am y llythyr sgwennodd o iddo fo o'r carchar, yn ei siarsio i neud yn siŵr ei fod o'n cael uffarn o barti da *cyn* troi ei sylw at ei ddomestics. Roedd o isio hwyl ar yr hôm stretsh cyn cyrraedd hedffyc corner, i ddefnyddio ei union eiriau.

"Ia, ia, OK mêt... Jysd..."

"Jysd ffyc ôl, Tint. Anghofia am Glenda am heno."

"OK, Cled. Sori." Cleciodd Tintin ei beint. "Neith hi un arall fan hyn 'ta. Ma 'i'n OK 'ma... Ti'n barod am un?"

Doedd Cled heb yfad chwartar ei beint. "Ymm... Bic bia hon, dwi'n meddwl, ia?"

Doedd clustia Bic Flannagan ddim yn methu unrhyw beth oedd i'w wneud efo cwrw neu bres. Yn enwedig os oedd y ddau beth yn rhan o'r un frawddag. Pigodd ei radar y signal i fyny'n syth. "Ffwcin hel! Gena i beint llawn yn fa'ma!"

"Finna 'fyd," medda Sbanish, cyn suddo'r ddu a sefyn-bôlio Bic yn y fan a'r lle.

"Goda i un i fi a Tint," medda Cled, cyn codi ar ei draed a thollti'i beint i lawr y ffordd goch cyn gyntad ag y medra fo.

"Na, na, ma'n iawn," medda Bic wrth roi ffling i'w giw ar y bwrdd pŵl. "Ga i rownd, eniwê..."

"Ga i hon," mynnodd Tintin.

"Ista di'n fa'na, Tint," medda Cled, fel y dechreuodd ei ffôn ganu.

Gwelodd Bic ei gyfla i fachu'r blaen ar y ddau o'nyn nhw, a brysiodd am y bar cyn i Tintin symud. "Rhaid i fi ga'l pishyn chweig ŵan beth bynnag! Ma'r twat yma 'di ennill, rywsut!"

= 24 =

DOEDD GAN GWYNDAF ddim awydd hand-bôlio ugian o grawia trymion efo dim ond dau o'nyn nhw'n cario, felly ffoniodd Dic Be i ddeud y byddai heno'n anodd, ond fod 'na obaith rhyw ben fory. Roedd hynny'n optimistig ar y diawl, achos roedd hi'n amlwg fod 'na ffwc o sesiwn ar y gweill heno.

Daeth Gwynedd yn ôl o fod yn piso. "Gath di thenth, Wynff?"

"'Udas i 'fory, falla', gan bo ni'n ysgafn ar ddwylo heno."

"Ma 'na ddau o'nan ni, 'doeth?"

"Oes, ond mae o'n fwy o waith na sydd angan, dyri?"

"Ond ma'r hogia ar y pith. Fydd 'na neb yn gêm fory, chwaith, na fydd?"

"Duw, ffendian ni hannar awr yn rwla... " Gostyngodd Gwyndaf ei lais wrth sylwi fod clustia Kev Cwd yn twitshio uwchben ei bapur. "Eniwê, ma 'i'n nos Wenar, a ma 'na swig ymlaen. Ffwcio Dic Be a'i batio."

Roeddan nhw'n cerddad allan o'r cwt, yn ôl i'r glaw mân, efo Kev Cwd a Gengis Cont, pan ddaeth bib-bib corn car o'r traffig oedd yn araf ymlwybro drwy'r goleuadau isa. Trodd y pedwar i sbio ar y Piwgot bach gwyn. Car Fflur Drwgi oedd o, ond Jeni Fach, cariad Bic Flannagan, oedd yn dreifio, efo Sian Bagîtha yn ista'n cefn. Ac yn y ffrynt, yn ista'n isal, bron o'r golwg, oedd Drwgi. Roedd o wedi agor y ffenast, ac yn pipian dros dop y drws, yn chwifio'i law fel un o'r Roials, ac yn gwenu fel lleuad llawn.

"Ffycin idiot!" medda Gwyndaf, yn methu coelio y gallai rhywun fod mor wirion â sgeifio ffwrdd o gwaith, wedyn dreifio drwy'r seit yn tynnu sylw at ei hun. Doedd Kev Cwd ddim yn *grass*, ond doedd o'm y saffa efo'i geg, chwaith. A mi oedd Gengis Cont yn, wel... yn gont, a rhwng y ddau o'nyn nhw roedd hi'n *odds on* i ryw si gyrraedd clustia'r bosys.

"'Dio'm i mewn heddiw, 'lly?" gofynnodd Gengis.

"Pwy?" chwyrnodd Gwynedd.

"Hwnna," atebodd y Cont, yn rhy thic i weld y rhybudd yn llais yr efaill. "Lle ma 'di bod, sgwn i?"

"Ella fod o 'di bod yn gweld Jac a Tomi'n y 'sbyty," cynigiodd Gwyndaf, wrth gofio fod stori'r ymosodiad yn dew rownd y seit y bora hwnnw. "Ma Sian a Jeni Fach yn perthyn i'r ddau o'nyn nhw."

"Ond 'di Drwgi ddim, nacdi?" medda Gengis yn ôl, yn gyhuddgar.

"Be ffwc 'di o i chdi, Gengith Cont?" sgyrnygodd Gwynedd.

"Dim byd... a paid â galw fi'n hynna, plis, Gwynedd!"

"Be? Gengith Cont?"

"Ia."

"Ond dyna pwy wyt ti, 'de?"

"Ia, ond dwi'n trio ca'l gwarad o'r enw... Ma Elin yn pisd off efo fo."

"Wel, 'nei di'm ca'l gwarad o'no fo wrth neud ffŷth amdana fo, na 'nei?"

"Ia, ond ma ganddi boint, does? Ma 'i'n disgwl, dydi? 'Di'm isio i'r babi ga'l 'i enwi ar ôl 'i dad, nagoes?"

"Be? 'Gengith'?"

Colin oedd yr enw roddodd ei fam i Gengis, ond Gengis fuodd o ers pan oedd o'n bump oed, pan fu rhaid iddo wisgo colar fawr, gron am fisoedd, ar ôl llawdriniaeth i sythu'i war. Ychwanegwyd ail hanner ei lysenw yn fuan wedi iddo gael gwarad o'r golar, a dechra dial ar y rhai fu'n cymryd y piss.

"Naci siŵr – ffycin 'Cont' 'de?! 'Cont Bach' fydd pawb yn 'i alw fo'n de?" rhesymodd Gengis, yn ddoeth.

"Cont bach fydd o eniwê, oth fydd o rwbath fel 'i dad!" medda Gwynedd, fel wyallt, ac ymuno efo chwerthin ei frawd.

"Ia, ia – hawdd i chi'ch dau chwerthin, dydi?" protestiodd Gengis. "Sgena chi'm enw cont fel Cont, nagoes?"

"Ma hynna am bo 'ni ddim yn gontiad, dydi, Geng?"

medda Gwyndaf, fel llafn. Doedd 'na'm trugaredd yn natur yr efeilliaid.

"Ac eniwê," medda Gwynedd, "dim y 'Cont' fythwn i'n boeni amdano, ond y 'Gengith'…!"

"Dw i ddim yn poeni am y 'cont' – dwi'n reit prowd o fod yn Gont – jyst y musus sy, rili…"

"So, pam ti'n swnian 'ta?" gofynnodd Gwyndaf.

"Dydw i ddim – jysd trio gneud ymdrach…"

"Ymdrach o ffwc!" wfftiodd Gwynedd. "Ar ddiwadd y dydd, Geng, neith ffyc ôl newid. Gengith Cont wyt ti, a Gengith Cont fyddi di. Hyd'noed 'tha ti'n newid dy enw by deedpoll i Huth Roial Haineth Thylfanwth Thebedeuth, Gengith Cont fytha ti, waeth 'ti gachu mwy nag uwd."

"A pan ti'n meddwl amdana fo, Geng – ti'm isio i dy blentyn ga'l ei alw wrth dy syrnêm iawn di, nagoes?"

"Dwi'm yn deu' hynny…"

"Wel? Be sy waetha'? 'Cont' 'ta 'Ba…?"

"OK! Dwi'n gwbo, dwi'n gwbo!" medda Gengis, efo'i ddwylo i fyny. "Ond 'sa bobol yn dechra deud y syrnem yn iawn, fysa'n help!"

"Rhy hwyr ŵan, Geng… 'Barbara' ma nw'n galw dy dreib di bellach. Un o'r Barbras wyt ti, a dyna fo. Fysa pawb yn galw chdi'n Gengis Barbra oni bai bo' chdi'n cont…"

"Ond 'Barberry' ydi o'n de…"

"Tyff! 'Barbara' fydd pawb yn galw dy fab. 'Na ti ffwc o beth!"

"Ia, dwi'n gwbod, ond…"

"'Tha'm 'ond' amdani!"

"Nagoes, ti'n iawn… Ma 'Cont' yn well na 'Barbara'. Ond neith Elin ddim dallt hynny, na 'neith? 'Di'm yn mynd i weld problem efo'i mab yn cael ei alw'n Colin Barbra os dio'n mynd i sdopio fo fod yn Colin Cont…"

"Be?! Fytha chdi'n 'i alw fo'n 'Colin'?" Doedd Gwynedd Dybyl-Bybyl methu coelio'i glustia.

"Os fysa fo'n hogyn, byswn. Pam, be sy'n rong efo…?"

'*EXTERMINATE… EXTERMINATE… EXTERMINATE…*'

Trodd pawb i weld Drwgi'n brasgamu amdanyn nhw, mewn pâr o slipars nofylti Daleks, ac yn trio osgoi'r pylla dŵr a'r mwd gwaetha.

"Be ffwc ma hwn yn neud yn 'i ffycin slipars!" medda Gengis yn syth.

"Iawn!" cyfarchodd Drwgi. "'Di cyfloga 'di cyrradd?"

"Dwi'm 'bo," atebodd Gwyndaf. "Well ti fynd i'r offis. Ma Sharon dal yna'n rhechan ei ginio allan… Lle fuasd di? Yn rhosbitol?"

"Ia. 'Di Tomi 'im yn dda, 'sdi. Jac 'im yn sbesial, chwaith, ond mi ddaw o…"

"Be di'r crac efo Tomi, ta?"

"Ffacinél, torri bob dim – gên, boch, dannadd, ribs, braich… llwyth o betha… bysidd 'fyd… a ffycin ruptured bowels…"

"Jithyth Craithd…"

"Di'm yn dda 'lly?"

"Critical. Os ddaw o drw'r dwrnod nesa, fydd 'na obaith…"

"Ffacin hel, 'di petha mor ddrwg â hynny?!"

"'Di'm yn dda, 'de, Gwyn, i fod yn onast… Ond does wbod. Tomi Shytyl 'dio'n de? Galad fel crawan, dydi."

"Tho be ddigwyddodd? Gath di wbod?"

"Do."

"Lladron, ia?" gofynnodd Gengis Cont

"Ia. Ti'n nabod Sgowsar efo fan Mercedes wen?"

"Fan fawr?"

"Ia… *os* 'na Mercedes ydi hi. Fan fawr, wen, eniwê… Jac yn deud fod 'na griw o'nyn nhw, Sgowsars, yn dwyn o Ty'n Twll. Rothon nhw ffwc o stid i'r hogia efo peipan haearn…"

"Ffwcin hel!" medda Gwyndaf a Gwynedd efo'i gilydd.

"Diawledig," medda Gengis.

"Ia. A sgin y cops ddim ffwcin syniad…"

"Ffwcio'r copth eniwê," bytheiriodd Gwynedd. "Da i ffyc ôl. Ffendio'r ffycarth 'yn hunan thy' isio, a thortio'r contiad allan…"

"Ia," cytunodd Gwyndaf. "Ffling i'r ffycars i Llyn Bwbach efo plyman am 'u traed…"

"Dwi'n nabod boi efo Mercedes Van wen," medda Gengis.

"Wyt?" Roedd clustia'r hogia'n fyw, mwya sydyn.

"'Dio'm yn Sgowsar, de. Ond *mae'r* cont yn dwyn… 'Dach chitha'n 'i nabod o, 'fyd."

"Pwy 'dio?"

"Hwnna sy'n byw yn Gelli… be ffwc 'di'i enw fo, 'fyd?"

"Aaa! Wn i!" medda Drwgi. "Ffycin twat 'na. Smac-hed, o'r ffycin côst, ne' rwla. Ma'n swnio fel Sgowsar, eniwê… Ma'n fêts efo'r Sais 'na sy'n byw ar Migneint, wrth Llyn be-ti'n-galw-fo…"

"Hwnna brynodd fan Wmffra gwpwl o flynyddoedd yn ôl? Y Transit las 'na, ynde? Hannar buldar. Ma'n gneud y tŷ i fyny ers dipyn rŵan?"

"Ia, Gwyn," cadarnhaodd Drwgi. "Ma'r boi fan wen yn ffrindia efo fo. Sut ffwc 'nes i'm meddwl yn gynt? A ti'n iawn, Gengis. *Mae* o'n dwyn. Cont drwg… Ti'n siŵr 'na dim Sgowsar ydi o, Geng?"

"Wel, o Caer mae o'n dod, medda fo… ma Elin yn nabod 'i gariad o…"

"'Di pigo'r acan i fyny ar y côtht 'na, mae o, ma'n siŵr," medda Gwynedd. "'Mond wythnoth ti angan dreulio yn Rhyl a ddoi di o'na'n siarad Thgowth. Lle ma'n byw yn Gelli, Geng?"

"Ymm… dwi'm yn siŵr iawn…"

"Ffendian ni allan," medda Gwyndaf. "Os na fo ydi o, mi gawn ni'r cont… A Gengis – paid â deud gair wrth Elin am hyn. Os ddiflanith y boi 'na, mwya sydyn, fyddan ni'n gwbod pam…"

"Ffacin hel, OK! Jîsys! 'Dan ni'm yn ffrindia 'fo nhw, siŵr! Jysd nabod 'i gariad o, efo'i gwaith, mae Elin. *Social worker* 'di, ynde. Ma'r hogan yn gleient. Dim i Elin, i rywun arall yn yr offis…"

Torrwyd ar draws y sgwrs gan lais yn gweiddi o gyfeiriad yr offis. "Martin!"

Trodd Drwgi i weld Sharon yn ei alw fo draw. "Rhaid i fi fynd, hogia. Nôl cyflog."

"Ac ecsplênio pam ti'm i mewn, ia?" medda Gengis, yn sarcastig.

"Ma hynny'n sorted, eniwê, Gengis. Ffonis i mewn bora 'ma i ecsplênio. Ma Sharon yn dalld y crac. Wela i di heno Gwyn, a chditha, Gwyn..."

'*EXTERMINATE... EXTERMINATE... EXTERMINATE...*'

Gwyliodd y tri Drwgi'n igam-ogamu am yr offis, yn ei slipars, am funud.

"Tho, ma dy futhuth di'n thosial wyrcyr, Gengith?"

"Yndi."

"A ma hi isio ca'l gwarad o'r enw 'Cont'?"

"Yndi. Pam?"

Trodd y Dybyl-Bybyls i gerddad draw am y job, a gadael Gengis yn gegagorad tu ôl iddyn nhw.

"Hoi! Pam y ffycars? Gwynedd... Gwyndaf... Hoi..."

≈ 25 ≈

ROEDD HI'N AMSAR mynd â Tintin adra. Roedd o'n yfad yn rhy sydyn o beth uffarn, a dim jesd y lagyr – roedd o wedi suddo cwpwl o dyblars Bacardi a Coke hefyd. Ac ar ôl blwyddyn a chwartar heb dwtsiad 'run diferyn o boer y diafol, doedd hynny'm yn syniad da.

Roedd Sbanish wedi curo Bic ar y pŵl unwaith eto, cyn i Cledwyn ei guro fo, ac i Tintin godi i herio Cled. Daeth yn amlwg fod ganddyn nhw fwrdd pŵl yn y carchar, achos roedd 'na stamp rhywun wedi chwara'n gyson am oriau bob dydd ar Tint. Roedd o'n chwara fel aelod o dim pŵl y Blue Lion – y tîm llawn o wancars oedd yn ennill cyngrair Graig a Dre bob blwyddyn, drwy chwara pŵl fel 'sa nw'n chwara snŵcyr, a cymryd pob gêm mor sîriys â salm.

Oedd, roedd Tintin yn dangos ei hun. *Screw backs*, *stuns* a *sides*, a *position* bron bob tro. Tan i'r cwrw ei hitio fel lledan ar draws ei tsiops pan oedd o ar ei bumad pêl felan, ac mi aeth y bêl wen in-off i'r bocad ganol.

Pymthag mis o fod allan o bractis, neu beidio, roedd Tintin yn dallt yn iawn ei fod o angan *pick me up*, a thra oedd Cled yn potio pedair o beli coch, ac yn seisio'i shot nesa i fyny, tynnodd ei gocên allan a thorri pedair lindys i fyny ar y bwrdd yn y gornal. Roedd Bic wedi sylwi, ac wedi mynd i sefyll yn ei ymyl, rhag ofn i'r landledi weld, tasa hi'n dod rownd y gornal i hel gwydra. Ac mi oedd hi'n lwcus ar y diawl ei fod o wedi symud, achos mi ddaeth y gotsan flin draw i fusnesu, jesd fel oedd Tintin yn rowlio papur deg i fyny'n diwb, a'i sticio i fyny'i drwyn. Welodd hi mo hynny, drwy lwc, a bu Tintin yn ddigon sydyn i roi beermat dros y llinellau tra oedd hi'n poitshan rownd y byrdda eraill. Ond mi sylwodd hi fod 'na 'rwbath' yn mynd ymlaen, achos mi roddodd hi edrychiad digon amheus draw at yr hogia.

"Tint!" medda Cled, pan sylwodd be oedd yn mynd 'mlaen. "Bog 'di'r lle i neud hynna'r cont diog!"

"Aah, ffwcio nhw!" atebodd Tintin, chydig yn rhy ffwr â hi, wrth basio'r nodyn i Cled. "Sgena i'm mynadd cerddad!"

Diflannodd y llinella i fyny trwyna'r hogia mewn eiliada, a sbriwsiodd pawb i fyny'n syth. Plygodd Cled i lawr i gario mlaen efo'i frêc, a tharo pêl goch yn nes at y bocad waelod, cyn plygu eto ac anelu i'w suddo.

Neidiodd Tintin ar ei draed. "Be ti'n neud, Cled?"

"O' gena i tŵ shots, doedd!"

"Ond botias di'r gynta'n do?"

"Do, ond ma'i'n tŵ shots carid, dydi!"

"Nadi ffwcin 'im!"

"Yndi, Tint..."

"Nadi ffwc! Ma hwnna 'di newid e'sdalwm! Ti'n meddwl bo fi'n thic ne' rwbath?"

"Ma nw 'di newid o eto, Tint..."

"Ffyc off Cled!" medda Tintin, a gafael yn y ciw a trio'i rwygo fo o ddwylo'i fêt. Pan ddaliodd Cled ei afael, newidiodd llygid Tintin. Doedd o heb ddisgwyl gwrthwynebiad a fynta mewn uchelfannau afreolus, lle nad oedd ffiniau i'w orfoledd, na her, nac unrhyw 'na' i fod. Ac yn y nano-eiliad o ddryswch amffetaminaidd, golchodd mecanwaith amddiffyn greddfol y corff dros y cof tymor byr, ac achosi i'r greddfau anifeilaidd sbarcio i mewn i gêr.

Sylwodd Cledwyn ar y düwch yn dod dros lygada'i ffrind, y düwch oedd yn dod cyn y storm seicotig fu'n berwi, ers pymthag mis, yn ei waed.

"Tint, cym y shot gyfaill," medda Cled, a gorfodi gwên o'i geg wrth ollwng y ciw. "Chwala i di wedyn, eniwê!"

Ond dal i felltithio oedd llygid Tintin. Edrychodd i fyw rhai Cled, ac am eiliad, meddyliodd hwnnw fod 'na hed-byt efo'i enw fo arni yn paratoi am lawnsiad.

"Tint! Ti efo ni? Tint!"

Daeth Tintin yn ôl, fel haul o du ôl cwmwl, ac anadlodd pawb.

"Ffyc, sori, Cled màn," medda fo, wrth roi'r ciw yn ôl yn nwylo'i ffrind. "Chdi sy'n iawn, siŵr. Jîsys…"

"Hei, ma'n iawn Tint. 'Dio'm yn big dîl, mêt. Ffacin hel!"

"O'n i'n conffiwsd…"

"Racs wyt ti, Tint," medda Cled, wrth blygu lawr i gymryd ei shot. "Sbia hon 'ta!"

Potiodd y bêl tra'n dal i sbio ar Tintin. Ond aeth y wen i fewn yn ei chynffon hi. Ffolo thrŵ.

"Bolycs!"

Chwerthodd Tintin, a phlygu i lawr i nôl y bêl wen o'i thwll llygodan. "Dduda i 'tha ti be nawn ni, Cled. Peidio sbio wrth gymryd pob shot tan ddiwadd y gêm. Iawn?"

"Go on 'en."

"Seisio fyny'r shot, iawn, ond dim sbio wrth hitio'i. OK?"

"Awê!"

Rhoddodd Tintin y wen i lawr, a phlygu i anelu am bêl oedd dri chwartar ffordd i lawr y bwrdd. Pan oedd o'n barod, trodd i sbio ar Cled. "Barod am hon?"

Hitiodd y bêl wen yn galad, a sbiniodd honno oddi ar y bêl arall, ac i ffwrdd o'r bwrdd, yn syth am beint Sbanish, ar y bwrdd bach crwn ochor draw. Hitiodd y beint yn sgwâr ar ei thalcan. Disgynnodd i'r llawr efo clec a sblash, gan yrru lagyr a gwydrau mân yn shirwd dros bob man.

Dim y llanast wnaeth y landledi'n flin. Roedd y gont yn flin yn barod. Roedd hi'n amlwg yn un o'r Saeson 'na sydd ddim yn cîn ar Gymry'n dod i lygru'r awyr yn ei chornel bach o Loegaryng-Nghymru hi, heb sôn am ddod yno i falu gwydra hyd y teils. Y chwerthin afreolus gythruddodd hi, fwy na'r ddamwain, efalla. Tydi Cymro'n malu gwydr ddim yn ddamwain. A tydi Cymro'n chwerthin ar ôl gwneud yn ddim llai na conspirasi. Ond beth bynnag oedd 'i phroblam hi, aeth i fyny fel Hiro-ffycin-shima.

"*OUT!!!*"

Craciodd yr hogia i fyny efo chwerthin.

"*Wo, wo, wo,*" medda Cled. "*It was an accident…*"

"*I DON'T CARE! OUT!!!*"

"*Come off it!*" medda Sbanish.

"*YOU'RE ON DRUGS, I CAN TELL! OUT!!!*"

"*What?*" protestiodd Bic. "*How dare you!*"

Craciodd pawb i fyny eto.

"*IF YOU DON'T LEAVE NOW, I'LL CALL THE POLICE!*"

"*Why? What you gonna tell them? That we murdered that pint, in cold blood?*" Roedd Bic ar fform.

"*OUT! NOW!!!*"

"Ffyc's sêcs, dowch, 'gia," medda Sban, "'Di hon 'im yn gall."

"*WHAT DID YOU CALL ME?!*"

"*I didn't fucking call you anything!*"

"*DON'T YOU DARE SWEAR AT ME!!*"

"*I'm not fucking swearing!*" Roedd petha'n dechra mynd yn flêr.

"*OUT!!!*"

"*OK, OK, we're going, but it really was an accident…*" Roedd Cled yn trio tawelu petha. Ond doedd 'na'm pwynt trio. Roedd y ddynas yn boncyrs – yn amlwg yn niwrotig.

"*THAT'S IT! I'M PHONING THE POLICE!!!*"

"*Hold on, woman! We're going!*" medda Cled eto. "*We don't want any trouble!*"

Roedd hynny'n arbennig o wir, achos y peth ola oeddan nhw isio oedd y cops, a nhwtha'n clincian efo cyffuria. Yn enwedig efo Tintin newydd ddod allan. Un troed o'i lle, a mi allai fod yn ôl i mewn ar ei ben cyn 'ddo allu deud...

"*FUCK OFF, YOU FUCKING MONGOOSE!!!*"

Poerodd Tintin y geiria allan, fel tasa'r wrach yn cynrychioli pob anghyfiawnder a wnaeth Glenda iddo erioed.

Bron na ellid clywad meddylia Cledwyn, Bic a Sbanish yn mynd 'o ffyc' ar yr union run pryd. Safodd y ddynas wyllt ar ganol y llawr, yn dynwarad pysgodyn aur wedi'i daflu allan o'r tanc, yn gagio am ei wynt. Roedd hi'n trio deud rwbath, ond yn amlwg yn methu meddwl be.

Trodd pawb i sbio ar Tintin. Bic dorrodd y tawelwch.

"Mongŵs?"

Gafodd neb jans i atab. Detonetiodd Naga-ffycin-saki. "*OOO OOOOOUUUUUUUUUUUT!!!*"

Ffrwydrodd cegiad o gwrw allan o geg Bic, wrth iddo chwalu i chwerthin tra'n trio clecio'i beint. Chwalodd Sbanish yn syth ar ei ôl o.

Neidiodd Cledwyn i gêr. "O'ma! Ma hon 'di byrstio!"

Ond doedd Tintin heb orffan. Bytheiriodd ar dop ei lais, "*You're chucking us out because of an accident?!*"

"'Tecwyn'..." dechreuodd Cledwyn, yn trio peidio deud enw iawn ei ffrind o fewn clyw'r ddynas.

"'Tecwyn'?! Ffycin 'Tecwyn'?!" medda Tintin, yn troi'i drwyn fel dyn 'di llyncu rhech.

"Jyst ffycin ty'd, nei!" medda Cled, a wincio arno fo wrth luchio'i jaced ymlaen.

"*OUT! OUT!! OUT!!!*"

"*We're going, for fuck's sakes! Stop shouting! Can't you see he's fucking ill?!*"

Aeth y ddynas yn ddistaw am funud, a meddyliodd Cled, am eiliad, iddo weld golau'n dod ymlaen yng nghefn ei llygid. Ond os estynnodd y landledi loerig am y cwpwrdd trugaredd – rhywle yn ei phen – am eiliad, diffoddwyd y golau cyn iddi gael hyd iddo, pan ruodd Tintin yn ei flaen.

"*Would you like me to throw you out of my fucking country...?!*"

"Jîsys Craist! Ty'd Tecwyn…" Gafaelodd Cled ym mraich Tintin, ond tynnodd hwnnw i ffwrdd.

"…And it wouldn't be because of an accident!"

Erbyn hyn roedd Bic a Sbanish yn eu dybla, ond mi lwyddodd Sban i gael digon o sens i helpu Cled. "Ty'd, Tin…Tecs…!"

"'Tintecs'?! Ffycin 'Tintecs'?!"

"Ty' laen, 'nei di! Cont gwirion!" Gafaelodd Sban yn ei fraich arall, ond unwaith eto, tynnodd Tintin yn rhydd, a sefyll 'na, fel folcêno sics ffwt tŵ, yn barod i chwythu. Gwawriodd ar bawb, o ddifri, fod Tintin ar fin cael fflip.

"Ma'n ffycin seico'r cont!" medda Bic, a doedd o'm yn bell o'i le. Ac os oedd rhywun fel Tintin yn troi'n seico, doedd hi'm yn amsar i hongian o gwmpas. Roedd Timothy Thomas yn gallu handlo'i hun, ac er fod 'na chydig o bwdin wedi hel rownd ei ganol ar ôl bwyta bwyd carchar cyhyd, roedd o'n dal yn wydn, ac yn galad fel *black box cockpit voice recorder*. Hynny, a'r complicêshiyn ychwanegol o fod â'i ben yn drobwll o emosiyna oedd newydd gael eu intensiffeio gan gocên, bês, scync ac alcohol. Folcêno? Kraka-ffycin-toa, gyfaill!

"You want to see what's an accident and what's fucking not…?!"

Synhwyrodd y ddynas loerig fod 'na waeth i ddod, ac ymgiliodd i du ôl y bar, a slamio'r hatsh i lawr rhyngthi hi a Tintin.

"…This is an accident… Oops…" Taflodd Tintin chydig o'i gwrw dros y bwrdd pŵl, cyn malu'r gwydr dros ei ben ei hun, nes bod gwydra mân a chwrw'n saethu i bob cyfeiriad. "… And that was not!"

Sgrechiodd y ddynas. Doedd hi rioed 'di gweld y ffasiwn beth, hyd yn oed mewn ffilms. "AAAARGH! HE'S A LUNATIC! GET HIM AWAY FROM ME! GET HIM OUT, GET HIM OUT, GET HIM OUT!!!"

Cydiodd Cled, Bic a Sban yn Tintin a'i hannar gario fo am y drws, yn gweiddi a rhegi wrth fynd.

"Now look what you've done!" dwrdiodd Cled, wrth basio'r benboethan. "You shouldn't've started him off! He's not a well man…

on medication... I... we... are his carers..."

Hwyrach mai *isio* coelio Cled oedd y ddynas, ond fyddai neb yn ei beio hi am gredu fod Tintin yn sâl go iawn, y ffordd oedd o'n ffrothio'n ei geg.

"All three of you?"

"Care in the Community..." medda Cled. *"We're a community of carers..."*

"He should be in care, not out in the community...!"

"You should be careful!" medda Bic.

"Well, he should mind his language!"

"And you should be ashamed of yourself for shouting at him! It's the worst thing you could've done, after what he's been through!" ychwanegodd Sbanish.

"I can do as I bloody well like! You're in my pub!"

"And you're in my fucking country!" gwaeddodd Tintin, yn gwingo fel sliwan, cyn diflannu dan bwysa'r hogia, tuag yn ôl drwy ddrws y bar, a llusgo llwyth o dinsel a trimings Dolig oddi ar y wal, wrth ffrâm y drws, efo fo.

"I don't care if he's sick or not, that's racist in my book!" gwaeddodd y Saesnas.

"Listen!" medda Cled. *"He's not responsible for what he says. You are. And if he harms himself tonight, you're going to have to take responsibility for that. You'll be hearing from our lawyers."*

"My husband is a lawyer!"

"Is he? Well, you're lucky he's not here, 'cos he fucking hates lawyers..."

"Oh my God!!"

"Don't worry, we've got his meds in the car. If we get him to them in time, we won't press charges..."

Fuodd hi'n dipyn o sgrym wrth gael Tintin i'r car, ond mi lwyddon nhw'n diwadd, cyn sbinio allan o'r maes parcio a taranu i lawr yr A5 – yn ôl i'r cyfeiriad y daethon nhw, rhag ofn fod y sguthan yn eu gwylio nhw.

"Bad ffôrm, Tintin! Bad ffôrm!" medda Cled, wrth blannu drwy'r gêrs, â'i lygid yn y drych. "Be ffwc ddoth dros dy ben di?

Newydd ddod allan wyt ti, ffor ffyc's sêcs! Fyddi di 'nôl i mewn cyn i ti gyrradd adra, sa watshi di!"

"Aah, ffwcio 'i!" chwerthodd Tintin. "Ma isio chydig o hwyl, does! Pasia botal imi, Sban."

"Lle ffwc 'dan ni'n mynd eniwê?" gofynnodd Bic.

"Ma 'na ffor' gefn fama'n rwla. Nawn ni ddyblo nôl am adra ffor' 'ny."

"I'r bryniau, hogia!" gwaeddodd Tintin, ac agor ei botal Grolsch efo clec fel gwn. "*Yee*-ffycin-*ha!*"

≈ 26 ≈

DOEDD DRWGI METHU coelio'r peth. Ar ôl gweithio'i ffordd at swyddfa Sharon, drwy'r ffycin mwd, yn ei ffycin slipars ffycin Daleks – ac wedi gorfod achub un o'r rheiny o ganol pwll o ffycin ddŵr budur, ar y ffordd – roedd o wedi cael sac!

Jeni Fach a Sian oedd yn ei chael hi, yn y car.

"...'What d'you mean?' medda fi. 'You're sacked, Martin,' medda fo eto! 'What do you mean I'm sacked?' medda fi wedyn. 'Martin, you're sacked,'..."

"Gas di'r cyfloga?"

"Do. Oedd o'm isio roid nw i fi, i ddechra…"

"Eh?!"

"Roth o 'nghyflog i i fi – ga i y *week in hand* wsos nesa medda fo. Ond am bo fi'n ca'l sac, o'dd o'n deud ddylsa fo ddim rhoi cyfloga'r hogia i fi. Fyswn i'n gallu rhedag i ffwrdd efo'r pres, medda fo. '*But I'll make an exception this time, cos I know you're all mates,*' fel sa fo'n big ffycin dîl! Ffycin wancar!"

"So pam ges di sac, 'ta?" gofynnodd Sian. "Am beidio troi fewn heddiw?"

"Na. Cos nes i ddeud 'tho fo, '*I phoned you this morning to explain*'… a nath o jysd deud, '*It's not for that.*'"

"So, be, 'lly?" gofynnodd Sian.

"O'dd o'n cau deud i ddechra, ond pan 'nes i haslo fo na dim fi oedd y bai fod y cerrig yn 'ffwcin shit', nath o ddeud na dim hynny oedd o, chwaith..."

"So, be ffwc oedd o, 'ta?"

"*'It's nothing to do with me, Martin,*' medda fo, a dechra mynd, *'You know me, I'm easy going, if the job gets done I don't give a fuck,*' a ryw lol... *'So who the fuck has it got to do with, then?*' medda fi."

"A be ddudodd o?" Roedd Jeni Fach, fel Sian, yn glustia i gyd.

Twistiodd Drwgi ei wynab i drio dynwarad yr agwedd hunanbwysig tu ôl i'r geiria. "*'Oh, all I can reveal is that it's disciplinary.*'"

Trodd Drwgi at y genod efo golwg o ddisgŷst llwyr, yn disgwyl ymatab tebyg ganddyn nhwtha. Pan gafodd o ddim ymatab o gwbwl, aeth yn ôl at y stori.

"So dwi'n trio meddwl – os fysa rywun 'di grassio fi fyny am smocio dôp ar seit, fysa Bic wedi'i chael hi hefyd. Achos 'mond efo fo dwi'n smocio, rili... so dwi'n methu meddwl be ffwc dwi 'di neud..."

Roedd y genod yn ddistaw.

"Ond ffwcio nhw, eniwê. O'n i'n pisd off yn y ffwc lle, beth bynnag."

"Be ffwc 'nei di ŵan, 'ta?" gofynnodd Jeni Fach.

"Gei di'm seinio on, na chei," medda Sian.

"Dwi'n gwbod. 'Nes i ofyn iddo fo neud fi'n *redundant*, ond ddudodd o 'na'. Ffycin cachwr. Ac oedd o'n gwbod hynny 'fyd, cos o'dd o'n methu sbio i'n llygada fi, pan ddudodd o... Erbyn meddwl... pam ffwc fod o mor *sheepish* am yr holl beth, eniwê?"

"Duw a ŵyr, Drwgi," medda Jeni Fach. "Nabod chdi, ti 'di neud rwbath!"

"Naddo, 'sdi. Onest."

"Ti 'di bod yn dwyn bagia sment, yndo?" medda Sian.

"Do, ond dim dyna be ydi o..."

"A diesel..." medda Jeni.

"Dio'm yn hwnna, chwaith. 'Sa neb yn gwbod am hynna."

"Y welintyns 'na," medda Jeni Fach, a nodio at draed Drwgi.

"Shit!" medda Drwgi. "Dwi 'di anghofio'n slipars yn y cwt!"

"Dyna ti'n ga'l am ddwyn, 'de!"

"Dim dwyn ydi o, Jen. Fysa nw'm yn rhoid y welis 'ma i neb arall, ŵan. Ma nw'n *second hand*. Rhaid nhw roi rhei newydd. Helth and Seffti."

"Ond ti'm fod i fynd â nhw off y seit, nagwyt!"

"Na, ond..."

"Welodd o chdi'n mynd â nhw?" gofynnodd Sian.

"Na, ond dio'm gwahaniath, eniwê. Ar *ôl* cael y sac es i i nôl y welintyns – o'r cwt bwyd, lle o'n i'n 'u cadw nhw."

Roeddan nhw'n dod i mewn i Dre, ac roedd rhaid i Jeni a Sian fynd i Co-op a Somerfield i siopa, ac i stocio i fyny ar gwrw. Roedd heno'n mynd i fod yn noson fawr i ddathlu fod Tintin adra, er fod 'na gysgod dros y digwyddiad, rŵan fod Tomi mor wael. Rhoddodd Drwgi gyflog Cled i Sian, a cyflog Bic a Sbanish i Jeni, cyn i'r genod ei ollwng tu allan yr Het. Roedd o angan peint tra oeddan nhw'n siopa.

≈ 27 ≈

BRATHAI'R GWYNT AR sodlau'r niwl, a'i yrru'n rhubanau dros y fawnog, fel diadell ddall o flaen ci gwyllt. I fyny â fo, dros ysgwyddau o rug a chrawcwellt, ac i lawr dros gorsydd duon i geunentydd cul.

Y gwynt oedd bia fa'ma. Falla fod y niwl yn meddwl fel arall, am ei fod o'n cael llonydd weithia. Ond unwaith oedd y gwynt yn dod adra, roedd o'n dangos pwy oedd y bòs.

Dim ond y 'sgafndroed sy'n cael nabod y fawnog. Dim ond y cyfarwydd gaiff wreiddio arni, a chofleidio'r frawdoliaeth amrwd yn ei swmp a'i sylwedd.

Roedd Cled yn dychmygu'r hen Gymry, yn symud o gwmwd i gwmwd dros lefydd fel hyn. Yn rhedeg yn y niwl, â'u pennau i lawr i'r gwynt, yn dilyn hen lwybrau na welai'r hen elyn, drwy lefydd nad oedd hwnnw am fentro. Cofiodd hanesion am y Cymry'n arwain y Saeson i'r gors i foddi. Gallai eu gweld nhw, rŵan – dieithriaid yn marw yma, yn suddo i grombil y mynydd, wrth i safnau'r siglennydd diwaelod hawlio'u heneidiau. A'r Cymry'n achub y ceffylau, cyn gwylio'n dawel, wrth i ddwylo a gweddïau ddiflannu o dan y düwch, nes bo'r ddaear eto'n llonydd...

Gwlad y *guerillas*, meddyliodd Cled. Dynion a merched a naddwyd o'r tir, y fawnog ar eu hysgwydd a'r mynydd wrth eu cefn. Dim ein hiaith a'n hachubodd, ond ein tirwedd. Y wlad 'ma a greodd y Cymry, o glogwyni a chribau, o goedwigoedd trwchus a chymoedd cul, o raeadrau ac aberoedd, a cheunentydd a chorsydd. Oni bai am y tir 'ma, fydda ni'm yma heddiw. Byddem wedi diflannu, fel gweddill y Brythoniaid...

Ai dyna be oedd o'n licio gymaint am y lle 'ma? Neu ai'r myfyrdod â'r ochr dywyll – y farwolaeth dan y fantell, yr hunllef dan yr heddwch, y gwyllt anwareiddiedig, mud yn llechu dan yr wyneb, yn aros, anadlu, aros... 'Di bywyd ddim yn haul i gyd. 'Di bywyd ddim i gyd yn olau. Mae angen y nos. Rhaid cael y tywyllwch i guddio dy law...

Dim ond y ni all ei weld o – y prydferthwch amwys yn noethni anghysbell ein chwaer wyllt, y ddawns ar yr ymyl efo'r brawd peryglus. Dim ond y ni all ei deimlo. Dim ond y ni all ei nabod o. Dim bobol yr hindda ydan ni, ond bobol y ddrycin hefyd. Llefydd fel hyn ydi'n llefydd ni. Llefydd gwyllt, llefydd miniog. Rydan ni fel y gwynt...

"Basdad!" diawliodd Bic. "Dwi 'di piso dros 'yn ffycin nhrwsus!"

"Ti 'di piso drosda fi 'fyd, y mochyn!" gwaeddodd Sban.

"Y ffycin gwynt 'ma 'dio! 'Sa'm rhyfadd fod 'na neb yn byw 'ma – 'sa ffyc ôl yn ca'l llonydd i dyfu!"

Ysgwydodd Cledwyn ei ddiferion ola o biso i'r gwynt, a cau ei falog. "Ma hi'n ffycin grêt yma, màn!"

Daliodd Cled i syllu dros yr ucheldir oedd yn agor o'i flaen, wrth i'r niwl gilio.

"Pan oedd bobol ddim yn talu ffwcin tacsus, a jesd yn syrfeifio, o'ddan nw'n barod i ladd dros lefydd fel hyn."

"Pwy o'ddan nw'n 'u lladd, Cled? Nw'u ffycin hunan?"

"Naci siŵr, Bic! Unrhyw gont oedd yn trio'i ddwyn o oddi arnyn nw'n de!"

"Ffwcin hel! Ti'm yn disgwyl iddyn nhw dalu am y ffwcin lle, na?"

"Bic!"

"Be?"

"Ffyc off!"

Cerddodd Cled i fyny'r boncan, i gael y gwynt yn ei wallt. Roedd y mynyddoedd yn dod i'r golwg rŵan, yn codi o'r ucheldir fel cewri. Roedd yr Arenig fel pen a sgwydda Bendigeidfran, yn cerddad trwy'r môr. Gwaeddodd Cledwyn dros y wlad, "A FO BEN BID BONT!"

"Ah?" Bic oedd yn gweiddi.

"A FO BEN BID BONT!"

"Ffyc off dy hun y cont!"

Ysgwydodd Cled ei ben. Ffycin Bic a'i ffwcin gocên. Roedd o'n llawn o gachu pan oedd o'n gymryd o. A doedd 'na'm dwywaith mai'r côc – er, mewn coctêl o alcohol a sbîd, rhaid cyfadda – wnaeth i Tintin ffrîcio fel wnaeth o, yn y dafarn gynt, hefyd. Stwff gwirion oedd o. Doedd Cled byth, bron, yn ei gymryd o. Doedd yr hogia, chwaith, a deud y gwir. Sbesial ocêshiyns oedd cocên i'r hogia. Dathliadau arbennig, fel penblwydd neu briodas. Fel siampên, mewn ffordd. A siampên y byd cyffuriau oedd y powdwr gwyn – *overrated*, ac yn rhy ddrud i'w fwynhau o'n rheolaidd.

Hwyrach ei *fod* o'n fistêc i roi'r holl gyffuria i Tintin, ond roedd o'n ddyn yn ei oed a'i amsar – yn tynnu at eu ddeugain – ac roedd hi i fyny iddo fo be oedd o'n gymryd, a sut oedd o'n ei handlo fo. A mi oedd yr hogia wedi pwsio'r gwch allan ar gyfar y penwythnos yma am fod Tintin yn haeddu sbri iawn, ar ôl yr holl gachu oedd y cradur wedi gorfod mynd drwyddo dros y ddwy flynadd ddwytha...

Tynnwyd sylw Cled gan fan yn dod ar hyd y stretsh, o gyfeiriad yr A5. Gwyliodd hi am funud. Doedd o'm yn gwybod pam, tan iddo sylwi mai fan fawr, wen oedd hi. Daeth o fewn pum can llath, yn codi a gostwng fel cwch wrth i'r ffordd ddilyn wyneb y tir tonnog.

"Hogia!"

"Io?"

"Ma 'na fan fawr wen yn dod…!"

"Be?!"

"Fan fawr wen! Sbiwch!" Pwyntiodd Cled at y tro oddi tano, fel oedd y fan yn dod rownd, ac i olwg yr hogia, wrth basio'r Fiesta ar ochor y ffordd. Trodd yr hogia ac edrych yn syth i wyneb y boi efo mwstash oedd yn ei dreifio hi.

"Be amdani?!" gwaeddodd Bic ar ôl iddi basio. Anwybyddodd Cled o, a dal i wylio'r fan yn diflannu i batsh o niwl oedd yn rhoi ffeit dda i'r gwynt, tua dau gan llath i ffwrdd. Roedd hi'n mynd i gyfeiriad Graig.

≈ 28 ≈

DOEDD 'NA'M LLAWAR o bobol yn yr Het pan gerddodd Drwgi i mewn. Roedd cwpwl o gyn-locals y Trowt yno – Cimosapi yn ei het gowboi, a Bibo Bach yn chwil gachu gaib, yn tynnu arno fo, fel arfar – a mi oedd Hong Kong Fuey a Dewi Grêt, dau o fois iau na Drwgi, yn chwara pŵl.

Nodiodd Drwgi'i ben ar Cleif y Barman Orenj Cyflymaf Yn Y Gorllewin, oedd yn sefyll yno, fel moronyn efo mwstash, yn dal gwydr peint o dan y pwmp Carlsberg Oer, â'i law arall ar y tap yn barod i'w dollti fo. Ffycin hel, roedd y boi 'ma'n ffasd. Gwynab orenj, ond roedd o'n ffycin ffasd…

Wrth i 'Sunbed Man' lenwi'r gwydr, gofynnodd Drwgi oedd rhywun arall am beint. Bibo Bach oedd yr unig un oedd isio un, ond mi ddudodd Drwgi wrtho am ffwcio i ffwrdd, am fod gan y cont digwilydd un llawn ar y bwrdd o'i flaen.

Roedd Mici Buonarotti a Liam Behan yn ista wrth y bar yn y lownj, yn wynebu Drwgi. "Iawn, 'ogia?"

"Iawn Drwgi," medda Mic yn ei ôl. "Gorffan yn gynnar heddiw?"

"Es i'm i mewn, 'sdi."

"Poen cefn?" awgrymodd Liam, efo winc a nod.

"Na. Es i i Bangor i weld Tomi a Jac."

"O, sud ma nw?"

"'Di Tomi ddim yn rhy dda, 'de…"

"Drwg 'lly?" gofynnodd Mic.

Rhoddodd Drwgi'i law i hofran fel sosar ar yr awyr o'i flaen, a'i siglo fel cwch ar y môr.

"Be oedd y crac, 'ta, Drwgi?" gofynnodd Hong Kong Fuey, oedd wedi clywad y sgwrs.

"Distyrbio lladron nathon nw, lawr yn Ty'n Twll, a nathon nw waldio nw efo peips haearn a *baseball bats* a petha."

"Cer o'na!" medda Cimosapi.

"Do, màn. Ffycin hefi, t'bo." Talodd Drwgi am ei beint ac aeth draw i ista efo nhw.

"Pwy oeddan nhw, Drwgi, 'dyn nw'n gwbod?" holodd Dewi Grêt.

Arhosodd pawb i Drwgi orffan ei jochiad sychedig o'r Carlsberg, sychu'r mwstash gwyn o'i wefla, a rhoi'r beint i lawr ar y bwrdd o'i flaen. "Bois efo acen Sgows, mewn *Mercedes Van* fawr wen."

Edrychodd Hong Kong Fuey a Dewi Grêt ar ei gilydd, fel bod rwbath newydd daro cloch efo rwbath oeddan nhw eisoes wedi'i amau. "Y ffycin boi, Jedi 'na, garantîd," medda Dewi Grêt.

"'Dio'n byw yn Gelli?"

"Yndi," medda Hong Kong Fuey.

"Ia, 'na fo. Ma 'na rywun arall 'di deud hynna, 'fyd."

"Ma'r cont yn dwyn, 'de, ond matar arall ydi os na fo 'nath hyn…"

"Fo ydi o, garantîd, Hongk," medda Dewi Grêt, wedyn. "Ma'n hongian o gwmpas efo'r ddau bag-hed arall 'na… dau foi o Recsam…"

"Sgowsars?"

"Na, Warrington ne' Runcorn ffor 'na, yn wreiddiol 'de… ma

nw'n swnio fel Sgowsars, ddo... Ond o Caer mae o, y Jedi 'ma. Jysd licio siarad Sgows mae o, meddwl fod o'n swnio'n cŵl. Ffycin dic-hed."

"Ia, o'n i'n clwad fod o'n *bad egg*," medda Drwgi.

"Twat 'di'r boi, Drwgi. Ffycin fo sy'n dod â hannar y sdwff budur 'na i mewn i'r lle 'ma. Ma ffenestri'i dŷ fo 'di ca'l 'u malu ffiw teims... Be ffwc 'di'i snâm o, 'fyd? Rwbath gwirion... Drake! Jed ffycin Drake! Ond Jedi ma nw'n 'i alw fo."

"Dwi 'di clywad yr enw 'na, 'fyd," medda Drwgi.

"Do, Drwgi, ti'n saff dduw o fod wedi. Ma pawb yn gwbod amdana fo – heblaw'r ffycin cops, obfiysli!"

"'Uda i 'tha chdi pwy 'di o," medda Bibo Bach, mwya sydyn. "Ma'r cont yn neud lot efo'r boi 'na, y ffwcin Sais 'na, be ffwc 'di enw fo... ffyc nôs... ond hwnnw eniwê."

"Hwnnw pwy, Bibo?" gofynnodd Cimosapi.

"Hwnnw sy'n byw'n yr hen dŷ cipar 'na ar y Mignint. Ma'n ffycin buldio a ballu... ffidlan a malu cachu... Hannar buldar, hannar idiot, total ffycin twat... Rwbath tebyg i chdi, deud gwir, Cimosapi!"

"Watsia di be ti'n ddeud, y cont! Dim ffwcin Sais ydw i, boi!"

"Naci, dwi'n gwbo. Ffycin American wt ti... Ma hinni'n ffwcin waeth!"

Roedd Bibo Bach – y Crinc – ar ffôrm. Bibo oedd y rhegwr mwya welodd Graig a Dre erioed, a'r crancyn bach mwya crinclyd yn ei gwrw. Roedd o'n hollol ddiniwad, wrth gwrs, rŵan fod o 'di pasio'i hannar cant, ac yn edrych fel ei fod o'n sefnti, ond fiw i neb ei dynnu fo i'w penna – yn enwedig drwy'i atgoffa ei fod o'n edrych fel 'sa fo 'di derbyn ei bàs bws am ddim tua deng mlynadd yn ôl.

Un o hoff dargedau haslo Bibo oedd Cimosapi. Roedd o wastad yn gwisgo het gowboi, ac yn canu caneuon Cymraeg mewn acen John Wayne pan oedd o'n chwil. Bod yn gowboi fuodd ei uchelgais drwy gydol ei fywyd, ond rŵan ei fod o'n chwe deg oed, roedd o wedi dechra derbyn fod y trên i El Paso wedi hen adael y stesion bellach. "Cowboi Cymraeg 'dw i!" protestiodd.

"Cowboi Cymraeg!" gwawdiodd Bibo Bach, â'i lais yn drwm o'r math o ddirmyg fyddai'n addas i ateb rhywun oedd newydd ddatgan mai Bobby Gould oedd y rheolwr pêl-droed gorau gafodd Cymru erioed. "Lle ma dy ffwcin geffyl di 'ta?"

"Ti'm angan ceffyl yn y wlad yma, nagoes?"

"Pam?"

"Achos mae 'na fysus, does?"

"Ti'n ffycin *banned* odd' ar rheiny, eniwê! A dwi'm yn beio nhw am fanio chdi, efo'r ffycin racet ti'n neud pan ti 'di meddwi!"

"'Mond canu ydw i, Bibo! Os 'di bobol ddim yn aprîsiêtio hynny, wel 'u problam nhw 'di o!"

"Wel, 'sa ti'n ffycin gowboi go iawn, 'sa ti 'di ca'l dy ffwcin saethu bellach!"

"Hy!" medda Cleif, oedd yn gwrando o du ôl y bar. "Chdi fyswn i'n saethu 'swn i'n gowboi eniwê, Bibo Bach. *Euthanasia* – ti'n gwbod fod o'n gneud sens!"

"Ffyc off, y ffycin carrot!" brathodd Bibo. "Welis i rioed gowboi ffycin orenj o'r blaen, welisd di? Ffycin Kia-ora Kid! Sgin ti'm tanjyrîns i fynd i'w molestio'n rwla'r twat?"

Cleciodd Drwgi'i beint, a mynd i godi un arall. Wnaeth o'm cynnig un i neb y tro yma. Roeddan nhw'n ddigon gwirion fel oedd hi.

≈ *29* ≈

ROEDD 'NA DÎLS ar sosejys, byrgyrs a tshicin porshiyns yn Co-op. Roeddan nw'n trio ca'l gwarad o betha felly cyn i bobol ddechra prynu petha mwy ffansi a Nadoligaidd, pan fydda'r ffrensi'n dechra go iawn.

Roedd 'na dîls da ar gwrw 'fyd – y dîls Dolig wedi dechra'n barod, ers o leia wythnos. Taflodd y genod wyth bocs o Grolsch bai-won-get-won-ffri, pum potal o win Merlot hannar pris, chwech potal o seidar cry, a tair potal o fodca rhad i mewn i droli arall, a mynd i giwio i dalu.

Roedd 'na dair troli llawn yn aros o'u blaena nhw yn y ciw,

wrth yr unig dil oedd ar agor. Doedd 'na neb tu ôl i'r cowntar ffags chwaith, am ryw reswm. Doedd Sian na Jeni'n nabod 'run o'r dair dynas oedd bia'r trolis. Anifail cyfrwys oedd y mewnlifiad yn Dre. Dim ond un neu ddau o Saeson oedd rhywun yn weld o gwmpas y tafarnau – bois gweithio, neu rywun wedi agor siop punt, neu siop kebab, oedd yn gneud ymdrech i gymysgu ac yn derbyn na fyddai'r sgwrs yn troi i Saesneg er eu mwyn nhw, ac yn dallt mai tynnu coes a haslo fyddai'n debyg o ddigwydd tan fyddan nhw wedi codi digon o Gymraeg i atab yn ôl. Ond stori arall oedd hi yn y siopau yn ystod y dydd. Roeddan nhw'n bob man. Acenion Manceinion, Birmingham a Lerpwl, yn hitio'r clustiau fel gewin yn crafu sosban. Roedd hi'n rwbath tebyg tu allan yr ysgolion, am dri o'r gloch y pnawn...

"Lle ffwc ma rhein i gyd yn dod o, d'wad?" medda Jeni, gan ysgwyd ei phen.

"Dim o ffycin fan hyn, ma hynna'n saff," medda Sian yn ei hôl, wrth aros am atab gan Fflur ar ei mobeil ffôn. "...Jesd tsiecio fod y babs yn iawn, a deud fyddan ni adra mewn pum..."

"Shit! Napis!" medda Jeni Fach, a swmio i ffwrdd at y silffoedd eto. Cafodd chydig o sioc pan ddaeth hi 'nôl. Pwy oedd yn sefyll tu ôl i Sian yn y ciw, efo gwynab llym a troli yn llawn danteithion, ond Glenda, cyn-wraig Tintin. Roedd Sian â'i chefn ati, yn dal i siarad efo Fflur ar y ffôn, a doedd hi heb weld pwy oedd tu ôl iddi. Ond mi oedd Glenda wedi gweld Sian, roedd hynny'n saff.

"Duwcs, Glenda!" medda Jeni'n uchel, wrth daflu'r napis i ben y troli llawn sosejys, bara a tunia bîns rhad.

Trodd Sian rownd, a ffromodd wrth weld pwy oedd yno. Osgodd Glenda ei hedrychiad.

"O, haia," medda Glenda'n sìort, wrth Jeni. Doedd hi'm yn cîn ar Jeni Fach, chwaith, am ei bod hi'n gariad i Bic Flannagan, oedd yn ffrind i'r diafol ei hun, Cledwyn Bagîtha. Ond roedd hi'n falch ei bod hi yno, lle bod hi'n gorfod sbio ar Sian Wyn – cariad y diafol. Edrychodd ar y troli llawn bŵs, a methodd yn lân a rhwystro'i thrwyn rhag troi. "Stocio i fyny'n barod?"

Doedd o'm yn digwydd yn amal, ond brathodd Jeni Fach

ei thafod. Teimlai fel deud wrthi'n syth, eu bod nhw'n dathlu rhyddhau Tintin o'r carchar. Ond yn lle hynny, edrychodd arni efo llygid dagr, ac atab, "Na. Ma rhein i gyd at pnawn 'ma! Croeso i ti ddod draw. O'n i'n clywad fod ti'n licio fodca."

Cym honna'r ast.

Pan glywodd Sian, methodd beidio chwerthin yn uchel. Ers troi ei chefn ar Tintin, roedd Glenda Lwc-At-Mî wedi gadael i'w masg parchus ddisgyn fwy nag unwaith. Ac roedd pawb wedi clywad am ei hantics ar ôl yfad fodca, fel tynnu'i thits allan ar ben byrdda, lluchio'i nicyrs at Steve Cariôci, a rhoi blo-job i Cai Basŵca yn bog y Castle, yn Harlach, ar ôl sesh bedydd babi'i chwaer.

"Be ma hynna fod i feddwl?" medda Glenda, ar ôl dod dros ei syndod at yr elyniaeth. "A gei ditha chwerthin, y tramp!" medda hi wrth Sian, cyn edrych o'i chwmpas i weld oedd rhywun yn gwrando. Wnaeth y dair ddynas o'u blaen yn y ciw ddim cymryd unrhyw sylw, am nad oeddan nhw'n dallt Cymraeg. Ond mi oedd yr hogan ifanc ar y til yn glustia i gyd.

"Well gena i fod yn dramp nag yn slag!" medda Sian. A'r tro yma, Jeni Fach chwerthodd. Sian oedd yr hogan fwya îsi-going yn y byd, fel arfar – wastad yn gwenu a chwerthin, a byth yn ffraeo efo neb.

"*Wassup babe?*" medda llais dyn, a daeth rhyw foi efo dredlocs hir i ymuno efo Glenda yn y ciw, a rhoi dwy botal o fodca'n ei throli.

Gwenodd Jeni Fach, wrth i Glenda gochi. "Mynd i ga'l parti heno 'ta, Glenda?!"

"*Is everything cool?*" gofynnodd y boi, gan edrych yn ôl a mlaen o wynab Glenda i'r ddwy arall. Allai Jeni a Sian ddim peidio sylwi ei fod o'n foi golygus, o gwmpas y tri deg oed 'ma, yn dal a chefnsyth, efo llygid glas a gwallt brown, a barf gôti browngoch wedi'i dorri'n daclus ar ei ên. Roedd ganddo glwstwr o îrings ymhob clust, un arall drwy'r ael uwchben ei lygad chwith, a modrwy arian trwy'i drwyn, ac mi oedd o'n gwisgo hwdi patrwm Celtaidd, efo zip yn agor hannar ffordd i lawr ei frest i arddangos casgliad o gadwynau *beads, runestones* ac amrywiol drincets cyffelyb.

Pôsar oedd o, achos roedd ei ddredlocs o'n rhai taclus neis, wedi'u clymu i fyny mewn rhyw fath o gwlwm tu ôl i'w ben. Pam fod rhywun yn tyfu gwallt hir os 'di o'n mynd i'w glymu fo i fyny, oni bai ei fod o'n meddwl fod o'n edrych yn dda efo gwallt byr, a bod y dreds yno er mwyn edrych yn cŵl, neu'n 'mystic' a 'diddorol' mewn partis? *Yeah*, ddyn!

A dyna oedd y boi 'ma. Rhyw dwat oedd yn meddwl ei fod o'n well na pawb – yn fwy goleuedig a meddwl-agored, wedi gweld trwy ffars bywyd ac ymwrthod â chymdeithas a'i rhagfarnau cyn-hanesyddol, ei fod o'n *'new man'*, yn ymwybodol ac ystyriol o deimladau pobol eraill, yn 'deall' ystyr credoau'r *'druids, man'*, yn vegan a shaman ac amgylcheddol-gydwybodol-organig – heb ddeall fod trigolion yr ardal yma wedi bod yn gneud y petha 'ma – heblaw'r shit fîgan 'na – i raddau helaeth ers canrifoedd. Dyn oedd yn dallt bob dim, ond deall ffyc ôl yn diwadd. Dyna oedd o. Digon hawdd gweld pam fysa Glenda'n cymryd ato fo. Roedd popeth amdano fo'n well na chulni mewnblyg y locals.

"*I've forgotten something,*" medda Glenda, a troi ei throli i fynd yn ôl am y silffoedd.

"*I'll get it for ya, babe.*"

"*No, I'll get it!*" Roedd Glenda wedi ffwndro, ac roedd ei bocha hi'n fflamgoch.

"*Well, you get it, and I'll stay here with the trolley…*"

"*No, there's a lot to carry…*"

"*I thought we got everything covered, maan…*"

"*Taran! Just come with me, OK?*"

Edrychodd 'Taran' ar Sian a Jeni Fach. Roedd o'n trio dangos iddyn nhw ei fod o, y dyn doeth a siarp ag oedd o, yn gwybod fod 'na rwbath yn mynd ymlaen, a'i fod o'n barod i ddefnyddio'i alluoedd *'world-view'* i ddad-ffiwsio'r sefyllfa, gan ei fod o – drwy'i brofiad helaeth o'r byd (Glastonbury, Goa a Greater Manchester) – uwchben yr holl gecru ac anghytundeb.

Ond roedd o hefyd yn methu peidio dangos ei fod o'n gwbod fod y genod yn ei ffansïo – fel pob hogan arall yn y byd, wrth gwrs – ac roedd o isio rhoi'r argraff iddyn nhw ei fod o'n gallu toddi calonnau efo un fflach o'i lygid. Roedd gan Taran ffwc o feddwl ohono fo'i hun.

"*OK, Glendie Baby, whatever you want, hun. Scuse us, girls…*"
Ac i ffwrdd â fo fel rhyw gi bach ar ôl ei ast.

Sbiodd Sian a Jeni ar ei gilydd am eiliad, a'r chwerthin yn barod i ffrwydro allan o'nyn nhw. "Ffycin coc dol!" medda Jeni, i danio'r bom.

⁼ *30* ⁼

TRODD SID FINCH sŵn radio'r jîp i fyny. Roedd y brandis mawr wedi mynd i lawr yn dda, a'r bwyd blasus wedi socian y cwbwl i fyny fel sbwng cynnes yn ei fol. Roedd Finch mewn hwylia da.

Chwara teg i 'Rajveer', roedd o wedi dod i fyny'n trymps. Roedd Digby wedi'i blesio efo'i samon, beth bynnag, ac wedi llyncu'r stori ei fod o wedi dod o'r afon tu ôl i'r gwesty yn hytrach nag o siop Iceland, Llanduds. Ond yn bwysicach na hynny, roedd o i'w weld wedi cael ei blesio efo'r gwesty hefyd.

Cwpwl o oriau da o waith, meddyliodd Finch. Diwrnod boddhaol iawn, hyd yn hyn. Be oedd yn fwy boddhaol fyth, fodd bynnag, oedd y biwtar o '*one-up*' a gafodd ar Drwgi. O, ia – ffwcio chdi, y cont bach, meddyliodd! Chwerthodd yn uchal wrth gofio perfformans y twmffat, wrth y bar. Roedd y clown gwirion wedi meddwl 'i fod o'n glyfar. Ond ffycin hel, roedd o'n mynd i gael ail! Dychmygodd Finch wyneb y ffwcsyn tew pan gâi wybod. Chwerthodd yn uchel, eto, wrth basio'r arwydd 'Codd Construction' tu allan compownd cytia'r gwaith ffordd, ar y Bwlch.

"*James Codd, you fucking beauty!*"
Trodd y radio i fyny eto, a chanu ar dop ei lais efo Jim Reeves.
"*Bimbo, Bimbo, watcha gonna do-ee-o, Bimbo, Bimbo, where ya gonna go-ee-o, Bimbo, Bimbo, does your Mama knooooooow, That you're going down the road to see your little girl-ee-o?…*"
Fel oedd o'n cyrraedd pen arall i'r goleuadau traffig, edrychodd

draw at y wal oedd ar hannar ei chodi, y pentwr o gerrig a'r micsar llonydd, a gwenodd yn braf.

"Drwgi Ragarug – fyddi di ddim yn fa'na dydd Llun, chwaith, y cotsyn bach digwilydd! *Ha-haaargh! Don't fuck with the Finch, fuckhead!… Drwgi, Drwgi, watcha gonna do-ee-o, Drwgi, Drwgi, where ya gonna go-ee-o, Drwgi, Drwgi, does your Mama knooooooow, That you're going down the road to sign on the dole-ee-o…!*"

Gwenodd Finch yn greulon ar eironi'r llinell ola. Achos doedd Drwgi ddim yn mynd i gael dôl, chwaith. Roedd Codd wedi gneud hynny'n glir i Derek Shannon, dros y ffôn. Dim '*made redundant*', ond '*sacked*'. Biwtar!

Roedd cân Jim Reeves wedi gorffan, ac roedd y cyflwynydd yn malu cachu eto. Trodd Finch y foliwm i lawr. Gwelodd y dre'n agor allan oddi tano, wrth ddod dros y bwlch. Impresif, meddyliodd. Dymp o le, ond lle impresif. Lle efo uffarn o botensial, tasa'r ewyllys gwleidyddol yno. Petai Finch yn cael ei ffordd, byddai'n clirio rhai o'r tomeni llechi, a cadw rhai eraill – er mwyn cymeriad – ac agor restronts a chanolfannau gweithgareddau awyr agored lle mae'r chwareli, efo *cable cars* yn rhedag i fyny atyn nhw. Dyna lle oedd y pres – yn y twristiaid. Doedd y lle 'ma ddim yn gweithio ar y funud, achos fod o'n trio cynnal cymuned drwy roi gwaith iddyn nhw i gyd.

Ond roedd 'na ormod o bobol yma. *Times are changing, hombre. Move on.* A fysa hynny'n ca'l gwarad o sgym fel Cledwyn Bagîtha a'i debyg. Pryd o'ddan nw'n mynd i ddysgu? Pam fo' nw yma o hyd, fel cachu ar flew tin, yn cydio'n y lle efo dim ond eu gwinadd, bellach? Pam y sentiment gwirion 'ma at le sydd â ffyc ôl i gynnig?

Sentiment! Wfftiodd Finch iddo'i hun. Wnaeth sentiment erioed wneud elw. Ddaeth sentiment erioed â symiau duon i'r fantolen. Primitif, dyna be 'di sentiment. A fel popeth primitif, mae'n methu symud efo'r oes. Mae o'n marw. A marw ar eu traed oedd y rhai oedd yn rhoi sentimentaliaeth cyn elw. Roedd hi i fyny i bobl fel James Codd, Digby a fynta, Walter Sidney Finch, i wneud ffafr â'r boblach 'ma, drwy eu gorfodi i symud o'ma.

Symud mlaen, diosg yr hen emosiynau 'na, a bod yn rhydd. Heb yr hiraeth, y perthyn, roeddan nhw'n rhydd i ddechrau ar eu bywydau go iawn. Yn rhydd i *wneud* rhywbeth.

Oedd, roedd hi'n amser symud pobl fel 'ny allan. *Make room for progress – fucking move on!* Lo-leiff fel Bagîtha, Flannagan, Sbanish Newman, a ffycin Drwgi. *Move on!*

Chwerthodd rhyw chwerthiniad fach dan din wrth feddwl eto am Drwgi'n cael sac. Yna chwerthodd fwy wrth gofio bydda'r un peth yn dod i'r tri arall, cyn hir... Oedd, roedd James wedi cynnig sacio'r cwbwl – 'blaw fyddai rhaid aros cyn cael gwarad o'r tri arall, gan ei bod hi wedi bod yn anodd dod o hyd i labrwrs i'r job, a byddai colli tri rŵan – un o'nyn nhw efo ticad dreifio dympar – ar gyfnod prysur cyn gwyliau'r Nadolig, yn rhoi'r job ar ei hôl hi. Roedd ganddyn nhw, fel cwmni, eu dedleins a'u *penalty clauses* wedi'r cwbwl. Ond unwaith y bydda pethau'n edrych fel llacio – i lawr y ffordd â'r wêstars...

Gwenodd Finch eto. Ac atgoffodd ei hun y byddai'n ddifyr cael gwybod os oedd gan Bic Flannagan dicad i'r dympar 'na, go iawn... Ac atgoffodd hynny fo, hefyd, ei fod o isio cael gwybod pwy oedd yn prynu'r Trowt...

Dyn prysur oedd Walter Sidney Finch.

⁼ 31 ⁼

AR ÔL HWFRO lindys arall i fyny'u trwyna, rowlio concar o sbliffsan dew, a gwrando ar Cled yn mynnu fod pob fan wen yn syspect o hyn allan, roedd yr hogia'n bownsio dros donnau'r ffordd gefn, tuag at Graig.

Roedd hi'n reiat o hwyl yn y Fiesta bach coch, gan fod pawb yn trio'u gora i ddynwarad gwahanol dditectifs enwog oddi ar y teledu. Roeddan nhw i fod i roi lein gan bob ditectif, ac roedd y lleill yn gorfod dyfalu pwy oedd o. Ond roedd hi'n anodd, achos roedd pawb yn chwalu i gigyls afreolus wrth glywed impreshiyns ei gilydd.

Roedd "*Do you have a rrroom?*" Insbectyr Clouseau amlwg Bic wedi cracio pawb i fyny, a cyn iddyn nhw allu stopio'u hochra nhw frifo, roedd o wedi cario mlaen, efo gweddill yr olygfa, gan orffan efo, *"That is what I said, you fool"*.

Roedd Cled wedi neidio i mewn, wedyn, efo honna oedd yn gorffan efo, *"'I thought you said your dog does not bite?'... 'It's not my dog,'"* ac roedd o wedi gorfod sdopio'r car am ei fod o'n chwerthin gymaint. A thra oedd o wedi stopio, roedd Tintin wedi gorfod mynd allan o'r car i hannar ista i lawr a hannar rowlio o gwmpas, ar y gwair. Roedd cefn y car yn gyfyng, ac roedd o'n cael cramps yn ei frest wrth chwerthin mor wyllt.

"I see you are familiar with the falling-down-on-the-floor ploy?" medda Bic, drwy'r ffenast, a gyrru Tintin – a'r hogia yn y car – i fwy o strymantics ynfytynaidd.

Ar ôl i bawb orffan pesychu a sychu dagrau o'i llygid, ailgydiwyd yn y daith. Ond doedd hi'm yn hir cyn i bawb fod mewn sterics eto, wedi i Tintin roi fersiynau o *"Who loves ya, baby?"* ac *"Ok pussy cat, you're under arrest?"* mewn llais tebycach i Michael Caine na Telly Savalas.

"Cocni o'dd Kojak, siŵr!" medda Tintin, a dechra canu, *'I'm an alien, an illegal alien, I'm a Cockney in New York... Oh-oh... I'm an alien...'*

Oedd, roedd hi'n wirion braidd, erbyn hyn...

"Dacw hi!" medda Cled, ar draws pob dim. Arafodd Cled y car, a stopio gyferbyn â'r hen dŷ cipar, wrth y giât am Llyn Gwinau. Yno, ar y buarth, oedd y fan wen. Roedd hi wedi'i bacio at yr hen garej oedd fel *lean-to* ar ochor ucha'r tŷ. Hen ddrws sinc-wedi-rhydu, yn agor i'r ochor ac at allan, oedd i'r garej, ac roedd o ar agor led y pen. Roedd drysau cefn y fan hefyd yn llydan agorad.

"So, be ti'n mynd i neud ŵan, 'ta, Cled?" holodd Bic.

"A'n ni mewn 'na, a'i ffycin batro nw?" cynigiodd Tintin, braidd yn rhy frwdfrydig i rywun oedd ddim yn wallgofddyn.

"Un boi oedd yn y fan, 'de," nododd Sbanish. "Ti'n siŵr fod o'm yn byw 'ma?"

"Nacdi!" medda Tintin. "Y Sais 'na sy'n byw'n fa'ma, hwnnw

brynodd y Transit gan Wmffra, ar ôl i ni ddwyn pysgod Sid Finch…"

"O ia, siŵr! Cont doji 'di hwnnw, eniwê," cofiodd Sbanish.

"Dwyn 'i betha fo mae hwn, 'lly?" gofynnodd Bic.

"Gawn ni weld ŵan," medda Cled, wrth agor drws. "Be oedd enw'r boi bia'r lle?"

"Yymmm…"

"Dwi'n dod efo ti," medda Tintin.

"Ffwcin aros di'n fa'na, Rambo! Ti 'di achosi digon o hafoc am un dwrnod! Sban… enw?"

"Ymmm… Shaun?"

"Shaun?"

"Ia, dwi'n meddwl…"

"Reit. Watsiwch 'y nghefn i."

Bownsiodd Cled draw at y giât, a thrwyddi. Pasiodd yr ieir oedd yn crafu rhwng y cerrig ar lawr yr iard, ac edrych o'i gwmpas ar y tŷ, a'r hen adeiladau oedd ysgwydd i ysgwydd efo fo. Safai'r cwbwl ar ongl naw deg gradd i'r ffordd. Roedd 'na hoel gwaith yn y lle, a golwg angan lot mwy, hefyd.

Nesaodd, drwy'r ieir, am y fan a'r sied, a gwelodd, rhwng drws cefn y fan a drws y garej, gip sydyn o wads mawr tew o arian parod yn cael eu pasio o law i law. Ond cyn iddo gymryd cam arall, daeth un o'r cŵn mwya a welodd o erioed rownd ochr blaen y fan, a chwyrnu'n uchal. Yn dalach na Great Dane, deirgwaith mor gyhyrog â Rottweiler, ac efo pen a cheg bron ddwywaith mwy na blaidd, adnabyddodd Cledwyn yr anghenfil fel Rhodesian Ridgeback – y 'Lion Dog' – wedi'i groesi efo Japanese Toza. Rhewodd Cled. Roedd o wynab yn wynab â marwolaeth ar bedair troed…

Cododd Cledwyn ei droed, a chamu am yn ôl, yn araf, wrth i'r ci roi cyfarthiad o fwriad i ymosod, a dechrau trotian amdano. Shit, dyma hi! Paratodd Cled i farw yn y fan a'r lle…

"*Saruman! Come here!*"

Anadlodd Cled. Roedd y ci wedi ufuddhau, a rhedodd draw at ei fistar, oedd wedi dod allan o'r garej. Roedd Cledwyn yn ei adnabodd o fel y 'boi efo'r Transit las'.

"Yes mate? Can I help ya?" gofynnodd i Cled.

"Thank fuck for that!" medda Cled, â'i law ar ei galon. *"I was just about to throw him one of your chickens!"*

Gwenodd y boi. *"He's alright. He would've warned you first!"*

"He'd already done that, mate! He was getting ready for dinner just then! Are you Shaun?"

"Shaun?"

"The guy who lives here."

"There's no Shaun here. This is my place... I know you from the village, don't I? Didn't you use to drink in the Trout?"

"Once in a while."

"That's it... I think I scored an eigthth of weed off yer, one night?"

"Fuckin' hell, did you?"

"Yeah. You were plastered. Or you wouldn't've bothered. You don't like the English much in these parts do ya?"

"Do you blame us?"

"Not really." Nesaodd y boi at Cled, ac estyn ei law. *"Mike."*

"Cled."

"Cled! That's it, I remember now... So, who's Shaun?"

"Just a bad call, that's all..."

Swagrodd perchennog y fan Mercedes wen allan o'r garej, a chau drysau cefn y fan. Sbiodd yn haerllug ar Cled, fel 'sa fo'r boi caleta'n y byd. Cofiodd Cled y gwynab. Roedd o wedi'i weld o o gwmpas y lle, erbyn meddwl. Edrychodd Cledwyn drwyddo fo. Trodd y boi i ffwrdd.

"...We were just wondering, if we went fishing up the lake, one night, if we could park the car here, like?"

Edrychodd y boi'n hurt. *"Why not park it over there, inside the gate to the lake?"*

"Bailiffs. It's a private lake, syndicate own the fishing. Fly only. Bailiffs watch it like fuck. But it's a banging lake with a spinner when the sun comes up..."

Roedd y boi'n dal i fethu'i chael hi.

"So?"

"So, we don't want our car to be seen and seized."

"Oh, I see, Taff. But I can't help ya, sorry. I need the space here…"

Taff?! Pwy ffwc oedd hwn yn alw'n Taff? Roedd Cled newydd ddeud ei enw wrtho fo. Teimlodd fel ei alw fo'n Kraut, jysd am y crac, ond cadwodd ei cŵl. Doedd pigo ffeit efo dyn oedd â ci lladd llewod fel pardnar tag, ddim yn syniad da. "No worries, mate. Just a thought, that's all. Like I said, we were just passing."

"That's OK, no problemo."

Trodd Cledwyn, a dechra mynd yn ôl am y car, gan drio osgoi sathru ar yr ieir oedd yn hel rownd ei draed.

"Oi, Taff!"

Stopiodd Cled yn ei unfan, a chyfri i dri cyn troi i'w wynebu. "Cled!"

"Cled… Sorry, I'm shit with names… It's not fishing season, is it?"

Edrychodd Cled i fyw ei lygid. "Not yet."

⇌ 32 ⇌

CHWARAE TEG I Frank Siop. Roedd Tintin angen rhywle i fyw, a chyfeiriad sefydlog, er mwyn cael ei draed dano, ac mi ddaeth Frank i'r adwy.

Cael ei ollwng yn otomatig ar ôl hannar ei ddedfryd wnaeth Tintin, am fod ei ddedfryd yn llai na phedair blynadd. Mi oedd o'n gymwys i gael ei ryddhau ar tag – ar leisans efo'r Bwrdd Parôl – cyn hynny, o dan y Ddeddf Cyfiawnder Troseddol ddiweddara, ond doedd ganddo ddim cyfeiriad pendant i fynd iddo ar y pryd, felly mi arhosodd tan ddaeth ei EDR statudol i fyny, a chael ei ryddhau'n otomatig dan oruchwyliaeth y Swyddfa Gartref.

Yn fflat Cledwyn oedd Tintin yn byw pan driodd o roi capal Sid Finch ar dân. Roedd Cled yn rhentu'r lle tra oedd o'n seinio mlaen, â'r cownsil yn talu'r rhent drosto. Roedd o'n defnyddio'r lle fel cyfeiriad swyddogol, fel lle i gael partis gwyllt, ac fel HQ i'w opyrêshiyns anghyfreithlon. Pan gafodd Tintin ei daflu allan gan Glenda – a hynny am iddo gael ei arestio yn y *'Siege of Graig Incident'*, pan oedd ei ben o'n ffycd ynghanol 'bad trip' madarch, yn y fflat – roedd o'n ddigartra, felly mi roddodd Cled y fflat iddo fo, mond iddo dalu letrig, a chytuno i gael amball i barti ar wicends. Ond pan aeth CID a'r bom sgwad i mewn i'r fflat, a'i malu'n ffycin racs, adag helynt y ddyfais gafwyd hyd iddi yng nghapal Ramoth, dalltodd y landlord fod Cled wedi bod yn sybletio, ac mi gollodd Cled y fflat.

Rŵan fod gan Cled a Bic fabis bach pymthag mis oed ymysg eu brŵds, doedd eu tai nhw yn 60 a 61 Bryn Derwydd ddim yn gyfleus i gadw lojar. Doedd 'na'm lle yno, beth bynnag, er bod 'na groeso iddo gael gwely-soffa ar lawr y stafall fyw. Roedd gan Cled a Sian ddau o hogia – Caio a Rhys – a Swyn fach, ac mi oedd gan Bic a Jeni bedwar o blant yn barod, cyn cael Branwen, ac mi oedd y tri hyna yn eu harddegau.

Roedd gan Drwgi a Fflur fwy o le, yn Nymbar 59. Tri o hogia oedd ganddyn nhw, a mi oedd hi'n gyfreithlon i roi'r cwbwl mewn un stafall wely, tasa rhaid. Ond fysa hynny'n hunlla go iawn. Fyddai 'Drwgi Bach', 'Drwgi Llai' a 'Drwgi Drwg' – fel y galwai *god-fearing citizens* Graig Emlyn, Gethin ac Anarawd – wedi colbio'i gilydd i ebargofiant. A mi oedd yr unig stafall sbâr yn y tŷ, ar y funud, wedi ei throi'n *'operations room'* i weithgareddau 'drygionus' Drwgi.

Doedd rhif 63 – tŷ Carys a Sbanish – ddim yn eidîal chwaith. Roedd ganddyn nhwtha dri o blant – dwy hogan a mab, oedd angan dwy stafall wely. Ar ben hynny, roedd Carys yn gnithar i Glenda, cyn-wraig Tintin, ac er nad oeddan nhw'n gneud efo'i gilydd, fysa hi'm yn beth doeth i gorddi dyfroedd teuluol drwy roi lloches i Tint.

Mi driodd yr hogia berswadio Ned Normal i gymryd lojar. Roedd o'n byw ar ei ben ei hun yn rhif 62, ers tua wyth mis. Mi symudodd o yno o Nymbar Tŵ, efo'i fodan newydd, Sheila, pan ddaeth y tŷ'n wag. Roedd Sheila'n disgwyl ar y pryd, ac roeddan nhw angan lle mwy. Ond mi gollodd Sheila'r babi o fewn mis i fod yn y tŷ, a doedd hi'm yn hir cyn iddi ddechra ffwcio o gwmpas efo Terry Mochyn, o Dre, tu ôl cefn Ned, tra oedd o'n gweithio *nights* yn Musgroves. Cafodd Ned Normal glywad, jesd mewn digon o amsar i allu'i thaflu hi allan cyn iddi fod wedi cydfyw efo fo am chwe mis. Lluchiodd hi allan, am hannar awr wedi deg y nos, a llosgi'i dillad hi ar ganol y stryd. "Dos at dy fochyn, yr hwch!" oedd y berl a arhosodd ar gof pawb oedd yn gwatsiad.

Ond er trio popeth, doedd Ned ddim yn hapus i gymryd lojar. Dim byd yn erbyn Tintin, medda fo, ond roedd o isio'i breifatrwydd. A mi oedd hynny'n ddigon teg. Dyn preifat fuodd o erioed, yn cadw fo'i hun a'i gŵn, iddo fo'i hun a'i gŵn – heblaw am y merchaid oedd o'n cael hyd iddyn nhw o dro i dro, ac yn eu hudo adra am secs budur. Dim efo'r cŵn, chwaith, gobeithiai pawb...

Diolch byth am Frank Siop, felly. Byw ar ei ben ei hun oedd o, ac am nad oedd o angan llawar o le, roedd o wedi newid hannar yr adeilad yn fflat fach i'w rhentu. Doedd ganddo fo neb ynddi ers cwpwl o fisoedd, am ei fod o'n ei chadw i'w chwaer, oedd yn bwriadu symud yn ôl o Awstralia mewn rhyw dri mis. Pan ofynnodd yr hogia be oedd yr hanas, wedi sylwi ei bod hi'n wag, mi gynigiodd y lle fel lloches dros dro i Tintin. A hynny â chroeso, medda fo.

Problam solfd.

Roedd gan y genod gwpwl o oria cyn i'r plant ddod adra o'r ysgol, felly bachodd y bedair – Carys, Fflur, Jeni a Sian – ar y cyfla i wneud y fflat yn gartrefol ar gyfar Tintin. Roedd Frank Siop yn licio'i beint, a mi oedd o'n licio cael chydig o bobol rownd am ddrincs weithia. Ond doedd y genod, na'r hogia chwaith, ddim yn recno y bydda hi'n deg cynnal y math o barti fysa Tintin yn licio'i gael, o dan yr un to â'r cradur. Yn enwedig ar y noson gynta yn y fflat. Felly dim ond chydig o boteli cwrw roddwyd yn y ffrij.

Ond mi roddwyd digon o fwyd yno – bêcyn, sosejys, wya, bara, llefrith, siwgr, coffi, bocs o gornfflêcs a llwyth o dunia bîns. Rhoddodd y genod ddillad glân ar y gwely, tronsys a sana glân, a cwpwl o grysa-t, yn y cwpwr êring, wedyn hŵfro'r lloria, rhoi bog rôl a sebon yn y bathrwm, a llnau'r gegin. Ac i goroni'r cwbwl, aethon nhw ati i drimio'r lle efo trimings Dolig, jesd i roi twtsh bach mwy cartrefol i'r lle.

Ar ôl gorffan y gwaith, rowliodd Sian jointan fawr o scync, ac eisteddodd y bedair i lawr efo gwydriad o seidar yr un. Roeddan nhw'n hapus efo'u gwaith, a'r fflat yn edrych yn neis.

"Sgwn i lle ma nw rŵan?" gofynnodd Carys, cyn hir, wrth syllu ar Swyn Dryw a Branwen fach yn chwara efo bocsys gwag, ar ganol llawr.

"Yn yr Het, fyswn i'n feddwl," atebodd Sian. "Fa'no aeth Drwgi, cynt, yn ei welintyns!"

"Ffycin cuddio o'tha fi mae'r cont bach!" medda Fflur. "Ofn deud fod o 'di ca'l sac!"

Chwerthodd y merchaid. Roedd o wastad yn eu ticlo pam fod gan ddynion eu hofn nhw.

"Mae o'n rhyfadd, ddo," medda Fflur. "Y ffordd ga'th o sac. O'dd o wedi ffonio i mewn a bob dim – welis i o'n gneud. O'dd y boi 'di bod yn hollol cŵl am y peth, medda fo."

"Hmmm…" medda Jeni Fach, oedd wedi dechra blino ar y 'trials and tribiwlêshiyns of ddy Drwgi howshold' erbyn hyn.

"Swyn, ty'd â hwnna yma, babi," medda Sian, pan welodd fod ei merch wedi ffendio pacad o rislas ar lawr. Daliodd ei llaw allan. "Da i Mam. Ty'd â fo. Da i Mam. Ty'd… Daaa…!"

Cododd yr hogan fach pymthag mis ar ei thraed a dod â'r risla draw. "Hogan dda! Da i Mam! Sws? Mwoah! Aaa, sws neis!"

"A Dad?"

"Fydd Dad yn ôl wedyn, blodyn…"

"A Dad yb?"

Gwenodd Sian. "Yndi, ma Dad yn pyb, yn dydi?" Roedd yr hogan fach yn dallt y crac.

"A Biiiyc!" medda Branwen wedyn, yn nodio'i phen fel diawl. "A Biiiyc yb!"

Chwerthodd y genod. "Ydi 'Biiiyc' yn pyb hefyd?"

"Ia!" Mwy o nodio pen.

"A pwy 'di Biiiyc? Ti am ddeu'tha ni?"

"Biiiyc, Dad."

"Ia! Dad chdi! Ieeeiii!" Clapiodd y genod, a chwerthin, cyn cŵio a clwcio chydig mwy.

Ond doedd Swyn ddim yn hapus i glywad fod 'Biiiyc' yn 'yb' hefyd. "Naa, Dad yb!" protestiodd.

"Na!" medda Branwen.

"Iiia!"

"Na Biiiyc yb!"

"Naa, Dad yb!"

"Naci!"

Tynnodd Jeni Fach ei ffôn allan i ffilmio'r ddwy, a mi sylwodd ei bod hi'n tynnu am ddeg munud wedi tri. Roedd hi'n amsar i Sian, Carys a Fflur nôl plant o'r ysgol. Roeddan nhw i gyd yn ddigon hen i gerddad adra'u hunain, heblaw am ienga Carys, a mi oedd hwnnw'n iawn efo'i ddwy chwaer fawr. Ond gan fod y genod ond rownd y gornal o'r ysgol, roedd hi'n hawddach iddyn nhw fynd i nôl y trŵps i gyd, a cael mynd am dro bach wrth wneud. Neu, dyna oedd y plan, beth bynnag.

"Roswch chi yma," medda Carys. "Ddo i â nhw i gyd efo fi."

"Ia, OK," medda Fflur. "Ma na chydig o waith clirio cyn cloi…"

"Ddo i efo chdi, Car," medda Sian. "Waeth i ni weld chi nôl yn Bryn Derwydd ddim… Fydd o'n well na dod â nhw i fan hyn – yn y siop fyddan nhw, ar 'u penna, a bydd 'na waith talu am swîts wedyn…!"

"Gwd thincing bêb," medda Fflur. "Welan ni chi'n munud."

= 33 =

ROEDD YR HOGIA 'di cerddad i mewn ers rhyw awran, ar ôl gadael y car mewn stryd gefn, allan o'r ffordd. Roedd 'na tua dwsin o bobol yn y dafarn erbyn hynny, a cafwyd 'hwrê' fawr, dipyn o gofleidio ac ysgwyd llaw, a lot o gwrw wedi'i roi i mewn i Tintin, tu ôl y bar.

Roedd Cleif y Barman Orenj Cyflyma Yn Y Gorllewin yn

chwysu, ac roedd Cledwyn a Bic yn hongian ar ben eu stoliau, wrth y bar, ac yn trio dyfalu os oedd o'n chwysu chwys oren neu beidio.

"Os fysa fo'n *fake tan*, fysa'i chwys o'n orenj, Bic. Ond dydi hwnna ddim yn ffêc… wel, mae o'n ffêc, ond dim y stwff potal 'na ydi o… dyna dwi'n feddwl…"

"Be ffwc ydi o, 'ta?"

"Wel, ffycin *sun bed*, siŵr!"

"O ia, ia… sori, o'n i'n meddwl bo chdi'n deud na *tan* go iawn oedd o…"

"Na, na, na, na, na, na, na…"

"Dim potal 'di o? Dyna ti'n ddeud?"

"Ia… *sun bed* 'di o."

"*Sun bed* ydi Cleif?"

"Na, na, na, na, na, na… barman 'di Cleif…"

"Cleif!"

"Be?"

"T' â peint i fi."

"OK."

"Ia, 'fyd, ti'n iawn, Cled… Barman ydi o."

Draw wrth y bwrdd pŵl, roedd Tintin yn ista rhwng Drwgi a Sbanish, yn llowcio bacardis wrth siarad efo cwpwl o fêts Tint, o Dre, oedd yn rhannu bwrdd efo nhw. Roeddan nw 'di hen symud mlaen o storis carchar, ac yn trin a thrafod hynt a helynt y daith adra. Roeddan nw wedi cyrraedd y Migneint.

"Welisd di'r ieir oedd gan y boi?" medda Tintin, oedd erbyn hyn efo tinsel Nadolig wedi'i lapio rownd ei ben.

"Do," medda Sbanish. "Llwyth o'nyn nhw. Ffendio allan lle ma'r cwt 'di'r boi, a mynd yna i ddwyn wya… a ceiliog tew i ginio dy Sul! Lyfli…"

"Oni bai am y ffycin ci 'na! Welisd di seis arno fo?" atgoffodd Tintin.

"Be oedd o?" gofynnodd Cedors, un o'r hogia eraill.

"Rodîsian Rijbac – 'di croesi efo Toza 'swn i'n ddeud…"

"Wwwtsh! Nasti!"

"Ffycin horiffic, Ceds!"

"'Sa fo'n snapio dy ben di i ffwrdd yn gynt na fysa ti'n troi gwddw iâr!" medda Sban.

"Dim os fysa ti'n rhoi gwenwyn i'r cont. Lluchio stêc at y ffycar, llawn stwff lladd tyrchod..."

"Fysa fo'm yn byta'r stêc, Tint – mynd amdana chdi fysa fo," medda Cedors. "Lladd ydi'u petha nhw. Brîd wedi'i fagu i gwffio ydi o. 'Dyn nw'm yn meddwl am 'u bolia, ma nw fatha Terminator – *Kill! Kill Kill!* Gwaed ma'r basdads yna isio – llarpio chdi'n racs, jysd am y crac. Ffycin sosejys, cont!"

"Wel, fysa chdi'm yn ca'l *fi'n* agos i'r ffycin lle, eniwê," medda Drwgi. "Ci neu ffycin beidio. Y ffycin ieir 'sa gena fi ofn..."

"Be?"

"Ieir, màn. Gena i ofn nw."

"Be, go iawn?" Doedd Sbanish erioed wedi clywad Drwgi'n cyfadda i hyn o'r blaen.

"Ia. Gena i ffobia amdanyn nw..."

Chwerthodd pawb rownd y bwrdd."Be, rhyw fath o *chicken phobia*, 'lly?" holodd Sbanish.

"Dim 'rhyw fath' o tshicinffobia, Sban. *Y* tshicinffobia, mêt. Y *one and only*, rîl McCoy big-bad-myddyffycy-pyrpyl-pîpyl-îting peth ei hun!"

"Ffacoff, Drwgi," medda Sban, wedi penderfynu mai cymryd y piss oedd ei ffrind. "Do's 'na'm ffasiwn beth a tshicinffobia, siŵr!"

"Tisio bet?"

"Drwgi, ti'n malu gagág, ŵan!"

"Go iawn! Dwi'n deu 'tha chi! Ffoniwch Fflur os dach chi'm yn coelio fi. Ynda, sbia, ma'n ffôn i'n fa'na..." Plethodd Drwgi'i freichia, yn herio unrhyw un i wneud yr alwad. Ond wnaeth 'na neb.

"So be di enw iawn y ffycin ffobia 'ma? 'Dio'm yn 'tshicinffobia' nacdi?"

"Yndi tad. Tshicinffobia ydi'i enw fo..."

"No wê, Drwgi! Ti'n cym'yd y piss y cont!" medda Cedors, yn

bendant, a chymryd jochiad dda o'i beint.

"Nadw, man! Tshicinffobia – *fear of chickens.* Be arall fysa nw'n galw fo? Yli..." dechreuodd Drwgi ddefnyddio'i fysidd, i ymddangos yn fwy awdurdodol ynghylch y pwnc, "...ma gin ti catoffobia – ffîyr of cathod... dogoffobia – ffîyr of cŵn... ffishoffobia..."

Chwerthodd yr hogia'n ddilornus.

"Ma 'na enw saientiffic iddo fo, siŵr dduw, Drwgi!" mynnodd Sbanish.

"Oes, Drwgi," cytunodd Cedors. "Rwbath Latin. Garantîd!"

"Pam fo gen ti ofn y ffycin things, 'ta, Drwgi?" holodd Tintin. "Ti'n byta nw'n dwyt?"

"Yndw, dwi'n byta nw, yndw. Ma nw'n iawn pan ma nw 'di marw'n dydyn? Ond pan ma nw'n fyw... ych, damia!" Crynodd Drwgi fel bo rhywun newydd gerddad dros ei fedd o. "Y ffycin plu 'na... A'r llygid – dyna be sy'n ffycin sgêri! Ti 'di gweld llygid ieir? Fel 'na..." Gwnaeth Drwgi gylchoedd efo bawd a bys cynta'i ddwy law, a'u dal nhw i fyny ar ochra'i wynab. "Petha crwn, hyll... ond ddim ar *flaen* 'u gwyneba nw, ar yr *ochor!*"

Ddudodd neb ddim byd.

"Dach chi'm yn meddwl fod hynna'n ffycin *weird*?"

Pasiodd eiliad arall o dawelwch.

"'Di o'm yn naturiol, siŵr! Llygid ar ochor y pen. Ffraitening! Ieir 'di'r petha agosa sy 'na at grocodeils..."

Chwalodd pawb i chwerthin yn wyllt. Deud gwir neu beidio, roedd Drwgi ar ffôrm. A doedd o heb orffan, chwaith.

"Gin ti wastad jans efo ci. Ia, dwi'n gwbod, dim efo Rijbac, na – ma hynna'n *no contest*, iawn... Ond be dwi'n feddwl ydi, gen ti wastad jans o drio siarad efo ci, ne rwbath, 'sdi..."

"Siarad? Efo Rijbac?!"

"Dim siarad, Ceds... wislo ne' rwbath, 'de... *'here boy, here boy'* math o beth... gweld os 'di o am gym'yd mwytha... Ma 'na wastad jans, does? Ma cŵn yn intelijynt... domesticetud, 'lly..."

"Dim y ffycin Rijbacs!"

"Anghofia'r ffycin Rijbacs am funud bach! Jysd gwranda ar be dwi'n ddeud am funud… Cŵn, yn gyffredinol… ma na jans elli di 'siarad nw rownd'… Ond efo ieir, ti'n ffycd!"

Aeth y bwrdd yn dawal eto.

"Ma ieir yn *cold blooded assassins*, màn. *Vicious*! Â nw amdana chdi'n syth, màn! 'Chos, ma nw'n ffycin thic. Dos 'na'm ffordd drwodd atyn nw… Dim negoshiêshiyns, dim myrsi, no ffycin messing! A ma nw'n gallu gweld thri hyndryd and sicsti digrîs… sgin ti'm ffycin tsians!"

Daeth 'Merry Xmas Everybody' i flastio o'r jiwcbocs, a cerddodd y Dybyl-Bybyls i mewn, fel dau Siôn Corn mawr, peryglus, a dod draw at Tintin i ysgwyd ei law, cyn mynd at y bar i godi cwrw.

"Dim stîl," medda Gwyndaf, pan welodd y cwestiwn ar wynab Cled. "Ma 'di rhoi gweddill y dwrnod i ni."

Edrychodd Cled ar y cloc. Roedd hi'n dri o'r gloch. Fysa'r hogia'n gorffan am bedwar ar ddydd Gwenar, beth bynnag. "Ffeind iawn!"

"Newydd ddod nôl dach chi?" gofynnodd Gwyndaf, wedyn. "Glywsoch chi am Jac a Tomi, do?"

"Do, do. Ffwc o beth… A genan ni *lead* ar pwy bia'r fan, 'fyd…"

"A ninna. Gelli?"

Nodiodd Cledwyn.

"Mignint?"

Nodiodd eto.

"'Nawn ni siarad wedyn, ia?"

"Fory."

"Iawn. Ma genan ni grawia i fynd fory, 'fyd, os ti mewn 'ddi? I Dic Be ma nhw…"

"Gawn ni weld sud eith hi heno, ia?" medda Cled efo winc a gwên ddiymadferth.

Roedd Gwyndaf Dybyl-Bybyl yn dallt yn iawn. Doedd 'na'm pwynt i neb addo dim byd am fory, heno. Doedd 'na ddim i wneud ond aros i weld pa mor ddrwg fyddai'r llongddrylliad fore trannoeth. "Tisio peint, Cled?"

"Ffwcin hel, nagoes!"

"Bic?"

"Fodca! A paid â gadal i Cleif roi orenj yn'o fo!"

≈ 34 ≈

CYRHAEDDODD Y GENOD a'r plant Bryn Derwydd fel haid o Indiaid Cochion yn ymosod ar drên o wagans, ac wedi i'r Indians gael eu brechdan a'u diod, a diflannu allan i'r stryd i sgalpio cathod, cafodd y genod 'bum munud' bach rownd y bwrdd yn nhŷ Sian a Cled. Roedd 'na dipyn o drafod, achos roedd y stori oedd yn gneud y rownds tu allan yr ysgol yn boethach na phoeth.

Roedd Richard Branson wedi prynu'r Trowt.

Roedd o'n mynd i'w gnocio fo i lawr ac adeiladu restront, bar a clwb, a pwll nofio. A dim jesd hynny, roedd o wedi cael ei weld i lawr yn y Gors, yn ca'l bwyd efo Laurence Llywelyn Bowen, ond heb adael tip...

Dyna oedd *un* fersiwn, beth bynnag. Un arall oedd mai Russell Grant oedd y prynwr, ac un arall eto oedd mai teulu o Fwslems oeddan nhw. Roedd 'na stori arall wedyn, gan Debra Swings, fod Anweledig wedi'i brynu fo i neud o'n feniw i gigs, ac mi oedd Val Cae Adda wedi clywad mai gangstars o Lerpwl oeddan nw, isio'i droi o'n lojings i Bwyliaid ac Albanians, "a 'dan ni gyd yn gwbod mai nocing siop fydd o, felly!"

Ond y stori fwya credadwy – er tristwch a dychryn mawr i bawb – oedd mai Sid Finch oedd y prynwr, a'i fod o am droi'r lle'n gartra hen bobol...

Y gwir oedd, fodd bynnag, fod Megi Parri – glanhawraig y lle cyn iddo gau – wedi gweld "bobol offisial mewn cotia caneris" yn cerddad rownd y lle, ganol bora, efo "hetia plisgyn wy ar 'u penna nhw, fel rhyw Galimeros", yn mesur a sgwennu petha i lawr. Aeth hi'n syth i Siop Frank i rannu'r newyddion, ac o fewn hannar awr, roedd bobol yn dod i fyny ati, ar y stryd, ac yn gofyn oedd hi wedi clywad y newyddion fod Richard Branson wedi bod yn y Trowt efo Laurence Llywelyn Bowen, yn tynnu llunia?

"Ffycin Sid Finch, garantîd," medda Sian. "Druan o'r ffycin lle 'ma, dduda i!"

"Peth rhyfadd na ddudodd Frank rwbath wrthan ni, 'fyd," medda Fflur.

"Gafodd o'm cyfla," medda Jeni Fach. "Aeth o i'r cash'n'carry ar ôl gadal ni mewn i'r fflat. Huw oedd yn y siop pan oeddan ni'n gadal."

"Pwy bynnag sy wedi'i brynu o, ma ganddo fo waith i neud ar y lle. Ma'n wag ers dros flwyddyn," medda Carys.

"Ma'r selar yn wag hefyd," medda Jeni Fach, wrth nodi fod y cwrw a'r gwirod i gyd wedi'i ddwyn, unwaith iddo beidio bod yn *crime scene*, ac y stopiodd y cops barcio car tu allan, dros nos, pythefnos i fis wedi i'r lle gau.

"Yndi. Ac oedd o'n neis iawn 'fyd!" medda Fflur, gan achosi chwerthin mawr rownd y bwrdd, wrth i'r genod gofio'r wythnosau o feddwi am ddim fuodd yn Bryn Derwydd.

"A ma'r lle'n racs," nododd Sian. "Gwaith gwario fyswn i'n ddeud."

Roedd hynny'n wir, hefyd. Roedd adeilad gwag yn fagnet i blant, a'r hiraf oedd y lle'n sefyll, y mwya o ffenestri oedd yn cael eu malu, a'r mwyaf o fandaleiddio oedd yn digwydd tu mewn. Ac mi oedd o'n fagnet i ladron a bobol sgrap, hefyd, wrth reswm, a heidiodd rheiny i'r lle, fel piogod. Rhywsut neu'i gilydd, llwyddwyd i gario'r bwrdd pŵl i ffwrdd, a'r jiwcbocs – oedd bellach yn gorwedd yn daclus yn sied Ding Bob Dim. Roedd y meinciau capal wedi cael traed o'r stafall pŵl a'r snŷg, a'r cadeiria, byrdda, a'r stolia uchal wrth y bar wedi eu comandîrio. Wedi mynd, hefyd, oedd y socets a switshys, a'r lluniau oddi ar y walia, y cŵlar a'r pympia cwrw, a stwff y gegin i gyd. Stripiwyd y peipia copr o'r adeilad cyfan, a diflannodd pren y bar, carpad y grisia, a hyd yn oed tamad o'r llawr pren yn y lownj. Oni bai fod y dafarn reit ar ochor stryd, ynghanol pentra, fydda llechi'r to wedi diflannu hefyd...

Chafodd y *beer garden* ddim llonydd, chwaith. Mi oedd rhan fwya o'r byrdda picnic pren wedi diflannu rhyw noson, ac wedi ailymddangos – fel rhyw fath o hud – yng ngerddi Bryn Derwydd – gerddi Drwgi, Cled, Bic, Ned Normal, Sbanish a Ding Bob Dim, i fod yn fanwl gywir.

Rhwng cael ei anrheithio gan blant, ei reibio gan ysbrydion entrepeneuraidd yn y nos, a'i adael i'r gwynt a'r glaw, roedd 'na olwg druenus ar yr hen Drowtyn annwyl. Gwaith, costau, a ffwc o gur pen i bwy bynnag fyddai'n ei brynu fo, cytunodd y genod.

"Os oes rhywun wedi prynu'r lle, ma 'na rywun wedi'i werthu fo," medda Carys, cyn hir. "Ma hynna'n meddwl fod nw wedi ffendio Tiwlip."

"Rhyfadd. Dwi heb glywad am neb yn cael ei arestio, chwaith..." medda Sian.

"'Sa'm byd 'di bod ar y niws, de," nododd Fflur.

"Ella fo' nw 'di ffendio fo 'di marw?" dyfalodd Jeni Fach, wrth godi Branwen, oedd newydd ddod drwodd o'r stafall fyw, ar ei glin.

"Fysa ni 'di clwad rwbath, bysan?"

"Dwn i'm, Sian... ella fod o'n y papura yn lle aru nw ffendio fo. Ne' lle bynnag ddoth o o..." medda Carys.

"Wolverhampton?"

"Ia..."

"Na, fysa fo'n papur fa'ma 'fyd, siŵr, ac ar y niws..." medda Fflur. "Ella fod 'na neb *wedi* prynu'r lle. Ti'n gwbod fel ma'r lle 'ma am storis..."

Daeth Swyn Dryw i mewn yn crio. "O be sy, babi?" medda Sian. "Ty'd at Mam, siwgwr lwmp."

Cododd Sian y fechan, a crychu'i thrwyn yn syth. "A pwy sy 'di gneud pŵ, 'ta? 'Di Swyn 'di gneud pŵ? Do?"

Trodd at y genod, yn ysgwyd ei llaw o flaen ei thrwyn. "Ffwcin hel, ma hwnna'n tocsic!"

Aeth drwodd i'r stafall fyw, efo Swyn yn ei breichia, i newid ei chlwt.

≈ 35 ≈

ROEDD YR HET yn bŵming. Roedd y bar a'r lownj – er nad oedd o'n lownj go iawn – wedi llenwi efo hogia gwaith, y rhan fwya'n cael peint pnawn dydd Gwenar, ar eu ffordd adra am fwyd a 'shit, shower a shêf', cyn dod yn ôl allan am y noson i feddwi'n racs. Roedd 'na rai eraill oedd am gael 'un neu ddau' cyn mynd adra am y noson, am ei bod hi'n dro y musus i fynd allan. Ac mi oedd 'na rai eraill wedyn, oedd ddim yn bwriadu mynd adra o gwbwl.

Yn y toilet oedd yr hogia. Y pump o'nyn nhw 'di gwasgu i mewn i giwbicyl cachu, a Bic yn torri llinellau o *ching* ar dop y sistern. Doeddan nhw'm yn gneud llawar o ymdrech i beidio tynnu sylw at 'u hunan.

"Be dach chi'n neud yn fa'na'r basdads bach?" gwaeddodd llais o ochor arall y drws.

"Duw, ffyc off Bibo Bach!" gwaeddodd Cled.

"Os dach chi'n gneud… ffycin drygs, rhaid i chi… roi peth i fi…" Roedd Bibo'n ffycin racs, yn hongian dros y cafn piso.

"Jysd pisa'n dawal yn fa'na'r crinc!"

"Cled, y ffycin cotsyn… clai… Ty'd â ffycin wbath imi, wir dduw…"

"Ffacin hel, ma be sy gennan ni'n ddigon i chwalu dy ben bach di'n dipia, Bibo," gwaeddodd Sbanish, cyn sugno leinsan i fyny'i drwyn fflat.

"Fyddi di efo'r ffycin Clangers, Bibo," medda Bic, gan achosi i Drwgi ddechra giglo.

"Clangers o ffwc… ffycin llygod… sana ffycin clwt… Cled!"

"Hisht y cont…!" medda Cled, cyn i linall fawr dew ddiflannu i fyny'i drwyn. Pasiodd y nodyn i Drwgi, ond roedd o'n rhy brysur yn piffian chwerthin. Roedd y Clangers wedi'i diclo fo.

"Cled… y cont… dwi'n ffycin hongian… yyyrg…" Chwalodd Bibo wynt, rhechan, a fflemio i'r afon biso wrth ei draed. "Helpa fi ffor… ffyc… sêcs…"

Agorodd Cled ddrws y cwt cachu, a gadael i Sbanish fynd allan i biso, cyn gafael yn Bibo Bach a'i lusgo fo i mewn. "Gna un fach i'r cont yma, Bic."

"Ti'm yn mynd i ga'l hartan arnan ni, 'na Bibo?" gofynnodd Tintin, a'i dafod yn ei foch.

"Ffyc off, y cont," medda Bibo, a phesychu'n dew. Roedd o wedi dod at ei hun, mwya sydyn. "O'n i'n meddwl bo chdi'n ffycin jêl, y twat!"

"Newydd ddod adra, Bibo, heddiw 'ma," medda Tintin wrth blygu lawr uwchben y powdwr.

"Be 'nes di, ffycin denig?"

Bowndiodd yr hogia nôl i'r bar, a gadael i Bibo Bach ffendio'i ffordd ei hun. Aethon nhw nôl at y bwrdd, lle'r oedd y Dybyl-Bybyls yn gwarchod y goedwig o beintia a shorts.

Cofiodd Drwgi'i fod o wedi cael sac. Roedd o 'di deud wrth Cled a'r hogia, ond doedd o heb gael siawns i hysbysu'r efeilliaid.

"O'ddan ni'n clywad," medda Gwyndaf.

"Gin yr hogia?"

"Naci, gan Sharon."

"Be ddudodd o?"

"Bo chdi 'di ca'l sac."

"Dim byd arall?"

"Do."

"Be, 'lly?"

"Yfad ar y job."

"Eh?"

"Dyna 'di'r offisial lein."

"Bôls màn!"

"Ond yr *ynoffisial* lein ydi..."

"Ia?"

"Bo chdi'n gont hyll!"

Chwerthodd y ddau efaill fel dau walrws mawr. Ysgwydodd Drwgi'i ben.

"Dim ond hogia gwd-lwcing ma nw isio ar y theit, medda Sharon wrthan ni. Ynde, Wynff?" medda Gwynedd wrth ei frawd.

"Ia, Wynff, dyna ddudodd o, tawn i'n marw'n y fan 'ma!"

"Ti ddim mewn fan, y cont!"

"Owww!" medda Gwyndaf. "Ma'n ffasd heddiw, Wynff!"

"Doedd o'm digon ffathd ar y theit, chwaith, Wynff!"

"Nagoedd, Wynff. Dyna rwbath arall ddudodd Sharon wrthan ni."

"So, be 'di o? Bo fi rhy hyll, ta rhy ffycin slô? C'mon, ffycin Handsym Bryddyrs, pa un ydi?"

"Ma 'na fwy iddi na hynny," medda Gwyndaf, a'i aeliau siani flewogs yn mynd i fyny ac i lawr.

Rhoddodd Drwgi chwerthiniad fach. "Reit! Wela i. Ma nw 'di ffendio allan mod i'n ilîgal imigrant, do?"

Ddaeth dim ymateb o du'r ddau gawr, dim ond syllu, heb unrhyw arwydd o gydnabyddiaeth o hiwmor eu ffrind.

"'Dyn nhw 'di sylwi o'r diwadd fod 'yn wal i'n dangos gweddill y job i fyny?"

Dal dim ymateb gan y ddau gawr.

"Ta 'dyn nw 'di ffendio allan bo gena i'm ticad i'r goc fawr 'ma sy gena i?"

"Ti'n malu cachu ŵan, Drwgi."

Roedd rhyw dwat wedi rhoi Cliff Richard ymlaen ar y jiwcbocs, a daeth bloedd o anfodlonrwydd, a rhegfeydd anweddus, dros y bar. Jiwcbocs gachu oedd yn yr Het. Llwyth o CDs casgliadau o 'diwns' dawns cawslyd, cwpwl o John ac Aluns, a bron pob un o'r compuleshiyns *Now That's What I Call Music*. Roedd 'na gwpwl o CDs 'nadoligaidd' arni hefyd. Roeddan nhw yno drwy'r flwyddyn, fel rhyw lwmp o gachu ci wedi sychu a llwydo dan y carpad, tan i rywun sefyll arno bob Dolig ac achosi i'r drewdod lenwi'r stafall eto. Un o'r lympia cachu hynny oedd 'Mistletoe and Wine'.

Hong Kong Fuey oedd wedi'i rhoi hi 'mlaen, er mwyn weindio Dewi Grêt i fyny. Roedd Hongk yn dawnsio rhyw *waltz* feddw ar ganol y llawr, ac yn meimio hynny o'r geiria oedd o'n wybod, jesd i rwbio trwyn ei fêt ynddi. A doedd y cawodydd o *beermats*, ac amball sblash o gwrw gwaelod gwydr, ddim yn mynd i'w stopio fo.

Peth nesa, roedd Bibo Bach yno, wedi gafael yn nwylo Hong Kong Fuey ac yn dawnsio efo fo. Clapiodd pawb eu bodlonrwydd, a chwerthin a bloeddio'u hanogaeth. Roedd hi'n olygfa sbesial – Hong Kong Fuey â'i gyrls du fel *brillo pad*, a Bibo Bach, ugian mlynadd yn hŷn na fo, efo'i wallt melynwyn, blêr yn sticio allan dan ei gap gwlân, fel candi fflos. Roeddan nhw'n edrych fel Steptoe and Son mewn *Strictly Come Dancing* i gyplau hoyw. A thu ôl y clapio a'r curo byrdda, y chwibanu a'r synau Indiaid Cochion, y rhegfeydd a'r chwerthin a'r fflachiadau mobeil ffôns, yn rhywle, yn canu, roedd Cliff…

"Be ffwc ma Bibo Bach 'di'i ga'l?" gofynnodd Gwyndaf Dybyl-Bybyl dros y dwndwr.

Rhoddodd Cled ei fys at ei drwyn, a gneud stumia snortio. Edrychodd ar Gwyndaf wedyn, am eiliad, i weld os fydda fo'n dallt. Doedd y Dybyl-Bybyls ddim i mewn i Class As, felly ddim yn gyfarwydd â'r ffordd oedd bobol yn injestio'r fath sylweddau. Unwaith y disgynnodd y geiniog, bu bron i Gwyndaf gael hartan wrth chwerthin gymaint.

"Tisio peth?" gofynnodd Cled, wedi iddo ddod at ei hun. "Croeso i ti gael."

"Dim diolch 'ti Cled," medda'r cawr, cyn pwyntio at y sbliff oedd Cled yn sginio i fyny ar y bwrdd. "Ond mi gymra i beth o honna, os ga i."

"Ty'd 'ta," medda Cled, wrth lyfu'r rislas a rowlio'r joint yn gelfydd, cyn codi a mynd am y drws cefn, a'i beint efo fo.

O ran trio croesi'r llawr, roedd amseru Cled a Gwyndaf yn anffodus. Ar yr union yr un eiliad ag y cododd y ddau, dechreuodd tua deg o'r hogia ddawnsio fel cowbois lloerig. Roedd y triawd Bibo, Hongk a Cliff wedi gorffan eu sioe, ac roedd 'Cotton Eyed Joe' gan Rednex – un o'r ychydig diwns dawns derbyniol ar y jiwcbocs gont – wedi dod ymlaen. Bownsiai'r llawr fel trampolîn, wrth i'r sgidia gwaith trymion stompio i'r curiad gwyllt. Ac wedi methu gweld ffordd o nafigêtio drwy'r môr o benglinia a phenelinia, y ffidils anweledig a'r chwyrlïo fraich-ym-mraich-can-milltir-yr-awr, heb golli dipyn o'u peintia, doedd 'na ddim amdani ond troi 'nôl a mynd rownd drwy'r lownj-nad-oedd-yn-lownj. Cododd Tintin i'w dilyn nhw.

Moriai sŵn y stompio traed a clapio dwylo allan drwy ddrws cefn yr Het, i'r nos. Roedd hi'n oer tu allan, er bod cymylau'n cuddio'r sêr. Ond roedd 'na gynhesrwydd hynod yn perthyn i'r hwyl yn yr Het.

Cododd Tintin ei beint. "Mae'n dda yn Gymru, hogia bach. Ma hi'n dda yn Gymru!"

Clinciodd y tri eu gwydra.

"Croeso'n ôl, Tintin, yr hen frawd," medda Gwyndaf.

Dim yn amal oedd un o'r Dybyl-Bybyls yn dangos agosatrwydd o'r fath. Oedd, roedd 'na waelod i'r Dybyl-Bybyls – rhyw hen ffyddlondeb cadarn oedd fel y creigiau garw eu hunain – ond doeddan nhw'm yn licio dangos lliwiau'u calonnau. Dim bod angen. Roedd pawb yn gwybod fod eu gwaed yn goch.

"Ma'n dda bod yn ôl hogia, rhaid 'mi ddeud."

Roedd yr hen Tintin, hefyd, yn halan y ddaear. Roedd o wedi bod trwy'r felin yn y ddwy flynadd ddwytha 'ma, ond, tra byddai amal i un arall wedi suro, ac wedi troi'r anlwc yn esgus i bydru, roedd Tintin wedi dal ei afael ar y petha pwysig, ond efo'r synnwyr cyffredin i ddallt be oedd posib ei achub, a be oedd wedi mynd efo'r lli.

Taniodd Cled y joint, cymryd drag sydyn a'i chynnig hi i Tint, ond amneidiodd hwnnw ar Cled i'w rhoi hi i Gwyndaf gynta.

"Yn Fazakerley o'dda chdi, ia, Gwyn?" gofynnodd Tintin.

Tynnodd Gwyndaf ar y sbliff. "Ia. 'Mond am fis a hannar. Tri mis ges i."

"Sud o'dd hi 'na?"

"*Piece of piss*. Ond fod hi'n bôring." Tynnodd eto ar y sbliff. Chwerthodd. "Ti'n gwbo be o'n i'n neud? Ffycin malu CDs yn dipia mân!"

Gwenodd Tintin. "Rî-seiclo plastig, ia?"

"Ia!" Chwerthodd y Dybyl-Bybyl yn iach. "Ffycin nyts!" Tynnodd ar y sbliff, a'i phasio 'nôl i Cled. "Ma hynna'n ddigon i mi, hogia. Ne fydda i'n ffycin downsio fel ffŵl yn ganol 'hein! Diolch 'ti, Cled."

Gwyliodd yr hogia ei ffrâm anfarth o'n mynd drwy'r drws cefn, ac yn dod wynab yn wynab â'i efaill – oedd ar ei ffordd o'r bog – fel 'sa fo newydd gerddad i mewn i ddrych. Ac mewn eiliad o delepathi efeilliol, cydiodd y brodyr yn ei gilydd – law yn law a fraich am ysgwydd, fel clinsh tango – ac i mewn â nhw i ganol y throng, yn dawnsio fel Frank a Jesse James mewn priodas i hilbilis llosgachol.

Cododd ton uchel o hwrê, a ddilynwyd gan stompio a chlapio ddeg gwaith mwy brwdfrydig, wrth i lwybr agor fel y Môr Coch, i'r ddau gael bowndio 'nôl ac ymlaen o un pen y llawr i'r llall. Chwerthodd Cled a Tint. Doedd 'na'm angan gallu gweld. Roedd y lluniau'n cario ar awyr y nos, efo'r *craic*.

"Ti'n OK, Tint?" medda Cled, wrth basio'r joint iddo fo. Roedd y ddau o'nyn nhw'n siglo ar eu traed, ond dim 'iawn' yn yr ystyr hynny oedd Cledwyn yn olygu.

Mi ddalltodd Tintin. "Yndw, Cled, dwi'n OK mêt. Diolch 'ti am bob dim heddiw…"

"Ffwcio diolch, a rhyw lol, mêt. Ti'n gwbod y crac…"

"Ia, wel, dwi'n gwerthfawrogi, Cled."

"Dwi'n gwbod, Tint. No wyrris. Awn ni i fyny i'r Lòrd am un, yn munud, ia? Mae'n hectig braidd yn fa'ma."

Roedd Cled yn ofni i rywun o deulu Glenda ddod i mewn. Dim ei fod o'n disgwyl iddyn nhw ddechra dim byd, ond fysa fo'n gneud i Tintin hel meddylia. Roedd jysd bod adra'n siŵr o droi amball dudalen yn ei ben o, fel oedd hi. Y peth ola oedd o isio oedd dod wynab yn wynab efo rhywun oedd o'n ei gysylltu efo hi.

"Duw, ma hi'n ffycin grêt yma, be s'an ti?"

"Yndi, dwi'n gwbod. Ond…"

Darllenodd Tintin feddwl ei ffrind eto. "Cled! Dwi'n iawn."

"Ia…"

"Sbia arna fi, Cled… Yli, dwi'n *iawn*, OK? Dwi 'di sortio pob dim yn 'y mhen. Dwi'n barod am rwbath. Fedra i handlo fo."

"Siŵr, ŵan?"

"Ynda, gorffan honna," medda Tintin wrth basio'r joint yn ôl. "Dw *i'n* mynd i godi peint, am tsiênj. Be tisio? Lagyr 'ta fodca?"

"Fodca."

⹀ 36 ⹀

DOEDD 'NA'M ATAB efo Medwen nac Alis pan ffoniodd Sian gynt
– roeddan nhw ar y ward, efo'u tad, mae'n siŵr – felly roedd
hi wedi gadael negas ar beiriant atab Alis. Ffoniodd honno 'nôl
mewn hannar awr, i ddeud fod Tomi wedi cael pwl drwg, ond
ei fod o wedi dod drosto fo, a bod hynny'n arwydd da iawn,
medda'r doctoriaid. Roeddan nhw wedi cynyddu ei jansys o ddod
drwyddi i chwe deg i bedwar deg. Ond ei fod o'n dal yn critical,
wrth reswm.

Adroddodd Sian y newyddion i'r genod eraill, oedd newydd
ddod yn ôl o wneud te i'w hanifeiliaid rheibus, wrth fyta'i sbageti
bolonês.

"Croesi bysidd felly," medda Fflur.

"Mmmia," medda Sian, â rhaffau o sbageti'n hongian o'i
cheg.

"Ga i agor y botal win 'na, Sian?" gofynnodd Fflur.

Nodiodd Sian ei phen yn gadarnhaol, a gneud rhyw sŵn bach
drwy'i sbageti.

Cododd Fflur i fynd at y drôr i nôl corc-sgriw. Gwelodd dwr
o wydra gwin yn y sinc, mewn dŵr cynnas a bybyls. "Sgin ti
wydra'n cwpwrdd?"

"Yn sinc, yn fa'na," atebodd Sian wrth lyncu.

"Ia, dwi'n gweld 'heina, isio un sych o'r cwpwr dwi…"

"Sycha 'heina'r gotsan ddiog!" medda Jeni Fach.

"Na," medda Fflur wrth agor drws y cwpwrdd ac estyn gwydryn
o fa'no. "Ma gwin coch wastad yn well o wydryn llychlyd o'r
cwpwrdd."

"Hy! Ti'n swnio fel Cled ŵan, hogan!" medda Sian, gan ysgwyd
ei phen. "Dyna ma hwnnw'n ddeud o hyd."

"Ia, ond ma'n wir, dyri? Ti'm isio gwydr newydd ei olchi, cos
ti'm isio ffêri licwid yn riactio efo'r gwin. Meddylia di amdana fo,
be sy'n waeth i win, ac i chdi – achos chdi sy'n gorfod absorbio
fo – sebon, 'ta chydig o lwch tŷ?"

"Dwi'n ca'l hyn i gyd gan Cledwyn, 'sdi, Fflur! Fel arfar ma'n cario mlaen i rantio am *'hygiene hysterias'* erill hefyd…"

"'Nath chydig o lwch rioed ddrwg i neb, siŵr. Llwch chwaral, ella, ia, ond llwch llwch, naddo!" Chwerthodd Fflur iddi hi'i hun, ac agor y botal, a dod â hi draw i'r bwrdd. Aeth yn ei hôl i sychu tri gwydr o'r sinc, gan mai 'mond un oedd yn y cwpwrdd.

"Yn ôl Cled," medda Sian, "mae dynion sy'n golchi'u dwylo ar ôl piso yn meddwl gormod!"

"Wel, ma 'na sens yn fa'na hefyd, does? 'Nath chydig o biso rioed ddrwg i neb chwaith, naddo? So pwy oedd y boi 'ma efo Glenda Fodca heddiw 'ma, ta? Rhyw secs god, medda Jeni 'ma!"

"Secs god, mai ârs!" gwadodd Jeni, a troi'i thrwyn.

"O'dd o'n meddwl 'i fod o, beth bynnag," wfftiodd Sian. "Bag chwain wedi molchi oedd o. Gormod o bôsar i fynd yr hôl hog. Isio cadw'i hun yn ddel…"

"O, ia?" medda Carys, a chyfnewid wincs efo Fflur, wrth i honno dwistio lliain sychu llestri i mewn i wydryn gwin wrth y sinc.

"Be oedd 'i enw fo, 'fyd?" medda Jeni Fach, oedd yn arbenigwraig ar arwain sgwrs i ffwrdd o ryw bwynt penodol, mewn ffordd gynnil a chyfrwys, heb newid y pwnc ei hun. "Taran, ne rwbath, ia Sian?"

"Taran, ia!"

"Be? Fel yn *'thunder'*, 'lly?" gofynnodd Carys.

"Ia. Ond fentra i 'na dim ei fam o roddodd hwnna iddo fo!"

"Na. Enw ffycin hipi, 'di o, ma siŵr," medda Fflur.

"Pwy fysa'n galw'i hun yn 'Taran', eh?" medda Jeni.

"Ella fod o'n storm yn y gwely?" cynigiodd Fflur, i ddod â petha 'nôl at y pwynt.

"Hy! Mwy o *'flash flood'* na storm, fyswn i'n ddeud!" medda Jeni.

Chwerthodd y genod yn gras. Roedd y seidar gawson nhw gynt wedi cnesu'u calonnau, a mi oedd 'na hwyliau da ar y bedair. Roedd hi'n gaddo bod yn noson dda.

"Mi *oedd* o'n ddel, 'fyd," medda Sian cyn hir, a chwerthin efo'r dair arall. "Yn doedd, Jen?"

"OK, oedd 'na rwbath amdana fo, dor hi fel 'na!"

"Wwwww!" medda Fflur, wrth ddod â'r gwydra draw i'r bwrdd. *"Tell me more!"*

≈ 37 ≈

ROEDD 'NA GRIW o hogia mewn festia melyn llachar gwaith yn dal i ddawnsio pan gerddodd Cled yn ôl i'r bar. Ond doedd petha ddim cweit mor ffrantig erbyn hyn, achos mai 'Dancing Queen' gan Abba oedd ar y jiwcbocs. Ac oni bai am y mwd sych, sment a llwch chwaral oedd yn llanast dros y leino, fyddai neb yn beio rhywun diarth am feddwl fod o newydd gerddad i mewn i'r unig Gay Bar yng ngogledd Meirionnydd.

Roedd Cleif y Barman Orenj Cyflyma Yn Y Gorllewin wrth ei fodd. Roedd o'n bŵgio'n braf iddo'i hun, fel John Travolta amber, tu ôl y bar, tra bod Eunice, y barmed oedd wedi landio rhyw awran ynghynt, yn syrfio'r anifeiliaid.

"Rhaid i ti watsiad fod y lliw haul 'na'm yn sleidio i ffwrdd o dy wynab di, efo mŵfs fel 'na!" gwaeddodd Cled, pan drodd Cleif i sbio arna fo wrth iddo gerddad i mewn.

"Tisio ffycin peint 'ta be?"

"Na, ma Tint yn 'i gael o, yli. Gan Eunice, tra ti'n minsio o gwmpas lle'n fa'na!" Sganiodd Cled y bar. Roedd 'na dair o ferchaid wedi dod i mewn, ac yn ista yn ymyl Bic, Sban a Drwgi. Gafaelodd yn rhei o ddiodydd Tintin a'u cario draw efo fo.

Stwffiodd Cled ei din i mewn rhwng Catrin a Sioned, a wiglo dipyn, i gael y ddwy o'nyn nhw i symud fyny fymryn. "Iawn genod?"

"Iawn Cled?" medda Sioned.

"Ffycin reit!"

"Sut ma Sian?"

"Ffycin grêt!"

"A'r plant?"

"Ffycin grêt!"

"Sut ma'r fechan?" holodd Catrin.

"Fflio mynd!"

"Ma'n siŵr. Faint 'di hoed hi ŵan?"

"Pymthag mis, ia, Cat."

"Ooooo! Ciwt!"

"Ma hi'n dda 'ma, Cled!"

"Briliant, Sions. Ma hi 'di bod fel 'ma ers dipyn. Rioed 'di gweld y jiwcbocs 'na mor ffycin boblogaidd!"

"Mae 'na amball i beth da arna fo, ond ti'n gor'o ca'l mynadd i ffendio nhw. 'Sa ti 'di gweld y twins 'na'n mynd, cynt! Wel am gesys!"

"O'ddan nhw *yn* ffyni'n doeddan, Sions?" medda Catrin.

"Hilêriys! Ddylsa chdi 'di gweld nhw, Cled. Downsio fel partnars, ysdi, yn gafa'l fel 'na, ac yn mynd... fel downsio gwirion cowbois, 'sdi... " Rhoddodd Sioned gigyl fach. "... God, 'nes i chwerthin!"

"Ia, da 'di'r Dybyl-Bybs!"

Daeth 'Dancing Queen' i ben, a stopiodd y dawnsio. Ond symudodd neb o le oeddan nhw'n sefyll. Roedd pawb fel 'sa nhw'n aros i'r gân nesa ddechrau, i gael dawnsio mwy. Roedd Hong Kong Fuey a Bibo Bach wedi torri ias, a'r Dybyl-Bybyls wedi gneud pawb yn nyts.

"Be gawn ni rŵan, sgwn i?" gofynnodd Sioned, wrth sbio i gyfeiriad y jiwcbocs fel tasa hi'n gallu gweld be oedd yn dod ymlaen o le'r oedd hi'n ista.

Dechreuodd y gân nesa.

'Chwarelwr ydwyf i...'

Cododd ton o ochneidiau anniddig dros y bar, ac aeth pawb i biso, ista i lawr, allan am smôc, neu at y bar i nôl peint.

"Glywisd di fod Richard Branson 'di prynu'r Trowt, 'ta?" medda Sioned.

Bu bron i Cled dagu ar ei fodca, cyn dechra chwerthin yn uchal. "Be?!"

"Richard Branson wedi prynu'r Trowt!"

"Naaa-haha-di!"

"Dyna 'di'r stori!"

"Hahahahaaaaa! Ffycin bolycs! Hei, hogia…!" Trodd Bic, Sban a Drwgi i mewn i'r sgwrs. Pwyntiodd Cled at Sioned efo'i fawd, "… glywsoch chi? Mae Richard Branson 'di prynu'r Trowt!"

Chwerthodd Bic a Sban. Ond rhyfeddu wnaeth Drwgi. "Naddo! Do? Ffwcin hel! Nyts ta be?!"

Daeth y Dybyl-Bybyls o rwla, yn cario bag plastig Coparét, efo rwbath trwm yr olwg yn ei waelod o.

"Hei, glywsoch chi?" medda Drwgi, wedi cynhyrfu. "Trowt wedi'i werthu! Geshiwch i bwy?"

Gallai'r Dybyl-Bybyls ddeud ar wynab ecseited Drwgi, nad Sid Finch oedd o. "Dwn i'm," medda Gwynedd. "Richard Branthon?"

Sobrodd gwynab Drwgi. "Ia. Sut oeddach chi'n gwbod?"

Edrychodd yr efeilliaid yn wag ar Drwgi, wedyn ar ei gilydd. Newidiodd Gwyndaf y sgwrs, a rhoi'r bag plastig ar y bwrdd o flaen Tintin. Clinciodd y darnau arian tu mewn i'r bag wrth hitio'r pren. "Ynda Tint. Rwbath bach i ti at fory."

Fedrai Tintin ddeud dim byd, dim ond sbio ar y ddau gawr o'i flaen. Roeddan nhw newydd gael wip-rownd iddo fo, ac mi oedd y ffaith eu bod nhw newydd roi uffarn o sioe ar ganol y llawr, yn golygu na fedra neb wrthod rhoi, a rhoi'n weddol hael. Bibo Bach – oedd yn dal yma'n rwla – oedd yr unig un na roddodd. "Bryna i beint i'r cont tena," oedd geiria hwnnw.

"Diolch, hogia," medda Tint, ar ôl cael hyd i'w dafod. "Diolch!" medda fo eto – yn uwch, er mwyn i'r bar gael clywad – a dal y bag i fyny'n yr awyr am eiliad. Doedd 'na neb lawar yn sbio, dim ond dau neu dri o bobol oedd yn licio gweld fod eu pres yn mynd i'r lle iawn.

Clymodd Tintin geg y bag, a'i roi o ym mhocad ei jaced denim las, a chododd i fynd i biso. Cradur digon swil oedd Tintin yn y bôn, ac roedd o'n anghyfforddus efo'r caredigrwydd.

Dilynodd Cled o, i'r bog, a piso wrth ei ochr o. Daeth bloedd arall o lawenydd o'r bar, wrth i Cleif y Barman Orenj Cyflyma Yn Y Gorllewin wasgu 'reject' ar John ac Alun, a daeth nodau Nadoligaidd 'Atmosphere' gan Russ Abbott i lenwi'r dafarn efo hwyl yr ŵyl unwaith eto.

"Chwara teg i'r hogia, Cled," medda Tint. "Ond dwi'n meddwl fod ti'n iawn, ma hi'n amsar symud. Gormod o bobol i handlo mewn un go."

"Awn ni i Lòrd, ia? Ffwcio'r Holland, cariôci sy 'na heno, a…"

"Glenda Alert!"

Chwerthodd Cled. "Ia, Glenda Alert!"

'Atmosphere, I love a party with a happy atmosphere!' Roedd y canu a'r dawnsio wedi ailddechra yn y bar. Roedd hi'n noson anarferol o hwyliog yn yr Het heno.

"Hong Kong Fuey a Bibo Bach sy 'di dechra hyn i gyd off," medda Cled.

"Ia, ffycin grêt, 'de?!" Gwenodd Tintin yn braf, a dechra canu, *'…I love a party with a happy atmosphere…'* wrth ysgwyd ei bidlan uwchben y pisgafn.

"Duw, Tintin y diawl!" medda llais tu ôl i'r hogia. Trodd y ddau i weld pwy oedd yno. Disgynnodd gwynab Cled am eiliad. Alwyn oedd yno – Al Babs – brawd bach Glenda. Stwcyn sgwâr fel casgian, yn amlwg yn codi pwysa, efo gwallt sgin-hed, a tsiaen aur rownd ei wddw.

"Duw, Al, sut ma petha?" atebodd Tintin.

"Iawn 'de."

Fuodd 'na rioed waed drwg rhwng Tintin ac Al Babs. Pendafad bach ifanc oedd Alwyn, yn ei ugeinia cynnar ac yn 'chydig o ddafad ddu y teulu. Doedd o rioed wedi poeni llawar am ei chwaer. Cyn bellad â'i fod o yn y cwestiwn, hen snobsan flin oedd hi, ffwl stop. Er hynny, roedd Cledwyn yn dal i deimlo'n anghyfforddus. Efallai mai'r cocên a'r scync oedd wrth waith, ond teimlodd Cled flew ei gefn yn codi.

Roedd Al Babs yn ddic-hed yn ei gwrw, yn meddwl fod o'n galad ar ôl waldio rhyw foi tebol yn Port, rhyw fis neu ddau ynghynt. Byth ers hynny roedd o'n chwilio am ffeits rownd Dre, ac yn ffendio unrhyw esgus i ddechra un. Un o'r *'up-and-comings'* oedd o. Un o'r bwchod ifainc oedd yn trio gneud enw iddyn nhw'u hunain, yn y gobaith o gael eu henwau'n rhan o'r chwedloniaeth lleol. Doedd Al Babs heb gyrraedd unrhyw lefal o 'barch' eto, gan mai hogia digon diniwad, a cwffiwrs di-nod, oedd o wedi'u curo. Ond doedd o heb gwrdd â'i fistar eto, chwaith, felly dal ar y ffordd i fyny oedd o, a'i gocyndra heb ei glipio hyd yma.

"Hei, Tint, croeso adra," medda fo, a chynnig ei law. Ysgwydodd Tintin hi, a deud diolch, cyn camu i'r ochor, i wneud lle iddo fynd i biso. Ond dal i sefyll yno wnaeth Al Babs, yn blocio'r ffordd allan. "'Di'n chwaer i'n gwbo fo' ti adra?"

Rhoddodd Cled shêcsan sydyn i'w goc, cau ei falog, a throi i wynebu'r ddau. Ar yr wynab, roedd o'n gwestiwn digon naturiol i Al Babs ofyn. Roedd o'n ifanc, a mi oedd Tintin yn un o'r 'hogia', newydd ddod o jêl am osod dyfais ffrwydrol mewn tŷ ha, felly pa well ffordd o ddechra sgwrs efo'r boi?

Ond roedd 'na fwy iddi na hynny.

Gwydnodd Cled drosto. Roedd y côc a'r sbîd oedd yn pwmpio drwy'i gorff yn sicrhau ei fod o'n barod am sîn, yn syth. O fewn nano-eiliad roedd o wedi clocio fod 'na neb arall ar fin dilyn Al i'r toilet, ac wedi gweld yn union be fyddai'n neud pan fyddai'r sîn yn dechra. Gwyddai'n union, hefyd, be fyddai symudiad cynta Al Babs, a lle fydda fo'n disgyn ar ôl iddo'i hitio fo.

"Sgena i'm syniad, Al," medda Tint. "Sut ffwc dwi fod i w'bod?"

Caeodd Cled ei ddwrn. Os meiddia'r cont bach ddod â'r plant i mewn i'r sgwrs, roedd o'n ei chael hi.

"Ia, ia," medda Al Babs, a'i lygaid trwbwl yn bradychu'r wên slei. "'Dim byd i neud efo chdi', a ballu, ia, ia…"

Gwelodd Cled o'n sgwario, wrth i eiliad arall basio. Yn yr eiliad honno gwelai Cled lle'n union oedd Al Babs yn dod o. Doedd y genhedlaeth ifanc ddim yn gyfarwydd â'r parch oedd gan Tintin. Parch am fod yn foi da – rwbath nad oedd y criw ifanc yn ddallt, y dyddia yma. Ac am nad oedd Tint yn foi am godi helynt, doeddan nhw ddim yn gwbod chwaith ei fod o'n ffwc o foi calad. Ond mi oedd rhywun fuodd yn jêl yn cael statws gan y cowbois ifanc. A dyna be oedd yn pigo Al Babs. Roedd Al yn meddwl fod o'n ffwc o foi, ac yn ddwfn tu mewn iddo, roedd o'n *pissed off* nad oedd Tintin a Glénda efo'i gilydd ddim mwy. Roedd o isio i Tintin fod yn frawd yng nghyfraith iddo fo eto, er mwyn y statws.

Felly dyma fo, wedi cael chydig o ddiod ar nos Wenar, yn dangos y seicosis hynny sy'n nodweddiadol o *stalker* yn troi'n ffiaidd efo'i eilun.

"Ti'n mynd i biso, 'ta be?" medda Cled, a rhythu i lygid Al Babs. Gwelodd, yn syth, fod ei lygada fynta hefyd yn llawn sbîd neu gocên, ac o'r ymateb ynddynt, i'w eiriau, gwyddai Cled ei fod o'n teimlo fel sŵpyr hîro, yn ofn ffwc o neb, ac yn sicr ddim am bacio i lawr.

Crechwenodd ar Cled. "Aru musus chdi alw'n chwaer i'n slag heddi..."

CRYNSH!

Malodd Cled ei drwyn o efo hed-byt. Sbowtiodd y gwaed dros ei wynab, ac i lawr â fo, ar ei din, yn erbyn y wal. Triodd ddal ei hun i fyny o'r llawr, efo un fraich, a chwythu gwaed o'i geg a'i drwyn, dros y teils gwyn, a methodd godi.

Gadawodd Cled a Tint o'n stryffaglian, ar ei gefn ar lawr, a gwthio'u hunain yn ôl i'r bar, drwy'r sgwyddau llydan oedd yn dawnsio efo Russ Abbott.

Ond prin iawn oedd petha'n gorffan efo un glec yn Dre. Daeth Al Babs at ei hun, a rhuthro o'r bog – ei wynab a'i grys-t Bench gwyn – yn goch efo gwaed. Gwaeddodd, gan sbrêo dafnau sgarlad dros bopeth o fewn llathan.

"FFWCIN MALA I CHDI!"

Chwalodd drwy gwpwl o ddawnswyr, i gyfeiriad Cled. Triodd rhywun ei ddal o'n ôl, ond mi gafodd hergwd yn erbyn y bwrdd pŵl. Rhuthrodd mêts yfad Al Babs oddi wrth y bar, lle'r oeddan nhw newydd gael eu syrfio efo'u cwrw cynta ar ôl cerddad i mewn, i ymuno efo fo.

"TY' LAEN, TA!" hefrodd ar Cled. "A FFYCIN CHDITHA'R FFYCIN JAIL-BIRD! C'MON!"

Gwelodd un o'i fets o rywfaint o sens, pan sylwodd mai Cled a Tintin oedd y gelyn, a mi driodd o gŵlio'i ffrind i lawr. Ond ffling o'r ffordd gafodd hwnnw hefyd. Malodd un arall o'i ffrindia botal ar y bwrdd, a sefyll wrth ei ochor.

Symudodd criw o hogia o'r ffordd, a gadael patsh gwag ar ganol y llawr. Gwaeddodd Cleif y Barman Orenj Cyflymaf Yn Y Gorllewin rwbath, ond wrandawodd neb. Sgwariodd Cled a Tint, yn barod am y rhuthr.

Pan ddaeth hi, chafodd Cled na Tintin gyfla i neud dim byd. Roedd y Dybyl-Bybyls wedi codi, tu ôl iddyn nhw, ac wedi gwthio heibio, ac wedi dechra colbio. Y boi efo'r botal gafodd hi gynta. Un taran o glec gafodd o gan Gwynedd, a glanio ddwy lathan gyfan i ffwrdd, wrth ddrws y toilets. Doedd 'na'm posib deud be ddigwyddodd wedyn, achos mi drodd yn *free for all*. Roedd 'na bump yng nghriw Al Babs, yn cynnwys fo'i hun, a dim ond dau Ddybyl-Bybyl. Ond roedd yr ods yn gryf ar ochor y twins, fel oedd hi, *cyn* i hannar dwsin o fois eraill neidio i mewn. Y boi oedd Al Babs wedi'i wthio'n erbyn y bwrdd pŵl eiliadau ynghynt, a'i fêt, oedd dau o'nyn nhw. Boi oedd wedi cael ei sbrêo efo cwrw, pan falwyd y botal ar y bwrdd, oedd un arall, a Hong Kong Fuey – oedd wedi cael cweir gan Al Babs pan oedd o'n chwil gachu, penwythnos cynt – oedd y pedwerydd. Roedd y ddau arall – Sion Cal a Mart Coch – jysd awydd neidio i mewn, am y crac, am eu bod nhw'n licio sgrap.

Roedd petha'n flêr.

Dyrnu, cicio, hed-bytio, crogi, gowjio, brathu, tynnu gwallt. Cyrff yn disgyn, cyrff yn codi, cyrff yn mynd i lawr yn ôl. Gwydra'n malu, byrdda'n troi, stolia'n fflio. Rhegi, bytheirio, sgyrnygu, poeri – a rhyw gryndod, fel daeargryn, yn crynu drwy'r llawr, wrth i ddwsin o hogia cryfion drio'u gorau glas i gicio'i gilydd i lympia diymadferth o glai. Ac yn y cefndir, uwchben y cwbwl, roedd Russ Abbott yn canu, "*Atmosphere, I love a party with a happy atmosphere…*"

Roedd petha i weld o dan reolaeth, o ran y Dybyl-Bybyls, beth bynnag. Roeddan nhw gefn wrth gefn, yn y canol, ac roedd be bynnag oedd yn dod o fewn slap, yn disgyn yn lle'r oedd o. Ac er cymaint y demtasiwn i neidio i mewn a chael chydig o therapi *stress release*, roedd Cledwyn yn gwybod be oedd y peth i wneud.

Cleciodd ei fodca, cipiodd ei jaced, a cydiodd yn Tintin – ac allan â nhw. Edrychodd yn ôl o'r drws, i jecio'r Dybyl-Bybs, a gweld eu bod nhw bron â rhedag allan o betha i ddyrnu. Roedd 'na gwpwl o gyrff, yn cynnwys Al Babs, yn llonydd ar y llawr, ac un neu ddau arall wedi cilio i'r ymylon i fwytho'u trwyna a'u nycls, tra bod dau foi yn dal i dagu'i gilydd yn nrws y bog, a cwpwl arall yn swagro o gwmpas lle, brestia allan fel ceiliogod, yn ysgwyd llaw efo'u mêts... a Hong Kong Fuey, oedd wedi stopio cicio pen Al Babs i mewn, yn gneud sŵn Bruce Lee, o dan y teledu, yn y gornal...

Mowthiodd Cled y gair 'Lòrd' wrth y Dybyl-Bybs, pan edrychon nhw draw, ac aeth allan ar ôl Tintin.

≈ 38 ≈

YR UNIG BETH allai Gronwy Ty'n Twll wneud oedd dangos fod y padloc ar dap y tanc diesel wedi'i falu, ac esbonio fod ei focs tŵls a'i jênso wedi mynd. Doedd Gron ddim yno pan ddaeth y lladron, felly welodd o mo'r ymosodiad ar Jac a Tomi. Doedd o'm yn dallt pam fod y plismon yn dal i fod yn ei dŷ fo, yn gofyn cwestiyna, am saith o'r gloch y nos. Wast o amsar oedd o, a dim arall.

"Yli, PC Poundof..."

"Pennylove."

"Pennylove... Be ddiawl dach chi isio gwbod yr holl betha 'ma?"

"Wel, mae'n rhaid i ni conffyrmio pob *minor details*, Mr Roberts..."

"Ond dwi wedi deud wrtha chdi drosodd a throsodd – ddois i 'nôl o'r dentist, ac oedd Jac a Tomi wedi'i chael hi, a 'mhetha fi wedi mynd. Be uffarn arall dach chi isio'i glywad?"

"Mae'n rhaid i fi gael y *facts*, Mr Roberts, mor ofalus â phosib, i gneud yn siŵr fod dim *mistake*, a fod storis pawb yn gwneud *sense*…"

"Gwranda, washi. Dwi'n gwbod be 'di dy gêm di. Isio gneud yn siŵr 'mod i ddim yn deud clwydda wyt ti. Bo' fi ddim yn stretshio petha er mwyn cael mwy o bres insiwrans. Wel, gwranda, yr unig beth sy'n bwysig i fi ydi bod Jac a Tomi'n gwella. Ma gena i ddiesel wedi mynd, a tŵls a ballu, ond mi ga i'r petha yna 'nôl – 'di'm yn ddiwadd byd. Ond stori arall ydi be ddigwyddodd i'r hogia…"

"Mae rhwng chi a'r *insurance broker* be fydd yn digwydd efo'r *claim*, Mr Roberts. *Not my business*. Ond fyswn i'n licio cael gwybod mwy am be oedd Mr Williams a Mr Davies yn gwneud ar ben y to…"

"Fel ddudas i – peintio. Be uffarn sy gan hynny i neud efo dim byd?"

"*Health and Safety*?"

"Be?"

"*Insurance*, Mr Roberts. Gen chi *Employers Liability*, dwi'n cymeryd?"

"Popeth abýf bôrd, PC, popeth abýf bôrd…"

"Da iawn, Mr Roberts… Oes posib i fi gweld y *documents?*"

"Be ffwc s'gin Helth and Seffti i neud efo fo, beth bynnag? Ar ffwcin lawr oeddan nw pan gafon nw'u waldio, dim ar ben to!"

"*Loose ends*…"

"Dal y ffycin lladron 'di dy job di…"

"A dyna dwi'n drio gwneud, Mr Roberts…"

"Wel, be ffwc ti'n da yn fan hyn 'ta?"

"Holi…"

"Fan fawr wen, medda Jac. Fan fawr wen a Sgowsars. Syml! Ac allan yn fancw'n rwla ma nhw, ddim yn ffwcin fa'ma!" Roedd Gron yn cyrraedd pen ei dennyn.

"Does dim rhaid i chi rhegi, Mr Roberts…"

"Nagoes, ond well gena i ffwcin neud!"

Roedd Pennylove ar fin rhybuddio Gronwy, pan gyfarthodd y cŵn tu allan, a daeth sŵn car yn troi mewn i'r buarth.

"Gethin, y mab, 'di hwn," medda Gron. "Mae o'n dallt petha'n well. Gei di siarad efo fo…"

"Ond chi ydw i angen siarad efo, Mr Roberts…"

"Dwi wedi deud be sgena i i ddeud, a sgena i'm awydd ei ddeud o eto." Cododd Gron i fynd at y drws. Agorodd o fel oedd oedd Gethin yn cyrraedd y rhiniog. "Ty'd mewn."

"'Di'r cops yn *dal* yma?!" Trodd Gethin at Pennylove. "Iawn?"

"Sut mae?"

"Sgena chi'm gwaith i neud, 'ta?" gofynnodd Gethin, wrth fynd i sefyll wrth y Rayburn. "'Ta'r Hen Ddyn sy'n dy gadw di 'ma, efo'i storis?"

Gwenodd Pennylove. Y diffyg storis oedd y broblam. "Dwi jysd isio cael y *full picture*, cyn mynd o'ma."

"O?"

"Holi am Helth and Sêffti mae o…"

"Helth and Sêffti? Gad i fi geshio… Dach chi 'di dal y lladron, a ma nw isio siwio dad am fod un o'nyn nw 'di torri'i fys i ffwrdd efo'r *bolt cutters*, wrth dorri padloc y tap diesel?"

Ysgwydodd Pennylove ei ben, a dechra deud rwbath, ond torrodd Gronwy ar ei draws. "Holi os oedd gena i siwrans *Empire Layabout*, oedd o."

Sbiodd Gethin yn syn ar ei dad, wedyn ar y copar. Gwenodd hwnnw'n nawddoglyd, cyn cyfieithu. "*Employer's Liability Cover.*"

"A be ffwc s'gan hynny i neud efo'r peth?"

"Wel…"

"*Be* wyt ti'n infestigêtio, eto?"

"Be ti'n feddw…?"

"Be wyt ti'n neud yn fan hyn? Holi am be 'lly? Y drosedd, ta rwbath arall?"

"Wel, y drosedd…"

"Felly, pam wyt ti'n holi am insiwrans yr Hen Ddyn, a ballu?"

"*Background checks*…"

"Bolycs!"

"Mr Roberts…"

"PC…?"

"Pennylove…"

"PC Pennylove – o be dwi'n ddallt, ti yma ers pan ffonis i gynt. Bron i ddwy awr. Wyt ti wedi cael y wybodaeth oeddat ti isio – o ran y drosedd – 'ta be?"

Wnaeth Pennylove ddim atab. Ers ei fethiant llwyr i gael ei ystyried fel aelod llawn o'r CID, yn dilyn y ffiasgo i fyny yng Nghwm Derwyddon, flwyddyn i fis Medi dwytha, roedd o wedi caledu ei agwedd tuag at drigolion yr ardal. Os oedd o'n cael unrhyw sniff o ddrwgweithredu yn eu mysg – fel dau foi'n gweithio ar y dôl, ar ffarm – roedd o'n mynd i wneud yn siŵr nad oeddan nhw'n cael getawê efo hi.

Wrth wraidd ei obsesiwn newydd efo *zero tolerance*, oedd dyrchafiad PC Elton Jones, ei gas fod dynol – heblaw am y twat fu'n ffwcio'i wraig tu ôl i'w gefn – i fod yn sarjant.

Elton Jones! Y *frill* o Rhyl. Y pric bach ifanc, efo llais gwichlyd a mwstash bach main, oedd yn fab i un o ben bandits Awdurdod Heddlu'r Gogledd. Ffwcsyn bach di-dalent a di-glem, oedd yn drewi o afftyrshêf a *gel* gwallt, aeth i wylio Take That yn Manceinion, rhyw fis yn ôl, a dod 'nôl a mynnu'u bod nhw gystal cyfansoddwyr â'r ffycin Beatles!

Elton Jones – boi oedd yn llawnach o gachu na colostomi bag. Idiot llwyr, a wrthododd ateb galwad brys i Nasareth, Caernarfon, am ei fod o'n meddwl ei fod o'n dric Ffŵl Ebrill – a hynny yn mis Mai!

Elton Jones, y twatsyn bach *thick* ac *annoying* fu'n bardnar i Pennylove ar achos Cwm Derwyddon, a llwyddo i ffwcio'r holl sioe i fyny – a'i jansys o ymuno â'r CID – cyn baglu ar draws corff mewn ffrîsar tafarn, a cael ffycin dyrchafiad!

Os oedd wâst-o-ocsijen fel Elton Jones yn cael ei wneud yn sarjant ar draul hen law fel Pennylove, yna roedd hi'n amlwg nad *common sense policing* oedd y ffordd orau i gael gyrfa lwyddiannus efo heddlu'r gogledd.

If you can't beat them, join them. Dyna oedd hi o hyn ymlaen.

No more Mr Nice Guy! Doedd Pennylove ddim yn mynd i adael i syniadau hen ffasiwn fel *community relations* a chwarae teg ddod rhyngtho fo a'i daith i fyny'r ystol... Elton Jones, Elton Jones, Elton Jones... O, roedd o'n casáu Elton Jones...

"PC! Cwnstabyl! Be 'di enw fo, Dad?"

"Penniless."

"PC Penniless! Helô...!"

Daeth Pennylove 'yn ôl' i'r ystafell. "Ia?"

"Ti'n dal efo ni?" gofynnodd Gethin. "O' chdi'n bell yn rwla'n fa'na..."

"Yndw, siŵr... jysd meddwl..." Edrychodd Pennylove at le oedd llygid Gethin a'i dad yn crwydro, bob hyn a hyn – ei feiro, yn ei law. Roedd hi wedi torri'n ei hannar.

"Wyt ti wedi ca'l yr atebion wyt ti angan efo'r *achos* 'ma?"

"Ymm..."

"'Dwi wedi deud pob dim dwi'n wbod, hyd syrffad," medda'r hen ffarmwr eto.

"Dyna fo, felly," medda'r mab. "'Dwi'm isio swnio'n anniolchgar am dy help di, ond mi fyswn i'n deud dy fod di angan mynd o'ma rŵan, i drio dal pwy bynnag sy'n gyfrifol am hannar lladd y ddau hen foi? Cyn iddyn nhw frifo rhywun arall?"

Craclodd radio'r heddwas cyn iddo allu atab, a daeth llais drosti, yn ei hysbysu fod "*disturbance at the Quarryman's Arms, Drefiniog...*"

"Rhaid i fi fynd, rŵan, beth bynnag. Helynt yn yr Het..." medda Pennylove, wrth godi i hel 'i betha, cyn troi at ei radio. "*I'm two miles away...*"

"*Roger that... no rush. Disturbance is over, but you'd better get up there to show your face...*" medda'r llais.

"Gwaith yn galw?" medda Gethin yn sarcastig.

"*It's always calling, Mr Roberts,*" medda'r plismon yn ei ôl.

≈ 39 ≈

HEL EI FOL oedd Drwgi. Eiliadau cyn i'r helynt ddechrau yn yr Het, roedd o wedi rhoi mewn i'r mynshis, ac wedi piciad i fyny i'r Tsieinîs.

Roedd y rysh fawr, gorffan-gwaith-nos-Wenar wedi tawelu, a bellach dim ond un neu ddau o fois oedd wedi gaddo noson o têcawê a DVD i'w gwragadd, oedd ar ôl yn y lle, yn aros am eu bwyd. Sais oedd un – boi stoci, golwg gneud wêts arna fo, yn ei dridega cynnar, efo pen wedi'i siafio'n lân, ac îring fawr, arian yn ei glust. Doedd Drwgi heb ei weld o'r blaen.

Robin Diribin oedd y llall, un o hogia chwaral, rai blynyddoedd yn hŷn na Drwgi – tua canol ei bedwardega. Ar ôl archebu'i *egg fried rice*, eisteddodd Drwgi wrth ei ochor o.

"Ti'm allan heno, Robin?"

"Na. Noson o flaen teli heno. DVD. Cadw'r musus yn hapus, i fi ga'l mynd allan nos fory, 'de boi!"

Roedd Drwgi ar fin gofyn pa ffilm oeddan nhw am wylio, pan ddaeth Ai â bwyd Robin iddo fo, a'i bloncio ar ben y cowntar tal, mewn bag. Cododd mor sydyn â Jac-yn-y-Bocs. "Dwi'n mynd, Drwgi – dwi'n ffycin llwgu, boi!"

"Iawn, Robin. Cy'm bwyll."

Diflannodd Robin i'r stryd, ac roedd Drwgi'n styc efo gwylio'r Coy Carps yn nofio rownd y tanc, tu ôl y cowntar. Ac mi oedd rheiny'n ei wneud o deimlo hyd yn oed yn fwy chwil nag oedd o. Roedd o wedi yfad ar stumog wag – ffêtal...

Synhwyrodd fod y Sais yn edrych i fyny ac i lawr arno fo, yn ei ymyl. Trodd i'w wynebu. "Iawn mêt!"

"*Alrite mate. Just lookin' at yer wellies, there. J'ya work in the quarries?*"

"*No, mate. I work... well, I was working on the* Bwlch. *The roadworks?*"

"*Sorry, I'm not from round here...*"

"*Roadworks, up on the mountain, outside town.*"

Edrychodd y boi yn wag.

"*Just up the road... Anyway, I got sacked today. Where you from, then? Liverpool?*"

"*Nah. I'm down 'ere at me mate's. He's bought a house a few miles from 'ere, like... Been helpin' 'im with the graftin', like... Tell yer what, mate. You don't know where we can get hold of a few slate slabs, do yer?*"

"*What do you need 'em for?*"

Edrychodd y dyn yn anghyfforddus, am eiliad, a synhwyrodd Drwgi'i fod o'n anhapus i atab cwestiynau.

"*What I mean is, what you gonna use them for? A floor, a patio, or fireplace, or whatever...?*"

"*Oh, right. Floor, mate.*"

"*So you need good, straight-edged stuff?*"

"*Well, yeah, if it's possible... As long as they're not too bad, anyway. They're expensive aren't they, proper tidy ones?*"

"*And rare, yeh. But I might be able to help you, yeh.*"

"*Really?*"

"*My mates have got a thing going, up on the roadworks. They're taking loads of old* crawia *down, on the job...*"

"*Takin' what down?*"

"*Crawia. You don't know what they are?*"

"*Slabs?*"

"*Not quite... well, yeh, slabs... I suppose...*"

"*But they'd do for a floor, like?*"

"*Iesu, yes, mun! They're about an inch and a half thick.*"

"*Are they big things? Area, like?*"

"*Yeh. Big fuckers.*" Defnyddiodd Drwgi'i freichia i drio cyfleu eu maint i'r Sais.

"*And you can get some?*"

"*How many do you want?*"

"*Twenty, twenty five... thirty...*"

"*No problem...*"

"*From the roadworks?*"

"*Yes, but nothing illegal...*"

"*I wouldn't dream of it.. didn't mean to suggest anythin... So, they're second hand slabs…?"*

"Crawia."

"Which are slabs?"

"That's it."

"Where…?"

"They'll deliver."

"From the roadworks?"

"Yeh. But at night."

"At night?"

"Yep."

"And it's 'nothing illegal'?!"

"It's not, honest..!"

Roedd Drwgi'n difaru deud mai yn y nos fyddan nhw'n cael eu danfon. Roedd 'na sêl dda i'r hogia'n fan hyn. Tri deg o grawia mawr, taclus. Gwerth bron i ddwy fil o bunnau gan rywun oedd wedi gallu fforddio prynu tŷ yn y wlad, rownd ffor 'ma. Fysa hynny'n gneud ffwc o Ddolig da i unrhyw un. Doedd o'm isio colli'r sêl rŵan. Roedd o'n teimlo y dylai egluro chydig mwy.

"It's just that they're kept up by the compound, and the lads can't get them from there during work hours."

"So they're not their *slabs?"*

"Yes, they are… Look, they're sub-contracting on the site – they buy them from the contractors, and take 'em out…"

"So why can't they…"

"No transport during the day… They borrow my mate's pickup…"

"Sounds dodgy to me, mate…"

"No, no, it's not fucking dodgy at all…"

"Sorry, mate, not interested. Up a site compound, at night? Come on!"

"They're not in the compound. They're in 'our' compound. In the woods behind the site compound. On the old backroad up the pass. It's kosher, honest! I'll phone the lads now…"

"It's alright, mate," medda'r boi.

"You won't get 'em cheaper anywhere else, mate."

"*I can believe that, if it's a 'night rate'!*"

Agorodd drws y Tsieinîs, a daeth storm o baldaruo i mewn, ar ffurf Cled, Bic, Tintin a Sban. Roeddan nhw'n digwydd bod yn pasio'r ffenast, ac wedi sbotio Drwgi'n ista 'no.

"Drwgi Ragarug! Hel dy fol eto!" medda Cled. "Ty'd, 'dan ni'n mynd i'r Lòrd!"

"OK, witsia'm bach, i mi ga'l 'y mwyd! Ffyc's sêcs! Fydd o'm yn hir."

"Mmm, dwi'n meddwl gym'a inna rwbath i fyta 'fyd," medda Tintin, wrth i'r hogla braf lenwi'i ffroena.

"Ffwcinél, Tint! Sut ffwc edri di fyta ar ôl yr holl gemicals ti 'di lyncu?"

"Dwi'm 'fath â chdi, Bic. Rhaid i fi ga'l bwyd pan dwi'n yfad. Fyta i rwbath, unrhyw bryd..." Trodd at Ai, oedd newydd ymddangos, fel ysbryd, tu ôl y cowntar. "Tsips a cyrri sôs, plîs, cariad."

"Rwbath arall?"

"Na."

"Tair punt plîs."

Rhoddodd Tintin bapur pumpunt yn ei llaw, a gwylio tin siapus y ferch ifanc, dros y cowntar uchel, wrth iddi nôl newid o'r til. Roedd 'na rwbath am ferchaid Oriental oedd yn cynhyrfu Tintin. Teimlodd ei geffyl yn cicio drws y stabal.

"Be di'r gwahaniaeth rhwng crawia a slabs, Cled?" gofynnodd Drwgi, ar draws pob peth.

"Ma slabs yn ffitio'n berffaith, ond mae crawia'n gneud y job," atebodd Cled.

"Ma slabs yn mynd yn fflat, a crawia ar eu cyllyll," ychwanegodd Bic. "Ffensys a walia 'di crawia. Lloria a patios 'di slabs."

"Naci, crawia 'di slabs lloria 'fyd. *Flagstones* ma nw'n galw nw, 'de?" medda Sbanish, wrth bloncio'i hun i lawr ar y fainc, a dechra ffidlan yn ei bocad am ei faco a'i rislas.

"Ia, ond *crazy paving* ma nw'n iwsio i batio fel arfar, ynde?" nododd Cled.

"Wâst doman ydi crêsi pêfing siŵr dduw!" medda Tintin, wrth

ddod i ista'n ochor Sban. "Penna llifia wedi'u hollti'n dena', tua modfadd o dew, 'dyn nhw…"

"Ia, ond *mae* bobol yn iwsio crawia i neud patio, 'yn dydi?"

"Yndyn, ond be ydi crawia? Slabs, ond bo nhw ddim cweit yn ddigon taclus i neud llawr, am fod 'u corneli nw ddim yn sgwâr. Ma nhw'n hollol wahanol i crêsi pêfing."

"Ia, ond crawia ma nw'n galw slabs taclus 'fyd, Tint," medda Cled. "'Llawr crawia' ydi llawr llechi, yn tŷ, ynde? Ond os ti isio egluro be ydi 'crawia', jesd dangosa ffens grawia i rywun…"

"Ia, dyna o'n i'n feddwl," medda Drwgi, cyn troi at y Sais, wrth ei ochor. "*Yeah, mate, the slabs, yeh, you know, they go flat, yeh? And the crôs go on their knives.*"

Edrychodd y boi yn hurt ar Drwgi'n gneud karate tsiops ar ei liniau, efo'i law, wrth drio egluro be oedd o'n feddwl. Roedd o ar fin deud rwbath i'r perwyl nad oedd o'n dallt, pan ddaeth Ai drwodd o'r cefn, efo bag llawn o ddanteithion stemllyd, sawrus, a'i osod ar y cowntar efo cyhoeddiad sydyn. Cododd y boi, a'i nôl o, cyn ei throi hi am y drws, heb ddeud gair.

"Ffwcin tsiarming!" medda Drwgi. "Ffwcin *fo* oedd isio gwbod! Twat!'"

"Pwy ffwc oedd o?" gofynnodd Sbanish.

"'Dwi'm 'bo. Rhyw Sais yn chwilio am slabs."

"'Sa fo 'di dod i'r Het bum munud yn ôl, 'sa fo 'di ca'l slab yn syth!" medda Tintin, wrth ista'n ochor Drwgi, i gael gwylio gwynab secsi Ai yn darllan ei magasîn tu ôl y cowntar. Chwerthodd Cled, Bic a Sban, mewn ffordd wnaeth i radar Drwgi blîpio.

"Pam? Be ddigwyddodd, 'lly?"

= 40 =

HEBLAW AM EUNICE Vaughan a Cleif y Barman Orenj Cyflymaf Yn Y Gorllewin, a chriw o yfwyr drwodd yn y lownj-nad-oedd-yn-lownj, doedd 'na neb ond Sarjant Elton Jones a WPC Gwenfair Davies yn agos i'r Het erbyn i Pennylove gyrraedd.

"*Waste of bloody time, Wynnie,*" medda Sarjant Elton Jones, wrth ddod i gwrdd â fo yn y drws. *"They've all gone."*

"Any names?"

"None," atebodd y Sarjant, a rowlio'i lygid. *"Full scale bar brawl, and no witnesses..."*

"Full scale?"

"Judging by the amount of glass they've just piled in the bin, I'd say it was."

"So who called 999?"

"Anonymous. Some 'passer-by', apparently!"

"I see. Well... it seems to be under control, anyway."

"Looks that way. Myself and WPC Davies got the last two mouthers out of the way."

"'Mouthers'? You sure they weren't the protagonists?" Roedd yn gas gan Pennylove y ffordd oedd PC Elton Jones yn chwara fyny ei rôl ym mhob digwyddiad, bob cyfla gâi o. Roedd y ffaith ei fod wedi cael ei ddyrchafu'n sarjant drwy wneud hynny, yn ei gorddi'n waeth.

"As sure as I can be without independent witnesses. But I was on the scene almost immediately after the fight." Roedd Elton Jones wedi hen arfar efo Pennylove yn trio difrïo ei waith plismona, bellach. Roeddan nhw'n arfer bod yn bartneriaid, ac mi oedd Pennylove wedi'i wneud o'n glir, bryd hynny, nad oedd o'n licio Elton rhyw lawer. Roedd ei genfigen o botensial ei bartner yn amlwg, a'i ddicter at ei ddyrchafiad yn un o *running jokes* y Ffôrs yn Meirionnydd. *"Who sent you, anyway? We never called for back-up."*

"I know. I was just sent here as a precaution, I suppose. I was down at the Roberts farm, where the serious aggravated burglary took place yesterday." Pwysleisiodd Pennylove y gair *'serious'*.

"Well, thanks for coming," medda Elton, a rhoi tap ar ei ysgwydd. *"Good work, Pennylove."*

Cerddodd Sarjant Jones draw at y car i ddefnyddio'r radio, a gadael Pennylove yn berwi. Pan gafodd ei synhwyrau yn ôl, aeth i mewn i'r dafarn.

"Sut mae?" medda fo wrth Cleif. "Popeth yn iawn?"

"Mae hi rŵan, 'de," atebodd y barman. "O'dd hi'n ffycin nyts yma cynt, 'de!"

"Pwy oedd nhw, 'te?"

"O'n i'm yn nabod nw. Petha diarth i mi. Gweithio ar y Bwlch, ma'n siŵr."

Doedd hi'm yn cymryd Einstein i weithio allan fod hynny'n o leia hannar celwydd. Ysgwydodd Pennylove ei ben. Roedd y lle 'ma'n gwenwyno'i enaid. Pam fod pobol yn mynnu bod fel hyn? Tasa'r dafarn yn cael ei robio, fysa nhw'n sgrechian isio i'r heddlu'u hachub nhw, ac yn taflu pob sgrap o wybodaeth at y cops, fel goroeswyr llongddrylliad yn taflu dŵr o gwch achub efo twll yn ei gwaelod. Ac os fysa'r heddlu rhyw chydig funudau'n hwyr yn cyrraedd, "lle fuoch chi?" fydda hi wedyn, wrth gwrs. Ond pan oedd hi'n dod i enwi pwy oedd yr hŵligans a chwalodd y pyb mewn ffeit, dim byd. Shtwm. *Zip*. Ffyc ôl. *Collective fucking memory loss*.

Edrychodd Pennylove draw i'r 'lownj.' Roedd 'na gymysgfa ryfedd o bobol yno – pobol o oed a diddordebau gwahanol iawn, iawn, yn ôl eu golwg nhw. Pobol ifanc, pobl hŷn, criw ganja a criw cwrw, criw miwsig a criw sgwrs. Pobol na fyddai'n meddwl rhannu'r un stafall yfad â'i gilydd, tra oedd 'na stafall arall – hollol wag – ar gael, fel arfar...

"Unrhyw *threats to licensee or bar staff*?"

"Na. Dwi 'di deud pob dim, unwaith, wrth y sarjant 'na – hwnna sydd *in charge*. Dydi'r *licensee* ddim yma ar y funud. Eunice a fi ydi'r bar staff. 'Nath 'na neb fygwth ni, o gwbwl, yn naddo, Eunice?"

Ysgwydodd y farmed ei phen, cyn anadlu drwy'r tiwb oedd yn sdicio allan o'i pheipan wynt, hannar ffordd lawr ei gwddw, a rhoi ei bys yn ôl arno fo, i siarad. "Naddo. Duw, jesd criw o hogia ifanc oedd o. Chwara'n troi'n chwerw, math o beth. Ma'n digwydd, dydi! Niwsans, ond dyna fo, be 'nei di'n 'de?"

"So, wnaeth neb ffonio'r *police* o fan hyn?"

"Naddo. Deffinet," medda Cleif, gan ysgwyd ei ben yn frwdfrydig.

Cerddodd Pennylove am y drws drwodd i'r toilet, yn y cefn, er mwyn mynd drwodd i'r 'lownj', a bu bron iddo lithro ar ei din ar leino'r bar. Roedd y llawr newydd gael mopiad dda. Wrth basio drws y toiledau, digwyddodd edrych i mewn trwy ddrws y bogs dynion, a sylwodd fod 'na waed dros y walia. Doedd y mopiwr heb gael cyfla i gyrraedd fa'ny eto.

Drwodd yn y lownj, gwelodd pwy oedd am holi, yn syth. I ddeud y gwir, byddai wedi mynd draw i'w holi hyd yn oed pe na fyddai ganddo friw ffresh ar asgwrn ei drwyn.

"Maldwyn 'Hong Kong Fuey' McAndrew! Wedi cael *karate chop* gan rhywun heno?"

"Eh?!"

"Be gwnes ti i drwyn ti?"

"Disgyn."

"Sut 'nes di ddisgyn?"

"Slipio."

"Yn lle?"

"Yn y toilets."

"Fan hyn?"

"Naci, ffycin Mecsico!"

Dechreuodd rhai o'r hogia eraill biffian chwerthin.

"Paid bod yn *fucking hero*, Maldwyn, reit! Dwi ddim yn y mŵd, OK?"

Anwybyddodd Hong Kong Fuey fo.

"Os ti ddim isio ateb fi, *we can continue this conversation in Dolgellau*. Ti'n deall?!"

"Hei! Cym on! 'Di hynna'm yn iawn!" medda llais dros ysgwydd Pennylove, wrth y bar. "*Harassment* 'di hynna!"

Trodd Pennylove i wynebu hannar dwsin o wyneba oedd yn edrych arno o ochor y bar. "Oes gan rywun arall rhywbeth i dweud?"

Atebodd neb, dim ond sbio ar yr heddwas, oedd yn amlwg yn cael noson ddrwg.

"Wel? Oes 'na rhywun sydd isio dweud rhywbeth *in my fucking face*?"

"OK, OK, cŵlia lawr, Coco," medda gwynab oedd Pennylove yn ei adnabod fel un o gyn-yfwyr y Trowt.

"Bibo Bach, ti isio noson yn y *cells* hefyd, oes?"

"'Dan ni 'di deud pob dim 'dan ni'n wbod wrth dy fòs di," medda gwynab arall – boi iau, tua'r un oed â Hong Kong Fuey – gan bwyntio at rywun oedd yn sefyll tu ôl i Pennylove. "Dyna fo'n fa'na. Gofyn iddo fo, dy hun!"

"*Pennylove? Everything alright? I've already seen these people...*"

"*But I* know *them, Elton!*"

"*Nevertheless...*"

"*You* believe *them?!*"

"*We're no use here, Wynnie... It's over.*"

"*It's never over in this place.*" Roedd 'na olwg wyllt ar Pennylove – ond gwylltineb oer, penderfynol a mileinig oedd o. Doedd Elton heb weld hyn yn ei gyn-bartnar o'r blaen.

"*Well it is tonight, Wynne!*"

Pasiodd cwpwl o eiliadau eto, heb i Pennylove ymatab i alwadau ei ringyll.

"*PC Pennylove! Let's go!... Now!*"

Wnaeth y gweiddi, chwerthin a wislo ddaeth o'r dafarn, wrth i'r ddau heddwas gerddad allan, ddim byd i helpu Pennylove reoli'i deimladau. Roedd yr embaras eithafol a deimlai yn chwalu ei ben. Teimlai'r cywilydd yn troi'n ddicter, a'r dicter yn corddi fwy efo pob cam a gymerai. Gwelai'r marc ar y llawr o'i flaen – y marc ar y pafin, lle'r oedd o'n credu na allai gyrraedd heb ollwng y stêm oedd yn berwi tu mewn iddo – yn nesáu. Cyrhaeddodd y marc ar yr union adeg y gofynnodd Elton iddo os oedd popeth yn iawn.

"*No, Elton, everything's not all fucking right! How can everything be right? I'm surrounded by fucking morons who can't be fucking bothered to fucking... aaaaargh! Fuck it! Fuck the lot of 'em! The cunts! I've had a fucking belly-full! Ever since I've fucking been here, I've never had anything but fucking shit! Shit, shit, fucking shit! Shit off these cunts, shit off you, shit off the fucking bitch indoors... But these bastards! With their fucking snidey comments and non*"

co-operation! Twats! I've tried my best. Been fucking fair and fucking
civil – I've even learned their fucking, stupid fucking language! And
all I fucking get is fucking wise guys and wise cracks, and fucking
this and fucking that, all the fucking time! Is there anybody in
this fucking place that's not a fucking small-time, petty, squirmy,
low-life, thieving, maggoty, cop-hating, anti-christ fucking worm?!
AAAAARGH!"

Ddudodd Sarjant Jones a WPC Gwenfair Davies ddim byd, i
ddechrau. Roedd hi'n amlwg i'r ddau o'nyn nhw fod Pennylove
yn cael mwy na jesd fflip, achos roedd o wedi rhoi'i ddwylo dros
ei glustia, a phlygu i lawr yn ei gwrcwd ar ganol y pafin. Roedd
o'n ei cholli hi.

Gwawriodd ar Elton fod ei gyn-bartnar ar y bît yn cael rhyw
fath o nyrfys brêcdown. Gwyddai fod Pennylove wedi bod yn
gweithio'n galad yn ddiweddar, a hynny dan straen mawr hefyd.
Mi oedd ei fethiant i gael dyrchafiad i'r CID fel petai wedi torri
ei ysbryd, rhywsut. A doedd ei sefyllfa gartref ddim wedi helpu
o gwbwl, chwaith. O bawb i gael affêr efo, roedd rhaid i wraig
Pennylove ddechra ffwcio un o fois y CID! Sôn am roi halan ar y
briw. Sôn am gic yn y bôls!

"*Wynnie, let's go, lad,*" medda Elton, wrth gyffwrdd yn ei
ysgwydd yn ysgafn, mewn chydig eiliadau.

Edrychodd Pennylove i fyny at ei sarjant, a gwelodd hwnnw
fod ei lygid yn bell i ffwrdd, ar goll ac yn llawn poen, dryswch,
colled a… rhyw wallgofrwydd unig, oedd yn gwneud i Elton
deimlo'n anghyfforddus…

Aeth ias i lawr cefn y rhingyll ifanc.

= 41 =

ROEDD DRWGI'N MYND trwy'i betha yn nhŷ Sian a Cled.

Pan aeth yr hogia i'r Lòrd, pwy oedd yno, yn pwyso ar y bar,
ar ei ben ei hun, ond Gengis Cont. Ac mi oedd Gengis Cont wedi
deud y cwbwl wrth Drwgi, am be ddudodd Derek Shannon wrtho

fo a'r Dybyl-bybyls, yn gwaith y prynhawn hwnnw.

"Sid Finch, y basdad tew! *Typical* o'n ffycin lwc i, ynde! Dwi'n rhoi stic i'r ffwcsyn tew, a pwy o'dd yn ista efo fo, yn barod i ga'l bwyd, ond ffycin bòs i fòs 'y mòs i!"

"Ffycin dan din dwi'n 'i alw fo," medda Fflur. "Ma gin y lwmp gwirion yma wraig a plant i'w cadw, a ma'r ffycar yna'n gneud hynna efo fflic o'i ffycin fysidd!"

Roedd yr hogia'n cytuno cant y cant. Ond roedd cyfla euraid i dynnu coes Drwgi wedi glanio ar blât yr hogia, a doeddan nhw ddim am basio'r cyfle heibio oherwydd yr egwyddorion tu ôl y mater. Roedd Drwgi wedi cerddad i mewn i hon, go iawn – yn ei slipars Daleks, hefyd, yn ôl ripôrts y merchaid – felly doedd o ddim am gael getawê efo hi.

Cled oedd yn arwain y flaen fyddin. "Drwgi, ti'm jysd yn ffycin lemon, ti'n ffycin M&S lemon! Ti'n lwcus fod ti heb gael y sac i ni gyd, y cont tew!"

"Ti'm yn meddwl am hynna ar y pryd, nag wyt? Cerddad i mewn i balas y gelyn, a ffendio'r brenin ei hun yn y bar... Ti'n mynd i gymryd dy jans, yn dwyt?"

"Pam ffwc nas di'm 'i ffycin ladd o, 'ta, Drwgi?" gofynnodd Sbanish. "Yn lle'i ffycin weindio fo i fyny?"

"Ia, Drwgi, pam 'sa ti jesd wedi'i ecstyrminetio fo efo dy slipars?" medda Ding Bob Dim, oedd wedi dod i ymuno efo nhw, o'r tŷ pen, pan ogleuodd o fod 'na barti ar y gweill.

"Achos o'dd 'na witnesys, Ding. Sumpyl!"

"Wel, lladd rheiny hefyd, 'de?!"

"'Swn i'm yn wastio'n enyrji ar Rhagfyr Sbygodyn... Er, fysa fo'n braf..."

"Be?!" medda Cled, yn ffugio owtrej. "Fysa ti'n *lladd* Rhagfyr Sbygodyn?"

"Fyswn tad! Pam 'im?"

"Ma Rhagfyr Sbygodyn yn foi iawn...!"

"Na'di ffycin 'im! Cont 'di o!"

"Boi diniwad..."

"Yndi ffwc!"

"Boi Cymraeg…" ychwanegodd Bic.

"Cont 'di o!"

"Efo teulu bach, run fath â chditha…" medda Sban.

"*So*! Cont 'di o!"

"Jysd yn gneud 'i waith, tu ôl bar, yn meindio'i fusnas…" medd Cledwyn.

"Ffwc o bwys gena i!"

"Gweithio'n galad i ga'l presanta Dolig i'w blantos…"

"Ffyc it! Bwlat. *Bang!*"

"Ond Sid Finch 'di'r brenin o'dda chdi isio'i ladd."

"*Collateral damage*, Bic! Ma'r nionod yn marw efo'u mistar!"

"Nionod, Drwgi?" gofynnodd Cled.

"Ia." Gwnaeth Drwgi lais y Daleks. "*'Onions die with their masters'*… naci, dim *'onions'* dwi'n feddwl. *Minions…*!"

Roedd hi bellach yn un ar ddeg o'r gloch y nos, a mi oedd yr hogia wedi cael tacsi o Dre rhyw ddwyawr ynghynt. Doedd amsar te ar ddydd Gwenar ddim yr amsar gora i ddechra trwbwl yn Dre. Os nad oeddat ti wedi rhoi'r boi arall yn 'sbyty, roedd o'n mynd i fod allan yn yfad am weddill y noson, yn tancio'i hun yn llawn o *dutch courage*, ac erbyn diwadd nos, fydda fo wedi dy ffendio di – a mwya tebyg wedi dy gael di ar ochor dy ben efo slab slei, heb i ti sylwi, tra ti'n bownsio oddi ar y walia, yn hongian. O leia, os oedd hi'n ddiwadd nos, a titha'n byw tu allan Dre, roedd 'na siawns i ti gael ymlacio tan bora wedyn, pan fyddi di'n sobor, cyn i'r boi ddod rownd i dy dŷ di, isio sbin arall.

Dim fod Cled yn disgwyl hynny gan Al Babs. Dim ond yn ei gwrw oedd hwnnw'n cwffio. Doedd o'm digon o ddyn i ddod i chwilio am neb yn sobor.

Doedd Sian ddim yn hapus o glywad am yr helynt yn yr Het. Roedd Cled wedi'i ffonio hi pan oedd o ar ei ffordd o'r Tsieinîs, ac wedi gofyn iddi oedd hi wedi gweld Glenda yn ystod y dydd. Atebodd hitha ei bod wedi ei gweld hi, ond nad oedd Glenda'n gwybod fod Tintin allan. "Wel, mi fydd hi rŵan," oedd atab Cled, cyn mynd ymlaen i egluro'r sîn efo'r brawd bach, yn yr Het, a'r ffrî-ffor-ôl a ddilynodd.

Gymrodd hi bum munud arall i Cled ei chŵlio hi i lawr, a'i darbwyllo hi fod popeth drosodd, a nad oedd y cops wedi dod yn agos at y lle, cyn i'r sgwrs droi at y gwelliant cymharol yng nghyflwr Tomi Shytyl.

"Ma'r gwair 'ma'n neis, Cledwyn Bagîtha!" cyhoeddodd Tintin, yn fodlon, wrth chwythu llond pen o fwg allan o'i geg. "Ti 'di ca'l hwyl arno fo."

"Yndi, ma'n neis," medda Cled. "A ti newydd atgoffa fi…" Cododd, a mynd â'i gadair at un o'r cypyrddau uchal, cyn sefyll ar ei phen, ac estyn tun powdwr llaeth babi SMA i lawr o ben y cwpwrdd. Daeth yn ôl, â'i gadair at y bwrdd eto, ac agor y tun. Tynnodd fag papur gwyn allan ohono, a'i daflu at Tintin. "Ynda! Nadolig Llawen, gyfaill!"

Roedd 'na owns o scync yn y bag, a dechreuodd Tintin sginio jointan arall i fyny, yn syth.

"O'dd o'n ffyni, 'de," medda Sian, a troi at Drwgi eto. "Drias di fynd allan drwy'r drws ddwywaith – *grand exit* – ond aru chdi dynnu'n lle pwsio… ne pwsio'n lle tynnu, dwi'm yn cofio'n iawn… Ond oedd o'n hilêriys…"

"Dim cweit yn hilêriys ar y pryd, chwaith," medda Jeni Fach. "O'n i'n meddwl bo' ti am atacio Finch ar un adag!"

"'Sa waeth i mi fod wedi!" medda Drwgi. "'Sa'm 'di gallu troi allan llawar gwaeth!"

"Wel," medda Cledwyn, yn feddylgar. "Fydd rhaid i ni sortio'r cont allan am hyn. Oedd 'na alarms yn y lle 'na, Drwgi?"

"Yn lle?"

"Hotel Finch."

"Ma'n siŵr… 'nes i'm sylwi, ond gor'o bod, does? Ma'r ffycin carpad yn werth mwy na'r tai 'ma."

"Mwya tebyg," medda Sban. "Fo a'i *Wizard's Grove*! Be oedd yn rong efo Coed Myrddin?"

"Ffyc ôl siŵr," medda Cled. "Ma 'na ddigon o draffath efo Seuson yn prynu llefydd, a ca'l gwarad o'r enw Cymraeg, heb fod y Cymry eu hunan yn 'u newid nhw! Enw da, hanesyddol wedi mynd ar ddifancoll!"

"Ar be?" gofynnodd Bic.

"Ar ddifancoll, Bic," ailadroddodd Cledwyn, yn difalsu ar wamalu ei ffrind.

"Be ffwc ma hwnna'n feddwl?" Doedd Ding Bob Dim heb glywad y gair o'r blaen chwaith.

"Wedi ca'l 'i anghofio," eglurodd Cled.

"Wel ma 'mhen i ar ddifancoll rŵan, eniwê," medda Bic, mewn ymgais dila i gracio jôc.

"A job Drwgi 'fyd!" medda Tintin, oedd yn cael traffarth i aros ar ei gadair, ar gornal y bwrdd, wrth roi rislas at ei gilydd. "Ma honno 'ar ddifancoll' bellach 'fyd."

"Ti'n iawn yn fa'na, Tint!" medda Drwgi, yn falch o'r cydymdeimlad.

"Oedd hi ar ddifancoll pan oedd o yna, eniwê!" medda Bic. "Doedd y wal ddim yn mynd i fyny o gwbwl!"

"Hei, y cont digwilydd!" protestiodd Drwgi ynghanol y môr o chwerthin. "Dim bai fi oedd fod y cerrig yn shit! A chdi oedd yn dod â nw i fi! 'Swn i'n taeru bo' chdi'n stitshio fi i fyny, i fod yn onest!"

"Fysa saer maen da'n gallu codi wal efo unrhyw rwbal, siŵr dduw!" heriodd Cled.

"Bolycs, màn! Rhaid i saer maen da gael cerrig call, siŵr! Sbia Castall Harlach. Ydi hwnna wedi'i neud o gerrig cont? *I don't ffycin think so*, mêt!"

"Ffyc, Drwgi – fysa ti'm yn gwbo be i neud efo cerrig da. 'Sa ti'm yn gallu codi wal 'r ardd efo cerrig sgwâr!"

"O-ho-ho! Ma hynna'n dangos be *ti'n* wbod, dydi, Bic?! Edri di'm codi wal gerrig efo cerrig sgwâr, siŵr!"

"Edri siŵr Dduw!"

"Na fedri siŵr!"

"Edri tad!"

"Gwranda – be 'di cerrig sgwâr? Ffycin brics 'de!"

"A be 'di dy boint di?"

"Wel, waeth i ti godi'r ffycin thing efo brics, ddim!"

"Fysa'n well iddyn nhw dynnu dy wal di i lawr, a'i chodi hi

efo brics, beth bynnag!"

"Www! Honna bilô ddy belt, doedd!"

"Sgin ti'm belt y cont!"

"Dwi'm angan un..."

"Ti angan sbectols beth bynnag. Ma'r wal 'na mor gam â coc mochyn!"

"'Di 'm y wal ora'n y byd, nacdi, ond..."

"'Na fo, 'ta!"

Roedd Drwgi ar y rhaffa. Roedd Bic wedi'i gael o, ond pan oedd o ar fin rhoi'r bŵt i mewn, penderfynodd fod trio siarad yn fwy o draffarth nag o werth, a daeth yr awydd mwya dirdynnol i glywad miwsig drosto, mwya sydyn.

A dyna pryd yr hitiodd y pils nhw. Rhyw betha oedd gan Bic wedi'u stashio oeddan nhw. Petha oedd yn cymryd eu hamsar i weithio, achos roedd pawb wedi llyncu un yr un dros hannar awr yn ôl, ac wedi anghofio amdanyn nhw. Ond pan giciodd y ffycars i mewn, roeddan nhw'n gwybod eu bod nhw wedi gwneud.

"Miwsig!" medda Jeni Fach, oedd yn amlwg ar yr un wêflength â'i gŵr.

Cododd Cled i fynd i atgyfodi'r sownds. Roeddan nhw wedi bod yn gwrando ar Gwibdaith Hen Frân yn gynharach yn y noson, ond roedd y CD wedi gorffan ers amsar, tra oeddan nhw'n tynnu ar Drwgi. Tynnodd Cled Leftfield v Lydon, *Open Up*, allan o'r rac ar y wal, a'i thaflu i mewn i ddrôr y peiriant. Gwasgodd '*skip*' ar y trac gynta, er mwyn chwarae'r ail – y *full vocal mix*, deg munud o hir. Caeodd ddrws y gegin i nadu'r sŵn rhag deffro Swyn Dryw a Branwen, oedd yn cysgu dan flancedi ar y soffa, a trodd y foliwm i fyny. Bywiogodd pawb i'r bît techno dub cadarn, a dechra symud.

Roedd Drwgi'n ryshio fel diawl, ac yn cael traffarth ei reoli fo. Roedd o'n chwythu a chwerthin bob yn ail, wrth drio cadw trefn ei anadlu. Rwbath tebyg oedd Tintin yn ei wneud, cyn penderfynu nad oedd dim byd amdani ond neidio ar ei draed a dechra dawnsio.

"IEEEEEESSSS!" gwaeddodd, mewn cwpwl o eiliadau, wrth

bwmpio'i freichia i'r awyr o'i gwmpas fel pregethwr gwallgo. "CYM ON!"

O fewn chwinciad, roedd ei frwdfrydedd wedi cydio pawb, ac roedd y genod i gyd wedi ymuno efo fo ar ganol y patsh. Ac o fewn chydig eiliadau eto, roedd yr hogia yno hefyd, yn neidio i fyny ac i lawr yn chwifio'u breichia, fel ynfytyniaid oedd newydd feddianu'r gwallgofdy.

"*OPEN UP!*" gwaeddodd Cledwyn, efo llais John Lydon.

"*OPEN UP!*" gwaeddodd pawb, efo Johnny, yr ail waith.

"*MAKE RRROOM FORRR MEEE!*" gwaeddodd Cled, yn dynwarad Lydon, wrth bwsio'i ffordd i ganol y genod. Roedd yr '*idiot dance*' wedi dechra.

Aeth Lydon i mewn i'r bennill gynta, ac ymunodd Cled, Sban a Tintin efo fo. "*YOU LIED, YOU FAKED, YOU CHEATED, YOU CHANGED THE STAKES, MAGNET TOSS THAT PIE IN THE SKY, UNREHEARSED LET THE BUBBLES BURST, ALL IN ALL, A THREE-RINGED CIRCUS, OF UNITY WITH PARODY, TRAGEDY OR COMEDY, PROBABLY PUBLICITY!*"

Trodd tŷ Cled a Sian yn rêf, ac fel pob rêf, denodd bobol o'r gwyll, fel gwyfynnod at olau lamp. Agorodd y drws cefn, a bownsiodd Elen Dabadosi a'i chariad, Kate Grêt, a Dilwyn Lldi a Dyl Thŷd eu ffordd i mewn i ganol y ddawns, efo bonllef.

"*OPEN UP! MAKE ROOM FOR ME!*"

Neidiodd pawb fel chwain gwallgo o gwmpas y gegin – y rhai oedd wedi cael pils yn freichia a choesa i gyd, a'r rhai oedd yn llawn o gwrw a dôp yn edrych fel coed yn ysgwyd mewn gêl ffors ten. Roedd hi'n fflio mynd.

"*LOOSE MYSELF INSIDE YOUR SCHEMES, GO FOR THE MONEY HONEY, NOT FOR THE SCREEN, BE A MOVIE STAR BLAH-BLAH-BLAH, GO THE WHOLE HOG, BE BIGGER THAN GOD!*"

Agorodd y drws eto, a daeth Seren, hogan hyna Bic a Jeni Fach, i mewn efo cwpwl o'i ffrindia, a breichia'r dair yn llawn o boteli WKD glas. Yn dynn ar eu sodla, yn sniffian o gwmpas ffrindia'u chwaer, daeth y ddau fab canol, Steff a Liam – y ddau'n ddwy ar bymthag ac un ar bymthag oed – a breichia'r hyna yn llawn o gania cwrw.

"*BURN HOLLYWOOD BURN! TAKING DOWN TINSELTOWN!
BURN HOLLYWOOD BURN! TAKING DOWN TINSELTOWN!*"

Prin oedd 'na le i symud yn y gegin, erbyn hynny. Doedd 'na'm
lle i ista, roedd hynny'n saff – a fydda hynny ddim yn beth call i'w
wneud, beth bynnag, achos fydda rhywun yn beryg o un ai cael
slap ar draws ei tsiops gan un o'r breichiau gwyllt, neu gael un
o berchnogion y breichiau'n disgyn ar ei ben. Fyddai o – neu hi
– yn bendant o fod wedi cael ei wlychu, beth bynnag, achos roedd
cwrw'n fflio hyd y lle'n bob man, o'r caniau a photeli yn nwylo'r
dawnswyr lloerig. Erbyn i'r gân orffan, a dechra mynd i mewn i'r
'Dervish Mix', roedd y llawr yn nofio o gwrw a llwch ffags.

Oedd, roedd hi'n ffycin fflio mynd.

"Fysa'n well 'swn i 'di torri mewn i'r fflat, wedi'r cwbwl!"
gwaeddodd Cled yng nghlust Sian, cyn hir.

"Eh?!"

"'Sa'n well 'swn i 'di torri mewn i'r fflat! 'Yn hen fflat i, 'lly!"

"Ffyc off, Cledwyn!" rhybuddiodd Sian. "Paid ti â meiddio!
Dallt!"

Winciodd Cled ar ei gariad. Roedd o wedi cael hyn yn
gynharach, pan ddaeth o nôl o Dre, efo'r hogia. Roedd hen fflat
Cled – lle'r oedd Tintin yn byw pan gafodd o'i fystio am Ramoth
– yn dal yn wag. Ac efo'r landlord yn byw yn Llandudno, neu
rwla ffwcin poshach na Graig, a dim byd ond clo Yale bach pocsi
ar y drws ffrynt, tenau, roedd Cled wedi cael y syniad hurt o roi
ysgwydd iddo, a meddiannu'r fflat am y noson. Matar bach fyddai
ffidlo'r mêns i gael letrig. Ond bu'n rhaid sgrapio'r cynllun pan
gaeodd y genod rancs rownd Sian, a rhoi ffrynt unedig yn erbyn
y syniad.

Gwenodd Cled pan welodd fod Sian yn dallt mai jocian oedd
o'r tro yma, a bownsiodd ei ffordd draw at y ffrij, i nôl potal arall o
Grolsch. Estynnodd un i Tintin, oedd yn dal i ddawnsio fel octopws
gwallgo ac wedi hitio rhan fwya o'r ffrij magnets, a'r postcard o
Maradona, oddi ar ddrws y ffrij i'r llawr, efo'i freichia.

"Oi-oooi Cled!" gwaeddodd, ar ôl agor ei botal. "Ffwcin bangar o noson, gyfaill! Bangar o ddwrnod 'fyd! Sŵpyrb!"

"Ffycin reit, Tint! Ma hi! A 'di'm 'di gorffan eto!"

"Ti'n iawn yn fa'na! Oi-oooi! Hei… lle ffwc ma'r Dybyl-Bybs
'ta?"

≈ 42≈

TU ALLAN I Clwb Rygbi, yn Dre, roedd y Dybyl-Bybyls yn cael
traffarth tanio'r pic-yp. Doedd 'na'm byd yn bod arni, ond roedd
Gwynedd yn methu cael hyd i'r twll, i roi y goriad i mewn.

"Ffycin hel! Oedd o yma ddoe!" rhegodd Gwynedd.

"Oedd o yna pnawn 'ma, pan barcias i hi'n fa'ma, 'fyd!"

"Wel, 'di o'm yma rŵan, 'de!"

"Wel, 'sa neb 'di'i ffycin ddwyn o, nagoes Wynff?!"

"Wel, ma 'di ffycin mynd, Wynff!"

"Ty' laen, 'nei, ffor ffyc's sêcs!" rhuodd Gwyndaf ar ôl munud
arall o wylio'i frawd yn ffidlan yn y twllwch.

"Duw, cau dy geg, y cont!"

"Ty'd â'r ffycin things i mi!"

"Na, ga i o ŵan – dal dy ffycin ddŵr…"

"Wynff – jysd ty'd â nhw yma. Ma'n well i fi ddreifio, sgena
i'm leisans i golli!"

"Nagoeth, yn union! Dyna pam na nôl yn jêl, ar dy ben, fyddi
di, oth gei di dy ddal."

"Ond os gei di dy ddal, fydd run o'nan ni efo leisans…"

Taniodd y fan. "Ga i mo'n ffycin nal," medda Gwynedd. "Ma'r
copth i gyd yn gwatsiad y pybth, rhag ofn i'r thîn 'na ddechra
fyny eto."

Doedd 'na ddim synnwyr o gwbl yn be oedd Gwynedd yn ei
ddeud am y cops. Ond roedd 'na sens yn be oedd o'n ddeud am
y cwffio. Roedd 'na fwy nag un hen grachan wedi ei chodi yn y
sgrap, ac amball i hen gwenc wedi dod yn ôl i'r wyneb, ymysg
hogia Dre. Ac fel yr olwyn dragwyddol, oedd byth yn peidio troi,
roedd 'na fwy o sgôrs i'w setlo *rŵan* nag oedd 'na *cyn* y sgarmas.
Roedd Dre'n lle peryg i yfad heno.

"Lle 'dan ni'n mynd?" gofynnodd Gwynedd, wrth roi'r pic-yp i gêr.

"I setlo sgôr," oedd atab ei frawd.

"A faint o' gloch 'di?"

"Rhy hwyr i newid 'yn meddylia."

= 43 =

FEDRAI PENNYLOVE DDIM egluro ei ymddygiad yn yr Het, na thu allan, yn gynharach yn y nóson. Roedd o wedi bod dan bwysau, oedd, ond roedd o wastad wedi gallu'i handlo fo. Efallai fod Elton yn iawn – byddai wythnos neu ddwy o orffwys yn beth da.

Roedd yn gas ganddo gyfadda, ond roedd Elton wedi bod yn dda efo fo, ers iddo adael yr Het. Roedd o wedi gneud yn siŵr ei fod o'n mynd yn ôl i'r Stesion, ac yn cael panad o de poeth, ac ista i lawr am rhyw awran. Roedd hynny wedi helpu, o ran ei gŵlio fo i lawr, ond doedd o ddim wedi gneud iddo stopio teimlo fel twat.

Daeth WPC Gwenfair Davies drwodd efo panad arall. "Teimlo'n well, Wynne?"

"Yndw, diolch, Gwen. Jysd yn teimlo'n *stupid*."

"Paid â poeni amdana fo. Ma'n digwydd i ni i gyd, 'sdi!"

"Ti'n deud celwydd rŵan, dwyt?"

Gwenodd y blismones. "Wel, 'sa fo'n *gallu* digwydd, 'ta. Rown ni o fel 'na, ia?"

Gwenodd Pennylove. Roedd Gwenfair Davies wastad wedi gneud iddo deimlo'n gynnas.

"Ond fysa fo *yn* syniad da i chdi gymryd brêc."

"Falla fod ti'n iawn. Lle mae Elton, *anyway*?"

"Allan rownd dre. Gwatsiad y pybs. Synnwn i ddim fydd 'na drwbwl heno."

"Mwya tebyg." Sipiodd Pennylove ei de.

"Ti'm yn cîn iawn arno fo, nag wyt?"

"Dim yn *keen* ar pwy?"

"Cym on! Ti'n gwbod pwy dwi'n feddwl. Sarjant Jones. Elton."

"Mae Elton yn..." Stopiodd Pennylove ei hun. Doedd deud celwydd wrth Gwenfair Davies ddim yn teimlo'n iawn, rhywsut. "Na... Y peth ydi, fuas i'n bartnar iddo fo, pan oeddan ni ar Traffic..."

Eisteddodd Gwenfair Davies yn y gadair wag, wrth ei ymyl. "Dim 'i fai o ydi o fod o wedi cael promôshiyn, 'sdi, Wynne."

"Ia, wel, y ffordd dwi'n gweld hi ydi, ei fod o wedi bod yn llyfu tinau ers y diwrnod cynta iddo fo fod ar y *beat*!"

"Ma'n gopar da hefyd, Wynne. Chwarae teg. 'Dan ni i gyd wedi bod yn ifanc ac ambishiys. Yndo?"

"A ti? Ti'n dal yn ifanc. Wyt *ti'n ambitious*?"

"I fod yn onest, yndw. Dwi isio mynd ymlaen yn y job..."

"Ond ti'n *good copper*..."

"Mae Elton hefyd, Wynne. Do, mi gafodd o help i fyny'r ystol oherwydd pwy 'di'i dad o. Ond *mae* o'n '*good copper*' hefyd, Wynne. Rhaid i ti roi hynny iddo fo."

Clywodd Pennylove ei hun yn wfftio. Roedd hi'n amlwg nad oedd WPC Gwenfair Davies wedi nabod Elton cyn hirad â fo. Roedd hi'n amlwg, hefyd, ei bod hi'n ei ffansïo fo – neu'n waeth fyth, *wedi'i* ffwcio fo. Elton a'i ffycin '*boy-band good looks*', ei *gel* gwallt a'i ffycin *aftershave* rhad, drewllyd. Sut allai hi, o bawb – WPC Gwenfair Parry, *gorgeous young sexy thing* y *Meirionnydd Sub-Division* – fod mor arwynebol â disgyn am dwat fel 'na? Un ai hynny neu ei bod hi jesd isio sugno'i goc o er mwyn cael dyrchafiad.

Teimlodd Pennylove y genfigen yn codi, a'r casineb at Elton yn ailgydio. Teimlodd ei hun yn ymbellhau oddi wrth WPC Gwenfair Davies, hefyd. Edrychodd arni. Yn lle'r wyneb ifanc, tlws a welai ddau funud yn ôl, gwelai wyneb slwtsan goman oedd yn licio cawodydd o sbync dros ei tsiops.

Synhwyrodd Gwenfair Davies y dirmyg. Symudodd ei llaw oddi ar goes Pennylove – a sylwodd hwnnw, am y tro cyntaf, ei bod wedi rhoi ei llaw yno.

"Eniwê," medda hi gan godi ar ei thraed eto. "Ordors gan Sarjant Jones. Ti fod i aros fan hyn tan ddiwadd shifft. Neu mynd adra. 'Di o'm isio chdi ar y stryd heno…"

"A lle ti'n mynd?"

"Yn ôl at y ddesg. Rhaid i rywun wneud rwbath yn y lle 'ma!"

Gwyliodd Pennylove ei thin siapus yn wiglo drwy'r drws. Swigiodd ei banad, wrth i eiriau olaf y blismonas atseinio trwy ei ben.

"Yndi wir, WPC. Mae'n rhaid i rywun *wneud* rhywbeth yn y lle 'ma."

꞊ 44 ꞊

PARCIODD Y DYBYL-BYBYLS eu pic-yp ar dop y stryd. Roedd hi'n dawal yn y rhan yma o Dre – teras bach o dai, mwy na'u hanhnar yn dai haf, mewn llecyn diarffordd ar droed y mynydd. Lle bach braf oedd Gelli, olygai fod y locals wedi'u prisio allan o'r lle, yn raddol, ers rhai blynyddoedd. Doedd 'na'm siop na thafarn, nac unrhyw arwydd arall o gymuned yn nunlla yno. Roedd hi'n hannar awr wedi un ar ddeg.

"Pa dŷ 'di o, Wynff?"

"Tŷ pen, ochor itha 'cw." Pwyntiodd Gwynedd at y tŷ efo'r fan fawr, wen wedi'i pharcio tu allan.

"Ti'n siŵr?"

"Ma'r fan yno'n dydi?"

"'Dio'm yn deud na hwnna ydi o, nacdi?"

"Nacdi. Ond hwnna ydi o."

Ers cael y wybodaeth gan Gengis Cont, roedd y Dybyl-Bybyls wedi dechrau cynllunio be oeddan nhw'n mynd i neud. Roedd angan rhoi stop ar y dwyn, ac roedd angan dysgu gwers i'r lladron. Doedd y cops ddim yn mynd i neud ffyc ôl, roedd hynny'n saff. Roeddan nhw'n rhy brysur yn dal bobol yn sbîdio, a stopio bobol fwynhau'u hunain ar benwythnosa, i fynd ar ôl y wancars oedd yn difetha bywydau bobol eraill.

Y broblem oedd, fod y Dybyl-Bybyls wedi meddwi pan ddechreuon nhw feddwl am gynllun call. Roedd y ddau'n gwbwl gytûn am be oeddan nhw isio wneud, ond doeddan nhw heb benderfynu'n iawn sut oeddan nhw am ei wneud o. A nhwytha wedi cyrraedd, roedd hi'n amsar meddwl. A mi oedd hynny'n anodd, rŵan fod talpyn mawr o synnwyr cyffredin wedi cael ei ddisodli gan swpyn mawr o 'ffwcio bob dim' gan y cwrw.

Eisteddodd y ddau, yn gwylio, am funud neu ddwy. Roedd 'na ola yn y tŷ pen – i lawr grisia ac i fyny staer – oedd yn atgoffa'r efeilliaid o'r ffaith fod 'na blant yn bresennol yn y tŷ.

"Ei gael o allan 'di'r broblam," medda Gwyndaf. "Os 'dan ni'n cnocio drws, ella 'na'i gariad o atebith, a mi welith hi ni. Fydd hi'n dyst, wedyn, os eith petha o chwîth."

"Fydd raid i ni neud rwbath i ddenu'r cont allan, Wynff."

"Bydd. Ond rwbath neith ddim cael pawb i ffenast."

"'Thna'm gola yn 'run o rhein," medda Gwynedd, wrth edrych ar y pum tŷ arall yn y teras.

"Ffenestri tŷ'r boi, dwi'n feddwl, Wynff. 'Dan ni'm isio neb ddod i ffenasd, i fod yn witnesus chwaith, na!"

"Tho, 'dan ni angan 'i gael o allan, heb i neb ein gweld ni."

"Yndan."

"Be am jythd cicio drwth y tŷ i lawr, a rhoi ffwc o gweir iddo fo'n tŷ?"

"'Dan ni 'di bod drw' hyn, Wynff. Un – ma'n bosib neith o ddianc drw' cefn. Dau – ma 'na jans i rywun diniwad gael eu brifo. Tri – ma'n *'aggravated burglary'* os ti'n defnyddio ffôrs i fynd mewn i dŷ rhywun. Sydd yn cario lot fwy o amsar na rhoi cweir i rywun ar stryd..."

"*Oth* gawn ni'n dal."

"...*Os* gawn ni'n dal, ia... A pedwar – sgenan ni ddim balaclafas."

Bu distawrwydd am funud, wrth i feddyliau'r efeilliaid droi.

"Tisio *chewing gum*?" gofynnodd Gwynedd, wrth estyn un o'r pacedi oedd wastad yn ymddangos ar y dash ar ôl i Drwgi fod yn y pic-yp.

"Oes."

Pasiodd hannar munud arall heb unrhyw sŵn ond sŵn y brodyr yn cnoi.

"Dwi 'di chael hi," medda Gwynedd, cyn hir. "Malu ffenathd ei fan o! Ma'n siŵr o glywad hynny, a mi ddaw allan yn thyth, ac at y fan…"

"… Lle fyddan ninna'n aros! Wynff – ti'n ffycin jiniys!" Ymbalfalodd Gwyndaf ar lawr, o dan ei set, a chael gafael yn y trosol byr a'r *nail bar*. "Pa un tisio?"

"Y bar 'na."

"Y *nail bar*?"

"Naci, y bar arall 'na, y trothol. Dwi'n siŵr neith hwnna falu coetha'r con… Shit!"

Roedd 'na olau car yn dod tu ôl iddyn nhw. Plygodd y ddau i lawr yn eu seti, i adael 'ddo fynd heibio.

Pan gododd y ddau eu pennau yn ôl, roedd y car yn tynnu i fyny ar batshyn o dir calad, dros ffordd i'r fan wen. Dan olau lampau'r stryd, gwyliodd y Dybyl-Bybyls ddau foi'n dod allan ohono, ac yn croesi'r ffordd, a mynd i fyny llwybr gardd perchennog y fan.

"Be ffwc 'di rhein, 'ta?" gofynnodd Gwyndaf, wrth wylio'r ddau. Roedd un yn dena ac i'w weld yn reit ifanc, ac roedd y llall yn foi stoci, efo pen moel.

Agorodd drws y tŷ, a daeth dyn y fan allan i gwfwr y ddau ymwelydd, cyn i'r tri o'nyn nhw gerddad draw at y fan, ac agor y drysa cefn. Neidiodd ei pherchennog i mewn, ac mewn cwpwl o eiliadau, symudodd y ddau ddyn arall i'r ochor, wrth i'r boi sgubo llwyth o lwch a rybish allan, efo brwsh bras. Agorodd y Dybyl-Bybyls ffenestri'u pic-yp, i drio dal be oeddan nhw'n ddeud.

Rhegi oedd y ddau foi, wrth i'r llall sgubo'r llwch tuag atyn nhw, ar bwrpas, a chwerthin. Dim ond amball i air allent ddeall, o'r sgwrs ei hun, fodd bynnag.

"… *suspension… more dents than need be…*"

"… *fucking rubbish…*"

"… *cheeky cunt…*"

"… *heavy fuckers…*"

Saeson oedd y ddau arall, hefyd, os nad Sgowsars, ac roedd un o'nyn nhw'n estyn ei freichia allan i'r ochra, fel 'sa fo'n siarad am sgodyn mawr oedd o 'di'i ddal.

"Amthar rhyfadd i ffwcin llnau fan, 'dydi, Wynff?"

"Hmmm…"

"'Hmmm'?"

"Ia – 'hmmm'!"

"Be ffwc ma 'hmmm' yn feddwl?"

"Ffyc ôl. Sŵn ydi o. Hmmm!"

"Gath gena i pan ti'n gneud hynna, thdi!"

"Gneud ffycin be?"

"Mynd 'hmmm'!"

"Pam?!"

"Ma'n ffycin *annoying*!"

"Ddim mor *annoying* â rywun sy'n ffendio petha fel 'na'n *annoying*!"

"Tho, dwi'n *annoying* ŵan?"

"Wyt."

"*Fine.*"

"Hmmm…"

"Be ma'n neud rŵan?"

"Sut ffwc dwi fod i wbod, Wynff? Dwi'n gweld yn union run fath â be ti'n weld!"

Roedd y boi yng nghefn y fan yn taenu rwbath dros ei llawr. Blancad, neu darpŵli, neu rwbath tebyg. "Rhoi rwbath ar lawr y fan, mae o, ia?"

"No shit, Sherlock?"

"Ma nw ar 'u fford i rwla, siŵr o fod, a ddim isio rwbath faeddu llawr y fan."

"Hmmm… Neu ddim isio i rwbath sgriffio'r llawr 'de?"

"Hmmm."

"Yli! *Ti'n* neud o ŵan!"

"Neud be?"

"Mynd 'hmmm'!"

"Be ffwc ti'n ddithgwyl? 'Dan ni'n twinth, dydan?"

"Ffycin *annoying*!"

"Yli, ma nw *off*!" Roedd perchennog y fan wedi neidio allan, ac yn cau'r drysa cefn, tra bo'i fets o'n neidio i mewn drwy'r drws ffrynt.

"Be nawn ni, Wynff? Mynd ar 'u hola nhw?"

"Jysd ddigon pell i weld i ba gyfeiriad ma nw'n mynd, ia? Fedran ni neud ffyc ôl heno. 'Dan ni angan mwy o ddwylo."

Taniodd Gwynedd y pic-yp, a heb droi'r goleuada ymlaen, gadawodd i'r fan rowlio i lawr, yn ei phwysa, at waelod y stryd, lle'r oedd y fan wen newydd ddiflannu rownd y gornal, ac i lawr un o'r ffyrdd i gyrion Dre.

"Oth awn ni i ben Rhiw Gell, welan ni pa ffordd ma nw'n mynd," medda Gwynedd.

"Stopia!" arthiodd Gwyndaf, pan gyrhaeddodd y pic-yp lle'r oedd y fan wedi'i pharcio eiliadau'n ôl. Roedd 'na bentwr o lwch, cerrig mân, a rybish wedi'i adael ar y stryd, lle y brwsiwyd o allan o gefn y fan. "Aros fan hyn am funud."

Neidiodd Gwyndaf allan o'r pic-yp, a brysio rownd i ochor y dreifar. Plygodd i lawr uwchben y rybish ar y ffordd, dan ei draed, a chodi rwbath.

"Be 'di o, Wynff?" gofynnodd Gwynedd pan welodd yr olwg eurikaidd ar wynab ei frawd.

"'Dan ni'm angan mynd ar ôl rhein i nunlla, i weld be ma nw i fyny i. 'Mond trefnu be 'dan ni'n mynd i neud, a'i ffwcin neud o."

"Pam?"

"Un person dwi'n gofio'i weld efo un fel 'na, Wynff!" Taflodd Gwyndaf y walat i mewn drwy ffenast agorad y pic-yp. Cododd Gwynedd hi oddi ar y sêt. Walat blastig, rad – y math o beth oedd plant yn ei brynu i'w teulu fel presanta Dolig, mewn siop bunt. Walad goch oedd hi, ac ar ei blaen, mewn llythrennau mawr, gwyrdd, oedd y gair 'Taid'.

꞊45꞊

ANWYBYDDODD PENNYLOVE Y llais ar y radio. Gwenfair Davies oedd hi, wedi cymryd drosodd gan Elton – oedd yn amlwg yn credu y câi'r bilsmonas fwy o ymateb na'i alwadau cynyddol awdurdodol o.

"...*PC Pennylove, please report your position or report to the Drefiniog office a.s.a.p...*"

Gwenodd Pennylove yn sych. Doedd ganddo ddim math o fwriad ufuddhau – dim i Elton 'Cocboi' Jones nac i Gwenfair 'Coc-yn-geg' Davies.

"...Wynne, os ti'n clywad, plîs tyrd yn ôl i mewn. Tyrd â'r car yn ôl, ac egluro dy hun, ac hwyrach eith petha ddim i *disciplinary*... Wynne, dwi'n gwbod fo chdi'n gwrando..."

"Gwenfair," medda Pennylove. "Gwenfair, Gwenfair, Gwenfair. Be 'di'r broblem? Dwi ond yn gorffen fy shifft!"

"Os ti ddim yn dod 'nôl rŵan, ellith hon fod y shifft ola i chdi neud am sbel."

"Pam? Dyna ydi'r *plan*? Cael gwared o fi?"

"Naci, siŵr! Gwranda Wynne – yr *orders* oedd i chdi aros yn y stesion efo fi. Ti'n *disobeying orders*, a ti'n rhoi fi mewn trwbwl hefyd. 'Di hynna ddim yn deg, Wynne..."

Trodd Pennylove y radio i ffwrdd. Roedd o wedi penderfynu mai hon fyddai ei shifft ola fo, beth bynnag. Doedd o byth, byth yn mynd i allu gweithio i Heddlu'r Gogledd ar ôl heno. Dim ar ôl i Elton – y boi oedd wedi ei beipasio fo i fod yn Sarjant – weld ei *lapse* bach o tu allan yr Het. Fydd y stori'n dew drwy'r adran erbyn rŵan, a thrwy'r gogledd fory.

A pam ddylsa fo fod isio gweithio i asiantaeth sy'n rhoi job sarjant i wancar fel Elton Jones? Boi oedd yn ffan o ffycin Boyzone, ffor ffyc's sêcs! Sut?! Pam?! Pwy?! I ffwcin be?!

Na, roedd PC Wynne Pennylove yn mynd i orffen ei shifft! A mi oedd o'n mynd i orffen ei shifft efo balchder. Balchder a *results*! Roedd o'n mynd i fynd allan ar *high*, fel bod pawb o'r *higher echelons* yn gwybod faint o *asset to policing* oeddan nhw'n golli. Be oedd y *tagline* ar *Highlander*? *It's better to burn out than fade away...*

Ac am bobol Dre a Graig? Wel, mi oedd rhai o'nyn nhwtha'n mynd i ddysgu'u gwers, hefyd. Pobol fel Drwgi Ragarug a Cledwyn Bagîtha. Roedd pobol fel y ddau yna wastad i fyny i *illegalities*. Dim ond mater o'u ffendio nhw, oedd hi. Roeddan nhw wastad yn cario cyffuriau, felly byddai rhoi *stop and search* iddyn nhw'n ddechrau da. Roedd Pennylove wastad wedi credu fod rhaid i blismyn arwain drwy esiampl, dilyn y gyfraith a'r rheolau – neu fyddan nhw eu hunain yn ddim gwell na'r *criminals* a'r *scum* eraill. Ond roedd o wedi dysgu'r ffordd galed, nad oedd hynny'n cael *results*. A *results* oedd popeth i *North Wales Police*. *Results means performance* oedd y mantra y dyddiau yma. Felly ffwcio hawliau'r *citizens* – doedd 'na ddim parch i gael gan rheiny, *anyway*. *Fuck their rights! Abuse them! Get results at all costs! No more Mr Nice Guy!*

Gwelodd olau car ar y ffordd gefn o Dre i Graig. Pwy bynnag oedd hwn – hyd yn oed os mai Mr Pritchard y Prifathro oedd o – roedd o'n mynd i gael y bag.

Taniodd y car.

≈ 46 ≈

ROEDD STRATEGAETH Y Dybyl-Bybyls o ddynwared y llall yn siarad, os oeddan nhw'n cael stop gan y cops, yn un oedd yn gweithio'n iawn, mewn theori, pan oedd pwy bynnag oedd yn dreifio yn sobor. Ond os oedd y ddau o'nyn nhw'n chwil, roedd y dacteg mor ddibwynt â chael tit-wanc gan Posh Spice.

Felly, pan welodd y Dybyl-Bybyls y car cops yn dod i'w cwfwr nhw ar y ffordd gefn, efo'i olau glas yn fflachio, doedd 'na ddim pwynt stopio i drio'r blyff. Slamiodd Gwynedd y pic-yp i rifýrs, ac i ffwrdd â'r Dybyl-Bybyls, am yn ôl, tua'r ffordd y daethont.

Er bod Gwynedd yn hen law ar facio'n ôl drwy ddefnyddio'i wing-mirryrs, a bod y goleuadau rifyrsio – drwy lwc – yn digwydd bod yn gweithio, matar o amsar oedd hi cyn i'r car cops eu dal nhw i fyny. Yr unig beth allai'r Dybyl-Bybyls ei wneud, oedd dal i fynd. Hynny, neu rhoi i fyny, ac i Gwynedd gael ei wneud am drinc dreif. Byddai hynny'n gneud hi'n anodd iawn i'r efeilliaid allu mynd i'w gwaith, gan na fyddai gan yr un o'r ddau o'nyn nhw leisans.

Roedd y dewis yn hawdd, felly. Y broblem oedd, nad oedd gan y car cops ddewis ond dal i fynd, chwaith, gan nad oedd lle iddo basio ar y ffordd gefn. Y canlyniad oedd stêlmêt – un yn rifyrsio nes bydda fo'n penderfynu stopio, a'r llall yn dilyn, tan bydda'r llall yn stopio. Ac wrth gwrs, roedd yr ods yn drwm ar ochor y cops, achos roedd ganddyn nhw radio, a bac-yp oedd yn cynnwys holl fflyd ceir cops Meirionnydd, a helicoptar.

Yr unig jans oedd gan y Dybyl-Bybyls oedd bacio nôl am dros filltir, nes oeddan nhw'n cyrraedd mynedfa ffordd fferm Llety'r Herwr. Wedi cyrraedd yno, roedd petha'n mynd i fod yn trici, achos roedd hi'n droead anodd i'w chymryd mewn un – yn sobor, yng ngolau dydd, mewn car, ac yn pwyntio'r ffordd iawn – heb sôn am yn y nos, yn chwil fel berfa mewn pic-yp Transit, yn rifŷrs. Yn syml iawn, un cyfla fyddai ganddyn nhw. Os byddai Gwynedd allan ohoni efo'i swing a'i amseru, ac yn hitio'r wal, neu orfod stopio i drio eto, fyddan nhw'n ffycd.

"Faint thy 'na i fynd, d'wad, Wynff?" gofynnodd Gwynedd, cyn hir, tra'n cadw'i olwg ar y drych ar ei ochr o.

"Dwi'm yn siŵr," atebodd Gwyndaf, oedd yn edrych ar y drych arall, ac ar y car copar, bob yn ail.

"Pwy 'di'r copar? Ti'n gallu'i weld o?"

Craffodd Gwyndaf yng ngolau llachar y car heddlu, oedd ar *full beam*, â'i oleuadau glas yn fflachio. "Un sy 'na, eniwê... witsia... shit, Pennylove!"

"Ffyc'th thêcth. Be thy'n bod ar y boi, d'wad?"

"Dwn i'm, Wynff. Ond os 'dan ni'n gallu'i weld o, mae o'n gallu'n gweld ni, ma hynna'n saff!"

"Ffwcio fo. Well cael '*failing to thtop*' na '*drink drive*'! Ne' be bynnag ffwc ydi o – '*failing to provide a breath thample*', neu 'pith thpethimen'… 'Na i dal golli'n leithanth, ond ga i ddim y deuddag point arni pan ddeith hi'n ôl… Ffyc mî! Lle ffwc ma'r ffwcin entranth 'ma, d'wa?"

"Tisio dal i fynd chydig eto. 'Na i watsiad allan am y cwt gwair ochor yma. Ma'n reit fuan ar ôl hwnnw. Ro i showt i chdi. Tisio *chewing gum*?"

"Oeth plith. Diolch." Estynnodd Gwynedd ei law ar draws at ei frawd, tra'n dal i wylio'r drych, i neud yn siŵr fod olwyn ôl y pic-yp yn cadw o fewn tair modfadd i'r gwair ar ochor y ffordd.

Roedd o newydd roi'r gwm yn ei geg pan waeddodd Gwyndaf fod y cwt gwair newydd basio. Slofodd Gwynedd fymryn, a gwylio allan am 'land-marcs' y fynedfa – yr arwydd 'Llety'r Herwr' yn adlewyrchu yng ngolau ôl y pic-yp, o'r gwrych, a'r hen goedan gelyn oedd yn estyn drosodd o'r cae, tuag at y ffordd. Hon oedd hi!

Trodd yr olwyn – dim gormod, rhag ofn iddo hitio'r gwrych ar ochor Gwyndaf i'r ffordd, ond digon i roi tin y fan yn y cyfeiriad iawn i gymryd y swing… unrhyw eiliad… rŵan! Sbiniodd yr olwyn, ac aeth y fan rownd. Roedd rhaid iddo ymddiried yn ei reddfau, a greddfau'i frawd cyn belled â bod ochr arall y pic-yp yn y cwestiwn. Yr unig beth allai ei reoli oedd ei ochr o – ac os gwnai hynny'n iawn, byddai'r ochor arall yn iawn.

Cadwodd ei lygid yn y drych, a gwneud yn siŵr fod yr olwyn ôl mor agos â phosib at fôn y clawdd, drwy gydol y swing, a gweddïai na fyddai'r drych yn cael slap gan gangen, a chwalu.

Ddigwyddodd hynny ddim. Roeddan nhw wedi'i gneud hi. Y tric nesa oedd dilyn y trac ffarm…

= 47 =

AR ÔL I'R pils ddechrau amharu ar y gallu i yfad lagyr, daeth y fodca allan. Ac ar ôl i'r fodca ddod allan, daeth mwy o bils allan. Rhannwyd y bedair olaf rhwng Cled, Bic, Sban, Drwgi, Ding Bob Dim, Tintin ac Elen Dabadosi – a roddodd hannar ei hannar hi i Kate Grêt.

Roedd Seren a'i mêts wedi mynd drws nesa, i dŷ Seren, i yfad chydig yn fwy sidêt na'i rhieni a'u ffrindia nyts. Roedd Dilwyn Lldi a Dyl Thýd wedi bod yno efo nhw am sbelan, ond wedi dod yn ôl. A hitha'n hannar awr wedi un yn y bora, roedd Sian, Jeni Fach, Carys a Fflur drwodd yn y stafall fyw – wedi mynd yno i jecio'r ddwy fach, ac aros yno'n yfad gwin a malu cachu.

Doedd 'na'm llawar o siap ar Elen a Kate, oedd yn hongian ar ben dwy stôl uchal oedd Drwgi wedi'u nôl o'i dŷ fo, draw wrth y ffrij. Roedd yr hannar pilsan yr un gymrodd y lleill wedi hitio pawb fel tonnau'r môr – yn enwedig Tintin a Cled oedd wedi llyncu haneri mawr – ond roedd Elen a Kate wedi gorfod aros i'w pils nhw gicio i mewn. Pils araf yn tanio oeddan nhw, fel oedd hi, a dim ond chwartar yr un oeddan nhw wedi'i gael. Wrth aros am yr hit, roedd y cwrw wedi'u cymryd nhw.

"Sbia wâst o hannar pilsan!" medda Ding Bob Dim, a'i lygid yn llawn drygioni. "Hei! Snoozy a Dopey! Siapiwch hi!"

"Cau dy geg, 'Ding Dong'!" medda Elen. "Sbia golwg arna chdi – ffycin *rubber jaw*. Ti'n ddigon hyll fel wyt ti heb ddechra gyrnio!"

Daeth dub bendigedig 'Nu Skin Up' Keith Hudson i ben, ar y chwaraewr CDs, a chododd Bic i roi rwbath mwy grymus ymlaen. Dewisodd dub oedd yr un mor fendigedig, ond yn pwmpio chydig mwy, gan Mad Professor, ac arhosodd ar ei draed a dechra dawnsio. Cododd Elen Dabadosi i ffwrdd o'i stôl, cyhoeddi ar dop ei llais fod Richard Branson wedi prynu'r Trowt, a disgyn ar ei gwynab i mewn i'r bwrdd, a glanio â'i thrwyn yn yr ashtre.

Daeth ati ei hun, yn syth, a dechra dawnsio efo Bic, a'i gwynab yn llwch du i gyd, a stwmpyn rôl wedi sticio ar ochor ei boch. Roedd y chwartar pilsan wedi cydio o'r diwadd. Doedd hi heb gael ecstasi erstalwm, ac er mai chwartar gafodd hi, roedd rhain yn bils cry. Mwya tebyg, hefyd – o edrych ar ei chariad, oedd â'i gên ar ei brest, ar ben ei stôl – fod Elen wedi cael y chwartar mwya, o dipyn.

Cododd Drwgi hefyd, ac wedyn Sban, ac ymuno yn y scancio

ar ganol y llawr. Arhosodd Ding Bob Dim wrth y bwrdd, i orffan sginio fyny, tra agorodd Cledwyn botal arall o fodca, a llowcio swigsan rhy farus o beth uffarn. Yn gagio, pasiodd y botal i Tintin.

"Ynda...! Cym hi... cwic!" Roedd o'n trio'i ora i gadw'r dŵr poeth rhag llosgi'i ffordd yn ôl i fyny'i wddw.

Cydiodd Tintin yn y botal, fel oedd Cledwyn yn sylweddoli fod siawns go dda na fyddai'n llwyddo i gadw'i geg rhag ffrwydro. Hîfiodd a gagiodd, a chododd ar ei draed, ac efo'i freichia'n symud pawb a phopeth o'i flaen, rhuthrodd am y drws cefn, a'i gyrraedd fel oedd y chŵd dyfrllyd yn sblatro i bob cyfeiriad. Drwy lwc, roedd y drws yn agorad, a mi lwyddodd i gael y rhan fwyaf o'r ffrwydriad cyntaf allan drwyddo. Dilynodd lwybr y ffrwydriad hwnnw, i'r ardd, a chwydu eto, ac eto, ac eto...

Pan ddaeth ato'i hun, roedd o yn ei ddwbwl, yn pwyso'n erbyn wal y tŷ, uwchben y draen, efo llysnafedd clir, a stwff tebyg i felynwy, yn hongian o'i wefla..: ac mi sylwodd, drwy'r dŵr oedd fel memrwn dros ei lygada, fod dau bâr o sgidia gwaith, mwdlyd uffernol, wedi ymddangos yn ei ymyl. Edrychodd i fyny i weld pwy oedd ynddyn nhw. Doedd dim rhaid edrych ddwywaith i adnabod y Dybyl-Bybyls.

"Duwcth, yr hen Cled, thbia, Wynff!"

"Ia, ynde, Wynff? 'Dio'n iawn d'wad?"

"Siŵr o fod, Wynff. Awn ni i mewn, ia?"

Gadawodd y ddau gawr Cled tu allan yn y glaw mân a'r chŵd.

Chwerthin wnaeth yr hogia pan gerddodd yr efeilliaid i mewn i'r gegin. Roedd 'na olwg y ffwc arnyn nhw – yn wlyb at eu crwyn, ac yn fwd a chompost du drostyn nhw. Roedd o dros eu dwylo a'u gwyneba nhw, ac ar hyd eu dillad a'u sgidia, a mi oedd 'na ddeiliach bach hydrefllyd, fel conffeti drostyn nhw i gyd.

"Lle ar wynab daear dach chi 'di bod, hogia?" gofynnodd Ding Bob Dim cyn hir. "Dach chi fel Rambo Won a Rambo Tŵ, myn ffwc!"

"Dowch â cwrw i ni, a mi ddudan ni," medda un o'r Dybyl-Bybyls – pa un yn union, fyddai neb yn gwybod tan i'r lythyran 's' ddod mewn i'r sgwrs.

"Thbiwch!" medda Gwynedd, a thaflu walat Jac Bach y Gwalch ar y bwrdd. "Walat Jac Bach y Gwalch! Yr un gafodd 'i dwyn pan gafodd o a Tomi gweir!"

Off 'u penna neu beidio, sicrhaodd hynny sylw'r hogia, ac ar ôl agor cwpwl o boteli Grolsch, safodd y ddau horwth budur ar ganol y llawr, o flaen y ffrij, a pharatoi i ddeud yr hanas. Ac i gyfeiliant Mad Professor, i ffwrdd â nhw.

Roedd y prawf diamheuol o bwy oedd yn gyfrifol am yr ymosodiad ar Jac a Tomi, yn stori ddifyr ynddi'i hun. Ond roedd hanas y 'chase yn rifyrs' yn hileriys, wrth i'r Dybyl-Bybyls ei adrodd yn eu ffyrdd ddihafal eu hunain.

Roeddan nhw wedi rifyrsio i fyny ffordd Llety'r Herwr, nes dod at y gornal siarp i'r dde – neu'r chwith, gan mai bacio'n ôl oeddan nhw. Ar y gornal honno, roedd 'na giât yn arwain, yn syth ymlaen, i gae. Roeddan nhw wedi gweddïo y byddai hi ar agor, a thrwy lwc, mi oedd hi, felly roeddan nhw wedi cario mlaen i facio'n ôl drwyddi, ac i'r cae. Roedd Pennylove wedi'u dilyn, ond roedd ei gar wedi dechra sbinio ar y gwair gwlyb, yn syth, ac mi fethodd fynd dim pellach.

"Lle ffwc a'thoch chi, 'ta?" gofynnodd Cled, oedd wedi dod nôl i mewn ar ôl y ddau, wedi ricyfrio.

"Lle a'thon ni? Ffwcin lawr rhiw, wysg 'yn ffwcin tina', dyna lle a'thon ni!" medda Gwyndaf.

"Reit i'r gwaelod?!" gofynnodd Tintin.

"Reit i'r gwaelod? I'r ffycin afon, cont!" medda Gwynedd.

"Euthon ni dros ael y bryn…"

"Am yn ôl…"

"A pan welson ni fod Pennywhistle wedi stopio, drion ni droi tin y pic-yp i'r ochor…"

"Ar ôl thylweddoli lle o'ddan ni…"

"Fel bo ni'n gallu troi, a cario mlaen i lawr y rhiw, yn gwynebu'r ffor' iawn, 'lly…"

"Achoth oth o'ddan ni'n mynd i farw, o leia fytha ni'n gallu gweld lle o'ddan ni'n mynd!"

"Ond o'ddan ni'n gobeithio cael y pic-yp dan reolaeth, i drio'i gneud hi i'r hen ffordd dractor 'na sy'n mynd lawr o dan Pandy, am bont Felin…"

"Ffwcin hel, ma honna 'di mynd erstalwm!" medda Tintin. "A'th hi lawr yr afon efo'r lli mawr 'nw…"

"'Dan ni'n gwbod hynny rŵan, dydan – pam ffwc ti'n meddwl bo ni mor ffycin wlyb?"

"Ta waeth," medda Gwyndaf. "Dyna oedd y plan. Ond ddechreuodd y pic-yp sleidio – o'dd y ddaear yn wlyb ar ôl yr holl law 'dan ni 'di'i ga'l – felly drion ni'i rheoli hi…"

"A methu…"

"Ia… ond mi drodd rownd ohoni'i hun, rywsut…"

"Ac aru ni endio fyny'n mynd lawr y ffycin llechwadd, am ymlaen, fflat owt…"

"Owt of control…"

"Ffwcin hel!" medda Drwgi. "Ma hwnna'n ffycin dedli!"

"Dedli? Tŵ blydi reit, ma'n ffycin dedli!" medda Gwyndaf. "Aeth 'y mywyd i gyd drwy 'mhen i, ac allan drwy dwll 'y nhin i!"

"A finna!" medda Gwynedd. "O'n i'n meddwl am betha gwirion fel y thyraiathuth geth i pan o'n i'n hogyn bach! O'n i'n cachu bricth!"

"Aru chi sdopio?" gofynnodd Ding.

"Naddo. O'dd raid i ni neidio allan…"

"Jythd in teim."

"Ia. Jysd cyn i'r pic-yp fynd dros r'ochor i Llyn Du!"

"Jîsys Craist! Dach chi'n ffycin lwcus!" medda Cled. "Ma 'na ffwc o ddrop yn fa'na! A creigia ar y gwaelod 'fyd!"

"'Sa chi'n dedars!" ategodd Sban.

"Bwyd pythgod, garantîd," cytunodd Gwynedd, wrth estyn potal arall o'r ffrij.

Bu tawelwch am chydig, wrth i'r antur – a'r agosatrwydd at drychineb – suddo i mewn i bennau swejlyd.

"Wel? Oeth 'na ffwcin barti yma, 'ta be?" medda Gwynedd, i dorri'r myfyrdod.

"Oes," medda Cled. "Ond be 'di hanas y cops? Ddoth 'na fwy o'nyn nhw ar ych hola chi?"

"Wel, dyna be 'dan ni'n methu'i ddallt," medda Gwyndaf, wrth afael mewn cadair, ac ista'n groes, efo'i goesa rownd y cefn. "Welson ni ffyc ôl wedyn. Dim ond gola car Pennylove yn mynd yn ôl ac ymlaen ar hyd y ffordd gefn, gwpwl o weithia."

"Ia," medda Gwynedd. "O'dd o'n rhyfadd… Y peth ydi, ma'r cont 'di cael golwg dda arnan ni pan o'ddan ni'n rifyrsio'r holl ffordd, ond o'ddan ni'n barod i ddadla'n cwrt na dim ni oeddan ni, math o beth…"

"Gair Pennylove yn erbyn ein un ni…"

"Y peth gwaetha fytha'n gallu digwydd ydi bo fi'n colli'n leithanth am *'failing to give a breath thample'*, neu be bynnag…"

"Ti'm yn ca'l dy leisans yn ôl efo deuddag point arni, fel efo Drinc Dreif… neu felly oedd petha, dwn i'm os 'dyn nw 'di'i newid o…"

"Ond gan fod y cafalri heb ddod allan, a bo ni heb gael 'yn dal, wel…"

"Ma hi'n hyd yn oed yn fwy o 'air ni yn erbyn gair nw'!"

"Tho, ffwcio nhw! Gafodd y fan ei dwyn, a dyna hi, end of! Wel, mi drian ni, eniwê, oth ddon nw ar 'yn hola ni fory."

"A mi ddon nw, ma'n siŵr," medda Cled.

"Wel, fyddan ni'n gwaith, eniwê…" dechreuodd Gwyndaf. "Ar ôl i ni riportio'r pic-yp yn *missing*."

"Dach chi'n gweithio fory?!" Roedd Bic yn gobsmacd. Roedd pawb yn gwbod fod y Dybyl-Bybyls yn warriars, ond allai Bic ddim dallt sut allai unrhyw un weithio ar ôl noson fel heno – yn enwedig ar ôl escapêd fel honna…

"Sut ffwc ewch chi i mewn?" gofynnodd Drwgi.

"Wel, o'ddan ni'n meddwl…" dechreuodd Gwynedd, "o'th 'na bothib menthyg car un o'na chi yn bora?"

= 48 =

CAEL BOLYCING GAN rywun llai na hannar ei oed ydi un o'r petha mwya embarasing all unrhyw un ei ddiodda, yn gwaith. Ond roedd cael ceg gan Elton Jones, o bawb, yn un o'r profiadau gwaetha brofodd Pennylove erioed yn ei fywyd.

Roedd hi bron yn hannar awr wedi dau o'r golch y bora, a'r glaw mân wedi cau i mewn tu allan, ac roedd Sarjant Elton Jones wedi rhoi heibio'i barchedig ofn o PC Pennylove, ac yn ei rhoi hi i Pennylove efo'r holl artileri allai gael hyd iddo yn ei galon.

"Wynnie! You're not listening to me! You weren't yourself, I gave you sick leave. I actually signed the fucking log! You were off sick! You weren't working!"

"But I said I was fine, and I was going to finish my shift!"

"Yes, and switched the radios off, and refused to answer your phone. You were told that you were..."

"I switched the radio back on, and called for assistance!"

"Yes, well... like I said earlier, WPC Davies and I were worried by your behaviour, and we had, er, already reported you as... well..."

"What?"

"Taking a police vehicle without authorisation..."

"You fucking what?!"

"Listen... you had us all worried about your state of mind. WPC Davies was actually afraid for her own safety before you left the station..."

"Wha...?"

"Let me finish! Which led us to be worried for your own safety..."

Ffycin tosar, meddyliodd Pennylove. Pwy ffwc oedd o'n feddwl oedd o? Llafnyn ifanc, newydd adael ei glytia, yn pwyntio'i fys yng ngwynab heddwas o bump ar hugain mlynadd o wasanaeth! Jysd am fod ganddo ffycin streips.

"How do you know what's inside my head, Elton?! Eh? I was feeling better, I went back on the job! WHY CAN'T YOU SEE THAT?"

"DON'T YOU SHOUT AT ME, PENNYLOVE! I remind you that I'm your senior officer, and you WILL show me some respect for once!"

Crechwenodd Pennylove. Parch? Parch i foi sy'n meddwl fod Jean Claude Van Damme yn actor da? Parch i *wideboy* o Rhyl – ond dim jesd *wideboy* o Rhyl, *wideboy* o Rhyl oedd wedi gollwng ei acen Rhyl, unwaith gafodd o'i neud yn sarjant! Be oedd yn fwy ffycin trist na hynna? Roedd cael y dandi bach yn gweiddi'n ei wynab o'n ddigon drwg, heb orfod dangos parch iddo fo hefyd! Rhwng hynny ac ogla afftyrshêf y pric, roedd Pennylove yn teimlo'n sâl...

Slamiodd Elton Jones ei ddwrn ar y ddesg, a trio cuddio'r ffaith iddo frifo'i nycl. "*Damn you, Wynnie! I gave you a chance to have the rest of the shift off, to go home and rest, and come back in a day or two if you felt better...*"

"*But I was feeling better...*"

"*Le me finish! You took a patrol car, unauthorised – which is basically theft...*"

"*Oh, come on...*"

"*Wynne! I can help you, but you have to let me speak! I haven't written my report yet... but I can't do anything about you being off sick – it's on file, on computer. The unauthorized taking...*"

"*Oh here we go...*"

"*The unauthorised taking of the car can be buried... I can say it was a misunderstanding, that I thought you'd taken another vehicle from the yard, or something – whatever. Though, for me to be able to do that, you're going to have to forget about the Double-Bubbles and their Indiana Jones antics through the fields of Graig...*"

"*But...*"

"*If you want to keep your fucking job, you'll keep the fuck quiet and listen to what I fucking say! I'm offering you a fucking lifeline, Wynnie! The radio calls are tricky – I called you, Davies called you, fuck knows how many officers were looking out for you... there will be transcripts, but the only one where you answer is when Davies radioed you... Pretty damning though that conversation was. But due to the 'misunderstanding' with the car thing, we can work it out as if you were on your way home, but that you came back for something...*"

"*Bu...*"

"*It's the only way, Wynnie!*"

"Yes, but…"

"Pennylove! You're a good copper… I looked up to you, I still do. You taught me a couple of things. Don't throw your career away."

Brathodd Pennylove ei dafod. Fedra fo ddim coelio'r basdad bach nawddoglyd.

"Cos if you say another fucking word, the Inspector gets my report tomorrow, and it will say it exactly how it happened! Understood?"

Roedd Pennylove yn dallt yn iawn. Roedd Elton yn mynd i achub ei groen o. Ac wedyn fydda ganddo fo afael arno am byth. Allai pethau ddim bod yn waeth.

Byddai'n rhaid iddo sortio Elton allan, rhywsut, unwaith ac am byth.

= 49 =

MAE'N RHEDEG DRWY'R niwl, ei wynt yn ei ddwrn… carnau'r ceffylau'n dyrnu'r llawr tu ôl iddo, a thraed noethion ei gyfeillion yn tuthian o'i flaen… Mae'r niwl yn dew, ond mae o'n adnabod y lle'n dda… Pob gwelltyn brown a phob mwsogyn melyn… Mae'n gwybod lle mae o'n mynd… ac yn gwybod yn union be i wneud…

Mae'n troi yn sydyn i'r dde, a dyblu'n ôl, tu hwnt i'r bryncyn bychan…

Mae'n un o'r rhai cyntaf… neidio i'r llawr tu ôl ael y boncyn… brysio i dynnu'i fwa oddi ar ei ysgwydd, a saeth o'r gawell ar ei gefn… carnau fel drymiau, yn cyfuno â churiadau'i galon a rhythm gwyllt ei anadl tarth, yn grescendo o daranau… Mae'r saeth yn ei lle… Tynnu'r llinyn, ac aros…

Dacw nhw'n dod o'r niwl, ar sodlau'r rhai olaf, â'u cleddyfau'n uchel yn barod i'w torri i lawr… Llai na decllath… Maen nhw i mewn yn y gors… Ceffylau'n gweryru… milwyr yn gweiddi… sŵn y siglen yn llopian a llyfu… marchogion at eu canol, yn gweiddi wrth gael eu llyncu… Mae 'na rai heb fynd i mewn, wedi gallu stopio mewn pryd… Mae'n gollwng, a mae'r saeth drwy wddw marchog, a'r

gwaed fel glaw... Sgrechiadau, saethau'n chwibanu... Mae'n gwagio'i
gawell. Tair eiliad i bob saeth, a lladd â phob un...

Mae'n rhedeg i raffu'r ceffylau a'u llusgo o afael y gors... mae'n
hawdd anwybyddu dwylo taer... y llygid yn ymbil... yr iaith
ddiarth...

Mae'n tawelu, wrth i'r mwd du lenwi'i geg, a'i foddi, cyn i'r
fawnog ei lyncu...

Deffrodd Cled efo sgwydiad. Roedd o'n oer, ac mi oedd o ar
lawr oer hefyd. Aeth ias drwyddo wrth feddwl, am eiliad, ei fod
o'n gorwadd ar lawr cell.

Cododd ei ben. Roedd o ar lawr y gegin. Cegin ei dŷ o. Roedd
ei wynab mewn patshyn o chŵd wedi sychu – chŵd efo darnau
o fwyd ynddo. Sylwodd ei fod o'n noeth, ac yn gorwadd o dan y
bwrdd. Triodd feddwl. Sut yn y byd oedd o wedi endio i fyny fan
hyn? Ac yn waeth na hynny, chŵd pwy ffwc oedd hwn?

Sylweddolodd be oedd wedi'i ddeffro pan glywodd sŵn cnocio o'r
drws ffrynt. Styriodd. Roedd y chŵd yn drewi, a daeth poen siarp i
rwygo trwy'i ben. Trodd ei stumog, a pwmpiodd y chwys allan ohono.
Dechreuodd hîfio, a chwydodd gegiad bach sydyn o beil melyn,
chwerw. Na, doedd o'n bendant ddim fel y chŵd ar lawr.

Tynnodd ei hun allan o dan y bwrdd, drwy'r chŵd, gwydrau
mân, cwrw sych-budur, a mwd a baw du. Cododd ei hun ar ei
draed a gwingodd mewn poen wrth i fwyell anweledig blannu'i
hun yn ei ben. Ffycin fodca!

Daeth sŵn rhywun yn curo'r drws ffrynt unwaith eto.
Edrychodd ar y cloc. Hannar awr wedi naw. Dŵr! Roedd rhaid
iddo gael dŵr! Gafaelodd mewn gwydr peint oddi ar y bwrdd, a'i
lenwi o'r tap. Llyncodd y cwbwl mewn un, cyn gagio, a chwydu'i
hannar o nôl i fyny, dros y llestri yn y sinc.

Bwm! Bwm! Bwm! Roedd 'na ganon yn ei ben, mwya sydyn.
Ibuprofen! Roedd rhaid cael Ibuprofen. Chwalodd ei ffordd drwy'r
cwpwrdd, a dod o hyd i dair. Llyncodd nhw efo sblash arall o
ddŵr o'r sinc.

Curodd rhywun y drws eto, a rhegodd Cled. Roedd pwy bynnag

oedd yno'n benderfynol o gael atab. Doedd o'm wedi bwriadu gneud, ond wrth araf ddeffro roedd o'n cofio'r Dybyl-Bybyls a... rwbath pwysig... Bora 'ma oedd y peth pwysig hwnnw, falla. Ond pam nad oeddan nhw'n dod i mewn drwy'r drws cefn?

Roedd o'n gobeithio y byddai pwy bynnag oedd yno wedi mynd, wrth lusgo'i draed cyndyn, fel sombi, drwy'r stafall fyw at y drws ffrynt. Ond chafodd o'm ffasiwn lwc. Er fod ei lygid fel tylla cyllall mewn torth, gwelodd siap rhywun yn sefyll yno, drwy'r gwydr llwydrew. Rhywun mewn piws. Agorodd y drws...

Dynas, dim llawar hŷn na fo. Dynas smart, ond plaen, yn siapus o dan ddillad trwm.

"Ia?"

"*Oh, is this a bad time?*" medda hi, un ai'n uffernol o naïf, neu'n ddiawledig o ddigwilydd.

"*Just a bit. Why? What do you want?*"

"*I'll come back with my colleagues in a minute, when you've had a chance to get dressed...*" medda'r ddynas, yn trio osgoi coc a bôls Cled yn gwenu arni o ganol y cedors browngoch. Atgoffodd hynny Cled ei bod hi'n ddynas ddiarth, a rhoddodd ei law dros ei grown jiwels. Roedd o'n falch ei fod wedi, achos roedd o'n siŵr ei fod o'n dechra cael min dŵr.

"*Why? What's this about?*" holodd Cled yn ddryslyd, trwy lygid oedd fel dau hic mewn dwy blymsan.

Nododd y ddynas ei lygid eirin, a'i foch chwydlyd, a'i datŵs – yn enwedig y ddeilan ganja ar ei ditsan dde, a'r myshrwms ar ei un chwith – wedyn ei fol cwrw blewog, cyn edrych yn ôl i'w wynab a gwenu'n dosturiol. "*We'd like to talk to you about God, and how relevant he is to the world today...*"

Roedd yn gas gan Cledwyn fod mewn sefyllfa oedd yn galw am feddwl yn sydyn, ond bod ei ben o heb ddeffro digon i allu gwneud. Yr holl adegau oedd o wedi bod isio i'r Jehofas alw heibio, er mwyn iddo gael eu bambŵslo nhw efo dadl ddeallusol ddofn, a pryd maen nhw'n galw? Pan mae o newydd ddeffro ar ôl noson wyllt, efo brwydr y Somme yn rhuo yn ei ben, a'i feddwl fel slej. Run fath â'r galwadau ffôn hynny gan reps yn gofyn os oedd ganddo ffenestri dwbl yn ei dŷ. Roedd o wastad wedi bod isio mwydro rheiny'n racs, ond roeddan nhw'n ffonio'n rhy gynnar yn y dydd, a'r unig beth oedd o'n gallu'i ddeud oedd, "ffyc off!"

A dyna 'di'r peth efo rhegi – pan mae rhywun yn methu meddwl am air call, mae nhw'n rhegi. Ac os 'di rhywun heb ddeffro, dydi o'm yn mynd i fod y gora am gofio geiria call.

"Nothing's fucking relevant at this time of the morning!"

Rhoddodd y nytar crefyddol ei phen i un ochor, gwenu'n nawddoglyd, ac ochneidio fel plentyn wrth weld ci bach. *"Maybe this* is *a bad time?"*

Fel hyn oedd y Jehofas. Sefyll yno'n gwenu'n dosturiol, a siarad mewn brawddega byrion oeddan nhw'n recno oedd yn mynd i neud i bobol gwestiynu eu hunain, ac atab cwestiyna efo cwestiyna.

"If it's a bad time, why the fuck are you still standing there?"

"Because God makes time."

"Does he make tea? Because I haven't had a panad *yet, and…"*

Dirywiodd gweddill ei frawddeg i fish-mash annealladwy – roedd ei feddwl yn araf yn deffro, ond roedd cyhyrau ei geg yn arafach fyth. Ac roedd y boen yn ei benglog yn uffernol. Roedd o'n cael pensgandod. Gafaelodd yn ei ben.

Ffycars! Pam ffwc oeddan nhw'n mynd rownd yn poeni bobol, fel hyn? A pam oeddan nhw'n cymryd mantais o bobol oedd heb ddeffro? Crynodd Cledwyn. Roedd hi'n oer. Rhoddodd ei law yn ôl dros ei gwd.

Efallai fod hynny'n gamgymeriad, achos gadael ei dacla yn y golwg fyddai'r ffordd orau i gael y ddynas i adael, o bosib. Roedd hi'n amlwg yn cael ail wynt, rŵan eu bod nhw'n ôl o'r golwg.

"Do you know how God can make a difference to people's lives?"

Teimlodd Cledwyn y gwyllt yn codi tu mewn iddo. Roedd o'n casáu crefyddwyr. Doedd o'm yn credu mewn Duw, ei hun, ond os oedd bobol isio coelio mewn *invisible friends*, iawn, fyny iddyn nhw. Ond pan oeddan nhw'n dechra pregethu a barnu, a trio stwffio'u storis tylwyth teg i lawr gyddfa bobol sy'n hapus i gael eu ffics o swpyrhîros ffantastig drwy dreulio dwyawr o flaen DVD *Star Wars*, neu rwbath, unwaith y mis, roedd cred naturiol Cledwyn yn yr egwyddor '*live and let live*' yn cael ei thestio i'r eithaf.

Ar ben hyn i gyd, roedd o'n flin. Deffrwr piwis oedd o, fel oedd hi, heb sôn am adega pan oedd ganddo hangofyr ffôrs twèlf yn batro'i ben, a cymdown ecstasi fel dannadd ci yn ei war. A doedd o'n methu gneud synnwyr o'i geiria hi, roedd hi'n gofyn petha'n rhy gyflym iddo ddallt. Ac roedd hynny'n ei wylltio'n waeth.

"*Do you not think* that's *relevant?*" medda'r gont wedyn, a gwenu fel Mona Lisa. A phan welodd hi'r dryswch yn ei lygid, neidiodd i mewn efo'i chrafanga, yn mynd am y *kill*. "*Do you not think that* you *need God in you life?*"

"*What I need now is a cup of fucking tea and peace and fucking QUIET FROM NUTTERS LIKE YOU WITH YOUR WARS AND YOUR FUCKING MURDERS AND FUCKING SHITE AND BOLLOCKS… JUST FUCK THE FUCK OFF AND LEAVE THE WORLD ALONE!*"

Caeodd y drws efo clec, cyn meddwl am be oedd o newydd ddeud. Braidd yn *harsh*, braidd yn anneallusol, a ddim yn gneud llawar o synnwyr, ond dyna fo – twll eu tina nhw. Ochneidiodd, a rhoi ei law ar ei dalcan. Os oedd ei ben o'n brifo cynt, roedd o'n ei ladd o, rŵan.

Aeth drwodd am y gegin eto, yn dechra meddwl *fod* 'na Dduw, a'i fod o'n ei gosbi am regi ar ei ddisgyblion o. Dŵr! Mwy o ddŵr oedd o angan! Llithrodd ar y cwrw ar ganol y llawr, trio gafael yn ymyl y bwrdd i arbed ei hun rhag disgyn, a rhoi ei law yn yr ashtre – a sleidiodd hyd dop y bwrdd, o dan ei bwysa – ac i lawr â fo, fel sach o datws ar lawr.

Cododd yn syth, wedi gwylltio'n gacwn. Roedd hi'n owtrêjys fod bobol fel 'na'n cael getawê efo achosi hasyl fel hyn i bobol, ben ffycin bora! Penderfynodd wneud safiad. Agorodd ddrws y ffrij, gafael mewn tri wy, ac aeth yn ôl i'r drws. Roedd y ddynas wedi ailymuno efo'i ffrindia – dau foi mewn siwt – o flaen tŷ Sbanish, yn cynllwynio i ddwyn ei enaid, ac ar fin agor giât yr ardd.

"*OI! CAN GOD MAKE A FUCKING OMELETTE?!*"

Taflodd yr wya, fesul un, nes bod y tri ffwndamentalydd yn dawnsio i drio'u hosgoi, wrth iddyn nhw sblatro dros y pafin o'u cwmpas. *"GIVE HIM THAT, AND THAT, AND THAT, AND FUCK FUCKING OFF!"*

Slamiodd y drws ar gau eto. Roedd ei ben yn dal i thympian, ond roedd o'n teimlo dipyn gwell ar ôl gneud ei bwynt. Yna sylwodd fod ganddo homar o fin dŵr.

≈ 50 ≈

TUA PUMP O'R gloch bora oedd o wedi gadael tŷ Cled, os oedd o'n cofio'n iawn. Roedd hynny'n gynnar i'r hogia fflagio, ond roeddan nhw wedi'i gor-wneud hi ar y fodca, ac roedd cymdown y pils yn un siarp a sydyn, fel oedd y rysh o ddod i fyny arnyn nhw.

Roedd Carys wedi mynd adra rhyw hannar awr cyn hynny, ac mi oedd hi'n dal yn effro pan aeth o i'r gwely ati hi – fel fynta, roedd ei phen hitha'n buzzian gormod i allu cysgu. Roedd y rhyw dan effaith yr ecstasi'n hyfryd – cariadus a phwerus ar yr un pryd – ac ar ôl bod wrthi am hannar awr a mwy, gorweddodd y ddau ym mreichiau'i gilydd am chydig, cyn mynd ati eto, am chwartar awr arall. Cysgu ddaru Carys wedyn.

Wedi cael rhyw hannar awr bach o hepian aflonydd, cododd Sbanish, a mynd i lawr grisia i smocio joint ac yfad can o lagyr. Os na fyddai hynny'n ei nocio fo allan, fyddai o'n rhoi llwyfan da iddo am weddill y dydd. Un ffordd neu'r llall fyddai hi, meddyliodd.

Gafodd o mo'i nocio allan, beth bynnag, felly aeth drwodd i edrych be oedd ar y teledu. Neidiodd pan symudodd rwbath ar y soffa. Tintin!

Wedi disgyn i gysgu ar ei draed oedd o, yn nhŷ Cled, ac wedi deffro heb neb o gwmpas. Roedd o wedi mynd allan, efo'r bwriad o fynd i'r fflat, ond roedd o wedi anghofio cael y goriad gan y genod. Erbyn iddo sylweddoli hynny, roedd o hannar ffordd at dŷ Jac Bach y Gwalch, ac yn hannar cysgu ar ei draed eto. Trodd yn ei ôl am dŷ Cled, a'i basio, rhwng cwsg ag effro, a mynd i mewn i dŷ Sban.

Dŵr, coffi, joint a can o lagyr yn ddiweddarach, roedd Tintin a Sbanish bron yn yr un stad ag oeddan nhw'r noson gynt. Erbyn i'r plant, wedyn Carys, godi, roedd y ddau'n eitha allan ohoni. Mi drion nhw fwyta darn o dost, a methu, cyn i Tintin benderfynu mai mynd draw i'r fflat fyddai'r peth gora iddo wneud, gan y byddai'i gorff o'n siŵr o gau i lawr o fewn yr awr neu ddwy nesa. Roedd Carys yn cofio fod y goriad yn hambag Fflur, ac mi gerddodd draw, efo Tintin a Sban, i'w nôl o. Wedi cael y goriad, aeth Tintin am adra, a mi aeth Sban efo fo, i'w ddanfon.

Roedd Tintin wedi gwirioni efo'i fflat, ac i ddathlu, mi rowliodd o homdingar o joint o scync. Agorwyd dwy botal o Grolsch, o blith y rhai adawodd y genod yn y ffrij, a llyncwyd jochiad i'r dyfodol.

Pan ddaeth Sbanish yn ôl, â'r *Daily Post* o Siop Frank efo fo, doedd 'na dal neb i'w weld wedi codi yn nhai Cled a Bic, felly aeth i ddiogi o flaen y teledu, efo'i bapur, i ddisgwyl i'r cwsg ddal i fyny efo fo.

Y darllan wnaeth o. Ar ôl darllan cwpwl o erthygla am Lerpwl a Wrecsam yn y tudalenna cefn, roedd ei lygid yn dechra cau'n braf. Fel oedd ei ên ar fin cyffwrdd â'i frest, ysgydwyd o o'i *freefall* gan sŵn Cled yn mynd trwy'i betha tu allan, yn gweiddi rwbath am omlets. Meddyliodd godi a mynd i'r ffenast i weld, ond roedd o'n rhy swrth. Clywodd Cled yn slamio'i ddrws, a styriodd eto. Cydiodd yn y papur, er mwyn darllen brawddeg neu ddwy arall, i drio nocio'i hun allan go iawn, ac agorodd dudalen ar hap.

Darllenodd bwt am felinau gwynt yn y môr ger Llandudno, a fel oedd ei olwg yn dechra fflicran, daliwyd ei lygad gan y pennawd nesa ato. Symudodd ei lygada draw at 'North Wales Murder Link in Canal Death Case'… a disgynnodd i gysgu'n braf…

≈ 51 ≈

AR ÔL PISO, a golchi'i wynab, aeth Cled i'r stafall wely i weld oedd ei ddillad o yno. Mi ffendiodd nhw ar lawr, fel oedd o'n arfar eu gadael nhw wrth fynd i'w wely – heblaw eu bod nhw ar wasgar o gwmpas y lle, yn hytrach na mewn un swpyn blêr, a bod ei drwsus a'i bocsyr shorts wedi tanglo yn ei gilydd ar ôl cael eu tynnu mewn un. O leia'r oedd o wedi *mynd* i'w wely, felly, meddyliodd.

Doedd o'n cofio dim byd, fodd bynnag, felly y peth cynta ddaeth i'w ben oedd mynd i edrych am y plant. Peth rhyfadd ar y diawl na fysa'r hogia i fyny ers cwpwl o oriau – er, erbyn meddwl, mi oeddan nhw i fyny tan bump yn chwara FIFA 07 ar y Playstation 2. Roedd Swyn, hitha, hefyd wedi cael noson hwyr, cyn mynd i gysgu ar y soffa efo Branwen.

Wedi gweld y plant yn cysgu'n sownd, aeth drwodd yn ôl at Sian. Byddai awran o gwsg yn setlo'r cur pen, dim problam. Ond newidiodd ei feddwl pan ddechreuodd Sian chwyrnu'n uchal, fel oedd o'n cerddad i mewn. Byddai panad a smôc – a lagyr oer – yn gneud y job llawn cystal.

Datglymodd ei drons o'i drwsus, a neidio i mewn iddyn nhw, cyn lluchio'i grys-T dros ei ben. Daeth o hyd i'w slipars ar y landing, ac aeth i lawr i'r gegin, a rowlio won-sginnar.

Pasiodd chwartar awr yn yfad coffi a smocio sbliff allan yn yr ardd gefn. Aeth dros antics y noson gynt i gyd, yn ei ben, a'r mwya y cofiai, y duaf troiai'r cymylau yn ei ben. Roedd dod i lawr oddi ar ecstasi'n brofiad anghynnas ar y gora. Roedd cael ei atgoffa am ffeits, a cops a *chases* drwy gaeau, heb sôn am y ffaith fod dau foi oedd o'n meddwl lot o'nyn nhw yn dal i gwffio am eu bywydau yn yr ysbyty, yn gneud y profiad yn un eitha erchyll. Roedd y syniad o wynebu hyn i gyd, ar y funud, yn chwalu'i ben o'n racs. Ond o leia roedd y cur pen wedi mynd.

Ffliciodd rôtsh y sbliffsan i'r draen, ac aeth i nôl can o lagyr o'r ffrij, a'i agor, cyn codi goriad y sied o'r fowlan ar silff ffenast y gegin.

Roedd y 'plant eraill' yn hapus braf yn eu golau. Roedd Cled wedi anghofio gofyn i Sian roi dŵr iddyn nhw neithiwr, ond mi wnaen yn iawn tan heno, meddyliodd. Safodd yno, yn sŵn y ffan fach drydan a hym tawel y lampau, a'u gwylio am o leia deg munud, gan blygu i lawr i ogleuo rhai o'r bŷds, bob hyn a hyn. Disgwyliai y bydda nhw'n barod mewn cwpwl o ddyddia.

Gwenodd. Roedd o'n teimlo'n well yn barod.

Pan aeth yn ôl i'r gegin, roedd Sian Wyn a Swyn i fyny. Yn ei chadair uchal oedd Swyn, yn gweiddi dros y lle am ei bwyd. Roedd Sian druan yn wyn fel y galchan, ac yn edrych mewn poen.

"Ti'n iawn, bêb?"

"Yyyrg... ffwcin hel nacdw..."

Gwenodd Cled. "Dos 'nôl i gwely, blodyn. Ro i fwyd iddi."

Chwara'r gêm Taflu Bwyd Ar Ben Dad wnaeth Swyn Dryw, fodd bynnag, unwaith y penderfynodd ei bod hi wedi cael digon, neu bod be oedd ganddi ar ôl o'i blaen yn werth ei aberthu er mwyn gweld dad yn Weetabix drosto. Triodd Cledwyn bob math o dactegau i'w chael hi i'w fwyta fo i gyd – storis, eroplêns llwy, agor ceg fel pysgodyn aur – ond doedd dim byd yn tycio. Roedd 'na *cereal* yn bob man dros y gadair a'r llawr, a dros y fechan a'i thad. Rhoddodd i fyny. Ildiodd i bŵer y baban, ac aeth i lenwi'i bîcyr hi efo jiws oren.

Ond doedd Swyn Dryw heb orffan chwalu pen ei thad eto, felly mi ddechreuodd hi sgrechian ar dop ei llais bob tro'r oedd Cled yn symud oddi wrth ei chadair. A phan oedd Swyn Dryw yn sgrechian, roedd hi'n sgrechian.

Llwyddodd i gau ei cheg, yn y diwadd, drwy roi lolipop hufen iâ iddi, o'r rhewgell. Bodlonodd ar ei brecwast cŵl ac anarferol, a thaflu'i bîcyr o jiws i'r llawr. Gwaeddodd rhyw jibyrish iaith babis, wedi'i ddilyn gan "lo-i-pop," wedyn poeri dros bob man, cyn setlo i lawr efo'i thrît. Rhoddodd Cled y tecall ymlaen, a rowliodd ffag.

Roedd ar fin ei thanio, yn y drws cefn, pan gnociodd rhywun ar y drws ffrynt eto. "O ffor ffyc's sêcs!"

"Yc-ecs!" medda Swyn fach, fel carrag atab, wrth i Cled basio am y lownj.

Pan gyrhaeddodd y drws ffrynt, gwelai siap dynas drwy'r gwydr llwydrew, eto. Ond doedd hi ddim yn gwisgo piws. Agorodd y drws. Safai hogan siapus, yn ei thridegau yno, yn gwisgo pâr o jîns tyn a chrys-t oedd fel ail groen dros ei bronnau crynion braf. Roedd hi'n gwenu'n siriol, ychydig yn rhy siriol, i ddeud y gwir

– roedd ei llygid gleision yn ymylu ar groesi'r ffin rhwng secsi-cynnes a seicotig.

"*Helloooo!*" medda hi, a gwenu fel cyflwynydd rhaglen plant. "*I'm in the area selling rugs!*"

"*What?!*" Oedd o wedi clywad yn iawn?

"*I'm in the area selling rugs!*" medda hi eto, fel 'sa hi'n disgwyl bonllef o hwrê mawr. Roedd hi'n wiglo'i thin wrth siarad.

"*Oh! Rugs?*"

"*Yes! Would you like to…?*"

SLAM!

Martsiodd Cled yn ôl i'r gegin, yn rhegi'n uchal. "Ydi pob ffwcin ffrîc yn y ffycin byd yn targetio'r ffycin tŷ 'ma bora 'ma? Ffacin hel!"

"Ffyceeel!" gwaeddodd Swyn.

"Shshshsh babs! Ti'm i fod i ddeud hynna, 'sdi, sosej!"

"Haha-haha-ha…!"

"Hi-hi-hi! Ffyni dwyt, gorjys?" Gwenodd Cled wrth blygu lawr at ei gwynab i dynnu tafod arni.

"Ll-ll-ll-ll-ll-ll-ll-ll-ll…" Gorchuddiodd Swyn wynab ei thad efo poer a hufen iâ.

"Diolch Swyn!"

Daeth sŵn cnocio o'r drws ffrynt eto, yn llawar uwch y tro yma.

"Ffyceeel!" gwaeddodd Swyn, a chwerthin.

"Na, Swyn! Paid â deud hynna! Drwg!"

'*BANG! BANG! BANG! BANG! BANG!*'

Roedd 'na rywun yn dyrnu'r drws rŵan.

"Be ffwc…?!" Aeth Cled drwodd i'w ateb am y trydydd tro.

"Cledwyn! Ty'd allan y wancar!" hefrodd llais o'r ochor arall.

"Wel, ffyc mî pinc!" medda Cledwyn wrth ei hun, ac agor y drws.

Fel oedd Cled newydd ddyfalu, pwy oedd yno, ond Al Babs – sheinar dan ei ddwy lygad ac uffarn o friw ar dop ei drwyn – wedi tynnu'i grys i ddangos ei fysyls newydd o'r *gym*, ac yn sgwario fel ceiliog ar lwybr yr ardd. Pan ddaeth Cled i'r golwg, baciodd yn ei ôl, bron at y giât, a dal ei ddwylo allan. "TY'D 'TA! TY'D! TY'LAEN! FFYCIN MALA I DI!"

Doedd Cledwyn erioed wedi meddwl llawar o Feng Shui. Ond rŵan, efo'r trydydd nytar mewn llai nag awr yn cnocio'i ddrws o, roedd o'n dechra meddwl oedd 'na rwbath yn bod efo *layout* y dodrafn yn y tŷ. Roedd 'na feibs negatif yn codi o'r lle fel mast Nebo, heddiw, yn ôl y golwg...

"TY'D Y CONT!" gwaeddodd Al Babs eto. "TI'N MEDDWL BO' CHDI'N FFWCIN GALAD, WYT?! TY'LAEN! NOCIA I'R FFYCIN DANNADD CAM 'NA I GYD ALLAN O DY BEN DI'R CONT!"

Sgwariodd Alwyn eto, a dechra gneud symudiada cic-bocsio, yng ngwaelod yr ardd. Chwarae teg i'r cont bach, meddyliodd Cled. Roedd gan y ffycar fwy o fôls nag oedd o wedi'i feddwl. Ond roedd 'na rywun arall yn siŵr o fod efo fo'n rwla. Cwffio i wneud enw iddo'i hun oedd Al Babs, ac roedd o'n saff o fod wedi dod â rhywun efo fo, i fod yn dyst i'w goncwest.

Edrychodd Cled o gwmpas y stryd. Doedd 'na neb ond y ddynas gwerthu rygs, a'i phartnar, tua'r chwith, yn haglo efo Ned Normal yn nrws eu fan, o flaen tŷ Ding Bob Dim. Ond wrth edrych i'r dde, gwelodd Cled nhw – dau o fêts Al Babs, mewn car, o flaen tŷ Drwgi. Nabodd nhw fel cwpwl o benna bach o Dre. Synnai Cled ddim os fysa nhw'n neidio ar ei gefn o os fydda petha'n mynd yn ddrwg i'w mêt.

"CYM ON 'EN!" gwaeddodd Al, yn neidio i fyny ac i lawr fel Chicken George, wrth i Cled frasgamu lawr y llwybr i'w gwfwr o. Blociodd Cled ei swing gynta fo, efo'i fraich chwith, a'i ail efo'i fraich dde, cyn landio lefft hwc yn daclus ar ochor ei ên. Gwelodd Cledwyn ei lygid o'n troi, a dilynodd y chwith efo clec fel gordd efo'r dde, reit ynghanol ei jops.

Pan laniodd o, roedd o tu allan giât yr ardd, ei din ar y pafin a'i ben ar y ffordd. Roedd o'n cysgu'n braf, a'i geg a'i drwyn yn llifo fel afon goch. Ac ar lawr, wrth ymyl ei wynab, roedd un o'i ddannadd blaen.

Y peth nesa glywodd Cled, oedd sŵn dau ddrws car yn cau. Roedd y ddau gont bach arall yn dod draw.

"Cerwch â'r mypet 'ma o'ma," medda Cled. "Os wela i o'n agos yma eto, fydd o angan sgaffold i ddal i wynab o fo'i gilydd. A chitha'ch ffycin dau, hefyd!"

Doedd wybod os oedd y ddau wedi bwriadu neidio i mewn, ai peidio. 'Falla'u bod nhw yno rhag ofn i Al frifo, neu wedi pasa neidio i mewn ar ryw bwynt, ond fod y ffeit wedi gorffan yn rhy sydyn. Neu hwyrach eu bod nhw wedi penderfynu peidio, pan welson nhw faint mor sydyn a chalad oedd Cled yn dyrnu. Neu pan welson nhw fod Drwgi wedi dod i ben drws i wylio...

"Iawn Cled?" gwaeddodd Drwgi, yn wên o glust i glust.

"Yndw mêt. 'Sna'm llonydd i ffwcin ga'l, bora 'ma!"

≈ 52 ≈

WEDI RHOI'R FFÔN i lawr, clapiodd Sid Finch ei ddwylo unwaith, yn uchel, a gweiddi, "*Yes!*"

Bu cyswllt Finch ar y Cyngor yn driw i'w air. Roedd y Trowt yn cael ei werthu, mewn ocsiwn yn Crewe, ddydd Llun yma. Doedd o'm yn gwybod y manylion i gyd eto, ond roeddan nhw wedi cael hyd i'r perchennog ers bron i dri mis bellach, ac roedd yr olwynion wedi bod yn troi ers amsar. Lwcus ei fod wedi ffonio, neu mi fyddai'r Brithyll Brown wedi llithro drwy'r rhwyd.

Ond wnaeth o ddim. Ac roedd hynny'n ddigon da i Finch. Wrth gwrs, roedd o'n gwybod nad oedd y lle eisoes wedi'i werthu, neu mi fyddai wedi clywed rhywbeth yn y *Lodge*. Ond pan welodd y dynion festia melyn yno'r bore cynt, roedd hi'n amlwg fod 'na *rwbath* ar droed. Da oedd cael gwybod, felly, nad y perchnogion oedd yn gwneud cais i ddatblygu'r safle, ac felly, bod cyfla iddo fo – Walter Sidney Finch – ei fachu. Roedd y lle'n safle delfrydol – yn "*potential bloody goldmine*", oedd yn cynnig sawl opsiwn i ddyn efo cysylltiadau fel Finch. Ond yn fwy na hynny, roedd o'n ddarn arall yn y jigsô ymerodrol oedd yn datblygu yn ei ben. Darn allweddol, fyddai'n cadarnhau ei ddylanwad a'i statws newydd fel prif batriarch yr ardal. A gwneud swp da o bres yn y broses...

Aeth draw i'r cwpwrdd diodydd, ac estyn y decanter brandi

allan. Doedd hi ond yn tynnu at un ar ddeg yn y bora, ond roedd hyn yn galw am ddiod bach i ddathlu. Tolltodd fesur bach i'w wydryn, oedi, yna atgoffa'i hun ei bod hi'n ddydd Sadwrn, a llenwi'r gwydryn i'r top. Yna taniodd sigâr.

Croesodd y llawr at y drysau patio, i edrych allan ar gnewyllyn ei ymerodraeth – maes carafanau a llyn pysgota Tyddyn Tatws – yn cael ei fwytho gan y glaw mân oedd wedi cau i mewn ar y bora. Fan hyn ddechreuodd popeth, atgoffodd ei hun, wrth sipian ei frandi. *From little acorns*, a ballu. Crechwenodd. "*Roman Abramovich, eat your heart out... comrade!*"

Tynnodd ar ei King Ned, a gwenu wrth ystyried, am eiliad, y posibilrwydd o ailenwi'r lle yn New Rome. Byddai'n gweddu. Yma oedd canolfan ei ymerodraeth eiddo, wedi'r cwbwl. Sylwodd ar ei adlewyrchiad yn y gwydr, a throdd i'r ochor, i gael gweld ei broffeil. Byddai'n gwneud Cesar da, hefyd, meddyliodd. Heblaw am y bol...

"*Hail Caesar!*" meddai, a chodi ei wydryn o'i flaen. "Walter Sidney Caesar!"

Stopiodd i feddwl. Doedd hwnna'm yn clecian, rhywsut. Rwbath fyddai'n swnio'n fwy clasurol fysa'r boi. Rwbath fel...

Gwenodd yn dew, a chodi'i wydryn eto. "*Hail* Sidney Claudius Finch!"

Sobrodd, ac anghofio am y lol, pan gafodd syniad. Cleciodd ei frandi, ac aeth yn ôl at ei beiriant ffôn-a-ffacs. Byseddodd y rhif i mewn, a rhoi'r teclyn ar *speaker phone*. Aeth i dollti gwydriad arall, wrth i'r ffôn ganu.

"*Hello*," medda llais ei gyfreithiwr, Richard Spragg. Roedd o'n swnio allan o wynt.

"Sut mae, Dic? Finch yma."

"S'mai Sidney," meddai'r llais, gan chwythu.

"Be ffwc ti'n neud? Rhedag marathon?"

"Ddim yn bell, Sid... Dwi ar y *treadmill* yn tŷ... Diawl o beth handi... ar ddiwrnod fel hyn... Be alla i neud i ti...?"

"Isio gwbod ydw i, oes 'na ffordd o gysylltu efo'r twrneiod sydd *in charge* o *sale* y Brithyll Brown, yn Graig-garw?"

"Y Trowt? Ydyn nhw wedi ffendio'r *owners*?"

"Wel, mae o'n dod i fyny ar ocsiwn dydd Llun, draw yn Crewe."

"Reit... aros funud bach... i fi ddod off y blydi contrapshiyn 'ma... OK, dwi'n gwrando..."

"Meddwl o'n i – *and you know me, Richard, I'm not one for breaking the rules, heh-heh* – ond wyt ti'n meddwl fod 'na bosib cael *pre-auction pow-wow* efo'r *auction house?*"

"*Bid-fixing*, ti'n feddwl?"

"Naci. Ac ia, Dic..."

"Reit... OK, dwi efo chdi – *and as your solicitor I would seriously discourage my client from partaking in any unethical business practices, but* – mae 'na wastad bosib – *if someone should be that way inclined, and should choose to ignore his solicitor's advice...*"

"Ia, ia, *cut the crap*, Ricardo..."

"'Os 'dio'n *Council CPO – Compulsory Purchase Order...*"

"Dydi o ddim..."

"*Private sale?*"

"Ia."

"Hmmm... *GRQ?*"

"Be?"

"*Technichal term*, Sidney... *Get Rid Quick!*"

"*Aah!*" Chwerthodd Finch efo'r llais yn y peiriant. "Ia, dyna be ydi o, *apparently...*"

"OK, os di'r *auction house* ddim yn *receptive*, hwyrach fod ffordd o drefnu rwbath efo'r *owners*, gofyn fysan nhw'n agored i dderbyn bid cyn y *sale*, sbario iddyn nhw dalu *commission et cetera*... Ti isio i fi edrych i mewn i'r peth i chdi?"

"O, dwi isio mwy na hynny. *I want you to make it so, Richard!*"

"Mae'n *long shot* ofnadwy efo'r ocsiwnîars, Sid – mwy neu lai yn amhosib – ond dria i gael *pre-auction sale* i chdi..."

"Mae gan bawb ei bris, Dic. Ma'n werth trio'r petha 'ma'n dydi?"

"Ro i *feelers* allan. Ond bydd rhaid i fi fod yn *squeaky clean when we emerge on the other side*, cofia..."

"*Of course, Dickie Boy*," medda Finch, wrth lyncu swig siarp o frandi.

"Ac 'un dew' i'r '*Crimbo Fund*', wrth gwrs..."

"*Double-cream* tro yma, Dic."

"*In that case, Sidney*, mi wna i chydig o waith ymchwil. Sut mae pethau yn Coed Myrddin?"

"Wizard's Grove ydi o rŵan, Dic. Fedrwn i ddim meddwl am y lle'n cael ei alw'n '*Code Murton*' gan ein *Anglo friends*. Ma hi'n mynd yn iawn yno, *so far*. Bwcings yn dod i mewn at Dolig..."

"*Good, good*. OK, rhaid i fi redag rŵan, Sid – yn llythrennol! *The pounds don't come off on their own!* Hwyl rŵan!"

Diflannodd llais Dic Twrna, a daeth y tawelwch yn ei ôl i gadw cwmni i Finch. Tynnodd ar ei sigâr, a cherddad yn ôl at y drysau patio. Edrychodd ar ei lun unwaith eto, a chodi ei wydryn yn uchel.

"*Veni, Vidi, Vici!*"

⁼ 53 ⁼

CERDDODD Y DYBYL-BYBYLS i mewn i gegin gefn Drwgi am hannar awr wedi un ar ddeg, a thaflu goriada car Fflur ar y bwrdd.

"Diolch o galon Fflur," medda un o'nyn nhw, cyn estyn bocs o joclets o dan ei gôt. "Ac ynda. Prethant i chdi."

"Ooo!" medda Fflur, yn sarcastig, "*Roses!* Doedd 'im isio i chi...!"

Edrychodd yr efeilliaid ar ei gilydd, wedyn ar Drwgi, oedd yn ista wrth ei laptop ar y bwrdd. Winciodd hwnnw arnyn nhw. "Potal o seidar tro nesa, hogia, neu gwin coch!"

"Na, jocian 'dw i siŵr!," medda Fflur, a chwalu'i gwynab dedpan efo'i gwên barod. "Diolch yn fawr hogia! *It's ddy thôt ddat cawnts!*"

"Panad?" cynigiodd Drwgi.

Wedi gneud synau cadarnhaol, tynnodd yr efeilliaid ddwy gadair allan o dan y bwrdd, ac ista i lawr.

"Rhaid i mi ddeud," medda Drwgi, wrth lenwi'r tecall, "o'n i'n ama' na fysa chi'n gneud shifft lawn heddiw 'ma, ar ôl noson fel guthoch chi nithiwr."

"Dim dyna pam 'dan ni adra…" dechreuodd Gwyndaf.

"Paid â deud bo chi 'di ca'l sac 'fyd!"

"Naddo…"

"Cops? Y *chase* 'na nithiwr?"

"Naci, naci… 'dan ni'n dal heb glywad 'im byd efo hynny, sy'n ffycin rhyfadd uffernol… Ond, gwranda ar hon 'ta…"

"*POLICE! POLICE! RAID! ON THE GROUND NOW!*"

Neidiodd Fflur a'r Dybyl-Bybyls allan o'u crwyn, a rhuthrodd Drwgi am y chwartar o scync ar y bwrdd…

"Ffycin basdads!" gwaeddodd Fflur, pan welodd Cledwyn a Bic yn sefyll yno'n piso chwerthin. "FFYCIN BASDADS!"

"'Nghalon i!" medda Drwgi, wedyn, a rhoi ei law ar ei frest yn felodramatig. Ddudodd y Dybyl-Bybyls ddim byd.

"Ia, gyma i un, Drwgi," medda Cled. "Coffi, tri siwgwr."

"A fi, mêt," medda Bic. "Pedwar siwgwr."

Rhegodd Drwgi rwbath dan ei wynt, wrth estyn dau fŵg arall oddi ar goedan fygia, ar y top.

"Be ffwc dach chi'ch dau'n neud adra, 'ta?" gofynnodd Cled, wrth fynd i fusnesu be oedd ar sgrin laptop Drwgi.

"Dyna o'ddan ni'n mynd i ffycin ddeud ŵan," medda Gwynedd. "Cyn i ffwcin Thtarthky and Hutch dorri ar drawth…!"

"Gath y seit 'i robio neithiwr. Y compownd…"

"Naddo!" Roedd Drwgi, a'r lleill, yn glustia i gyd, yn syth.

"Do. Dyna lle 'dan ni 'di bod tan ŵan. Copth yn holi pawb ar y theit. Lwcuth na dim ond y thtîl-fficotharth oedd i mewn, ne fytha ni'n dal yna."

"Be o'ddan nw 'di ddwyn?" holodd Cled.

"Bob dim o'r *lock-up*…"

"*Stihlsaws, whacker*, jeni…"

"Bob dim o'r cantîn… be bynnag ffwc *oedd* 'na…"

"*Tea-urn*, dillad oel a welintyns… Ond dim byd newydd…" dyfalodd Bic.

"A'n ffycin slipars i!" medda Drwgi.

"Be, y petha Daleks swnllyd 'ny?" gofynnodd Gwyndaf. "Welson ni nhw pnawn ddoe. O'ddan ni 'di pasa dod â nhw adra i chdi, ond anghofion ni, achos bo ni 'di gorffan yn gynnar. O'ddan nhw wrth y drws, efo welis yr hogia. 'Nath Wynff 'ma llnau'r mwd i ffwrdd o un o'nyn nw, i chdi, yndo Wynff?"

"Do Wynff."

"Grafodd o'r mwd i ffwrdd, a'i sticio hi uwchben yr hîtar am bum munud, a mi sychodd y mwd yn llwch. Ddoth o off yn hawdd wedyn…"

"Do'ddan nw'm yna bora 'ma, 'de!" ychwanegodd Gwynedd.

"Nag 'ddan," cadarnhaodd Gwyndaf. "Guthon ni gip sydyn tu mewn, cyn i'r cops ddod…"

"Ac o'dd y thliparth 'di mynd. Achoth o'dd y welith i gyd wedi mynd. O'dd na'm byd yno o gwbwl."

"A, wel…" medda Cled. "Gobeithio 'na rywun lleol 'nath y lle. Talu'n ffycin sâl ma'r Codds 'na, eniwê. A ma hi'n un o ffyrms mwya'r ffycin wlad…!"

"Ond 'yn slipars i!"

"Ffwcio dy slipars di, Drwgi! Chdi o'dd bai'n gada'l nw 'na!"

"Ond, hogia…" medda Gwyndaf. "'Dan ni heb orffan…"

Caeodd pawb eu cega. Roedd 'na olwg ddifrifol ar wyneba'r efeilliaid.

"Ma nw 'di mynd â'r crawia!"

"Ah?!" medda pawb – mae'n rhyfadd fel mae bobol angan clywad popeth syfrdanol ddwywaith.

"Ma'r crawia wedi mynd."

"'Yn crawia ni?" holodd Cled.

"Ia!"

"Y cwbwl lot?"

"Y rhai da i gyd…"

"Wel y ffycin basdads!" diawliodd Cled.

"O'ddan nhw 'di torri mewn i'r dymp hefyd, felly?" gofynnodd Bic.

"Ma'n chydig bach o mythteri ar y funud…" medda Gwynedd,

"ond ma'n edrach yn debyg fod nw'n gwbod am y ffycin thingth…"

"Ond sut ffwc fysa nw'n gwbod fod nw yna?"

"Ia, Cled," cytunodd Drwgi. "Ma hynna'n… bwynt… da…..."

⁼ 54 ⁼

NEIDIODD TINTIN O'I gwsg. Roedd Frank newydd gau caead y *chest freezer* yn y siop, drws nesa, ac am eiliad, roedd Tintin wedi meddwl ei fod o'n dal yng ngharchar Walton. Ymlaciodd pan deimlodd o'r matras tew oddi tano, a'r cwilt meddal, trwchus wedi'i lapio drosto.

Roedd o wedi cael traffarth cysgu pan aeth i'r gwely i ddechrau. Doedd yr amffetaminau yn ei gorff ddim yn helpu, ond y brif broblam oedd y gwely ei hun. Doedd o heb arfar â matras mor gyfforddus, erbyn hyn. Mi wnaeth o ystyriad tynnu'r fatras a chysgu hebddo, ar un adag, ond roedd o'n teimlo'n euog meddwl am y peth, o gofio fod Frank wedi bod mor dda a rhoi'r fflat iddo, a'r genod wedi bod wrthi mor brysur yn gneud y lle'n gartrefol. Roedd rhaid iddo daflu'r cwilt ar lawr yn ystod y bora, fodd bynnag, a lapio'i hun yn y shît wely, am ei fod o'n rhy gynnas. Ond roedd o wedi deffro rhyw hannar awr wedyn, yn crynu, ac wedi rhoi'r cwilt yn ôl drosto.

Cododd, a mynd i'r bog. Roedd hynny'n deimlad rhyfadd – ista ar doilet mewn preifatrwydd, a chael papur call i sychu'i din. Golchodd ei ddwylo a thaflu dŵr oer dros ei wynab, a defnyddio un o'r tywelion glân a adawodd y merchaid ar ochor y bath, i sychu. Edrychodd ar y *shower unit*, a meddwl pa mor rhyfadd fydd cael cawod ar ben ei hun eto. Ond panad gynta, meddyliodd…

Braf! Hogla bêcyn yn crasu dan y gril, a sŵn wy yn ffrio'n y badall. Dim trampio i lawr i'r *servery*, pigo trê metel i fyny, a cherddad mewn lein i dderbyn y bêcyn sî-thrŵ, bara sych, wy wedi'i ferwi'n gorn, a bowlan o uwd tew, a'u cario 'nôl i'r cwt i'w bwyta. Gwenodd. Roedd o'n mynd i fwynhau'r brecwast 'ma.

Meddyliodd be oedd o am ei wneud heddiw. Roedd hi'n ddydd

. Sadwrn, felly doedd 'na ddim byd swyddogol fedrai wneud, fel seinio mlaen, neu beth bynnag. Mi fedra drio mynd i weld y plant, ond roedd hi'n rhy fuan. A beth bynnag, doedd Glenda ddim yn mynd i fod mewn hwylia i siarad ar ôl i Cled nocio'i brawd hi allan neithiwr.

Na, roedd rhaid iddo gael ei hun at ei gilydd, gynta. Sortio'i strategaeth a'i dictacs, a gadael i Glenda ddod i arfar efo'r syniad ei fod o adra, ac adra i aros. Mynd am dro, neu am beint tawal, i weld pwy welai o, oedd y cynllun gora heddiw, meddyliodd. Doedd yr ymrafael efo Glenda ddim yn mynd i fod yn neis. Roedd o'n beth call i fwynhau ei ryddid gynta. Cyn i'r rhyfal ddechra...

Yna cofiodd ei fod o'n rhydd i fynd i brynu papur. Cododd yr wy o'r badall, a'i roi o ar blât, ac aeth drws nesa i nôl *Daily Post*, tra oedd y bêcyn yn gorffan gwneud. Roedd o angan gweld Frank, i ddiolch iddo, beth bynnag.

Mynnu nad oedd angan diolch oedd Frank, fodd bynnag, a mynnu sticio at ei fwriad i beidio codi rhent arno, 'mond iddo dalu'r letrig a'r dŵr, a ballu, wrth gwrs. Ar ôl rhyw funud o fân siarad – falch o ddod yn ôl, sut amsar gafodd o'n clinc, wancar oedd Sid Finch, ac yn y blaen – talodd am ei bapur, ac am bowtsh o Golden Virginia *duty free* a potal o Bacardi o dan cowntar, pacedi rislas coch a glas, pacad o *straws* parti plant, a potal o Lucozade, ac aeth yn ôl i'r fflat.

Roedd y bêcyn wedi gneud chydig bach gormod, ond yn dal i edrych, ac ogleuo, gan gwaith gwell na bêcyn carchar. Rhoddodd y cwbwl mewn brechdan, a'r wy ar ei ben o, efo digon o halan, a chnoi. Ac er fod y cocên, sbîd ac ecstasi wedi nocio'r rhan fwya o'i *taste buds* allan, roedd y frechdan yn blasu fel y peth gorau a fwytaodd neb erioed. Delicasi! 'Bon apetwit,' neu beth bynnag oeddan nhw'n ei alw fo...

Wedi cael hyd i'r tronsia, sana a chrysa-t glân yn y cwpwrdd êring, neidiodd Tintin i'r gawod. Bu yno am o leia chwartar awr, yn cael gwarad o'r cwrw, cyffuria a'r carchar o'i feddwl. Roedd 'na 'grrrr' yn ei ysbryd neithiwr, meddyliodd. Rhyw annifyrwch oedd wedi treiddio i mewn i'w system, fel tamprwydd, o waliau'r jêl. Y math o beth sy'n gorwedd fel llwydni ar yr isymwybod, ac y mae rhaid cael gwarad ohono cyn iddo ledu a throi'n chwerwedd, a bwyta rhywun o'r tu mewn.

Pan ddaeth allan o'r gawod, roedd o fel dod allan o'r carchar unwaith eto. Ond y tro yma roedd o'n lân tu mewn yn ogystal ag ar yr wyneb. Ac yn rhydd *go iawn*. Gobeithio...

Yn teimlo'n ffresh fel pluan eira, aeth i nôl potal o'r ffrij, a thywallt y lagyr bywiog, yn felyn i wydr peint. Wedyn rhoddodd rew o dop y ffrij mewn gwydr hannar, a Bacardi a Lucozade ar ei ben o, a gwelltyn yn ei dop o. Rowliodd sbliffsan dew, ac aeth drwodd i'r stafall fyw i'w smocio hi, ei draed i fyny ar y bwrdd coffi bach du, efo'i beint, ei 'goctel' a'i bapur. Yndi wir, meddyliodd, mae hi *yn* dda yng Nghymru!

≈ 55 ≈

"COLIN BARBERRY AND... *Kevin Jones. Know them?*"

"O lle?"

"*Wot?*"

"*From where?* Tyrd rŵan Elton bach! *You have to keep practicing if you want to learn!*"

"*I don't want to learn, Gwenfare, I just think it's a duty...*"

"*Oh yeah!*"

"*What d'yer mean... 'oh yeah?'*"

"*Duty my arse! You just want to learn enough to pass yourself off as bilingual.*"

"*Why would I want to be 'bilingual'? Sounds like some sort of disease.*"

"*Bilingual equals brownie points.*"

"*Are you suggesting... that I'm cynically exploiting the Welsh language to... facilitate the furthering of my career?*"

"*Now there's a mouthful! Did some one accuse you of that, some time?*"

"*Eh?*"

"*Your vocabulary's improved a lot, all of a sudden! Never mind, back to the point – it's* Gwenfair. *Not* Gwenfare. Gwen-fair!"

"OK, OK! Caee... dee gaig... rooan... Gwenvaeer!"

"There! See? Not hard once you get your teeth into it!"

"Or once your spit glands are extracted!"

"Oi! Watch it!"

"Oww! You bitch!"

"You fucking love it, though, don't you big boy?"

"Oh yes... fucking yes... aaah!... oooh!... fuck... oh... ooooooh... aaaaaaaah!"

"Now what do you say?"

"Deeolk?"

"Da iawn ti!" medda WPC Davies wrth sychu'i llaw efo *wet-wipe* oddi ar y ddesg, cyn ei daflu fo i'r bin ym mhen draw'r stafall. *"Do your homework like a good boy, and the next lesson will be oral. Now who did you want to know?"*

"Jesus! Erm... yeah," dechreuodd Elton wrth gau'i falog. *"Colin Barberry and Kevin Jones... From this here god-forsaken town... Anything?"*

"I'll check."

"Cool. They were first on site this morning, kindly agreed to come here to make a statement, thank fuck – Christ, it was cold up there... Oh no!"

"What?"

"Oh fuck! Fuck...!"

"What's the matter?"

"I've fucking cum all over Pennylove... I mean, my report about him, for Inspector Williams! Oh fuck...!"

Gwenodd WPC Gwenfair Davies yn ddrwg, wrth gau'r drws ar ei hôl.

≈ 56 ≈

"SUT FFWC O'N i fod i wbod? Oedd y boi i weld yn lejít. Parchus teip o beth!"

"Chdi oedd yn chwil, Drwgi, ffor ffyc'th thêcth, màn!"

"Pres Dolig yr hogia 'di mynd!" medda Bic

"Cym off it, Bic! Gena chi doman ar ôl heb 'u tynnu i lawr!"

"Ia, ond fydda'n nhw'n gwbod fod 'na sgam yn mynd 'mlaen, rŵan, 'yn byddan. A byddan nw'n rhoi stop arni'n bydd?"

"Ne sacio ni!" medda Cled. "Fyddan nhw'n gwbod 'na ni sy wrthi! 'Dyn nw'm yn gwbod am y Dybyl-Bybs, ond ni sy'n gweithio ar y crawia…"

"Duw, peidiwch poeni, hogia bach," medda Gwyndaf Dybyl-Bybyl. "Ma'r sgam yn ffycd, yndi. Ond gowch chi'm ffycin sac, siŵr! Wel, ella geith Bic, 'de, achos fo sy'n cario nw o'na, efo'r dympar…"

"Mae Sharon *yn* mynd i thythio'r thgam, waeth i ni gachu mwy nag uwd," medda Gwynedd. "Achoth ma padloc giât y dymp wedi torri, a ma'r copth di bod yna'n dilyn tracth teiarth reit i fyny at y crawia thydd ar ôl… Ma nw 'di mynd i fyny'r ffor' gefn, ac wedi mynd allan drw'r compownd, a robio hwnnw ar y ffordd allan…"

"Ac a'th Sharon i fyny 'na efo'r cops, hefyd…"

"Felly dyna hi. *End of…*"

"Ond dyna ni," medda Gwyndaf wedyn. "'Sna ffyc ôl fedran ni neud am y peth ŵan. Ma 'di digwydd a dyna fo. Drwgi – o'dda chdi'n chwil, ac yn trio ca'l sêl i'r hogia. Dim bai chdi oedd fod boi diarth wedi digwydd gofyn yn sbesiffic am grawia…"

"Fyswn i heb ddeud, fel arall, nafswn?"

"Dal yn ffycin stiwpid, Drwgi," brathodd Bic. "Doedd 'im rhaid chdi ddeud lle *oeddan* nw, nagoedd?! Cont gwirion. *Loose lips sink ships,* màn!"

"Ta waeth!" medda Gwyndaf, a'i lygid duon yn melltio. "Be sy'n dda yn hyn i gyd ydi fo' ni'n gwbod pwy sy 'di'u dwyn nw. A mi welson ni'r ffycars yn cychwyn off neithiwr!"

"Dwi'm yn dallt!" medda Bic.

"Na fi," medda Cled.

"Boi stoci, pen moel, îring, siarad Sgows, medda chdi Drwgi?"

"Ia. Wel, Sgows-*ish*…"

"Oedd o efo'r boi fan wen neithiwr, a boi arall 'fyd. Tri o'nyn nw. Nhw sy 'di dwyn 'yn crawia ni. A nhw sy 'di hannar lladd Tomi a Jac."

≈ 57 ≈

'*PING PING PING PING PING PING…*'

Doctoriaid a nyrsys fel sgrym uwchben y gwely. Lleisiau uchel, brysiog, proffesiynol… gorchmynion, termau technegol, rhifau, llythrennau…

'*PING PING PING PING PING PING…*'

Nyrs yn brysio efo peiriant ar olwynion. Weiars, teclynnau, peipiau… breichiau, penelinau, dwylo… gorchmynion, brawddegau sydyn, atebion siarp, termau technegol, brysio, llythrennau, rhifau…

'*PING PING PING PING PING PING…*'

Peipiau, weiars, teclynnau, goleuadau, breichiau, penelinau, dwylo… brysio… gorchmynion, termau, cwestiynau, atebion, termau, teclynnau, rhifau, llythrennau, cwestiynau…

"*Clear!*"

'*BWMFF!*'

'*PING PING PING PING PING PING…*'

Cyrtans yn cau. Rhifau, llythrennau, termau, jargon, synau, galwadau, annog, cwestiynau, termau, gorchmynion…

"*Clear!*"

'*BWMFF!*'

'*PING PING PING PING PING PING…*'

Gafaelai Alis a Medwen yn dynn yn ei gilydd, yn wyn efo braw, dagrau o ddychryn yn sglein ar bob boch, yn crynu. Crynu gerbron y Düwch Mawr…

"*Clear!*"

'*BWMFF!*'

'*PING PING PING PING PING PING…*'

≈ 58 ≈

ROEDD HI'N BWRW eira. Dechreuodd fel glaw mân, yn cau i mewn o'r gorllewin, a disgyn fel blancad dyner dros y wlad. Yna trodd y dafnau'n serennog, ac yna'n wyn.

"Eira mân, eira mawr," medda Tintin, wrth gerddad drwy'r parc, am Bryn Derwydd. Roedd o'n teimlo'n gynnas tu mewn, er bod yr awyr yn gafael yn ei groen. Roedd y Bacardi fel gwres canolog, fel potal dŵr poeth yn ei stumog, ac roedd o'n teimlo fel bod ei gorff yn tywynnu, fel ar yr hysbyseb Ready Brek ar y teledu erstalwm. Ond roedd hannar potal o Bacardi'n gneud y job llawn gwell na bowlan o uwd.

Disgynnodd y papur newydd i'r llawr. Cododd o, ei ailrowlio, a'i stwffio fo 'nôl i bocad ei gôt. Tynnodd ar ei sbliff, a gafael yn y rêling wrth fynd lawr y llwybr, ochor arall i'r parc. Roedd yr eira'n glynu ar lawr, yn ei droi'n dwyllodrus, a doedd gan Tintin ddim grip ar ôl ar ei sgidia.

Cyrhaeddodd y gwaelod heb fynd ar ei din, ac arhosodd i ddau gar basio. Croesodd y ffordd, gan gofio'r tro hwnnw pan gafodd o'r madarch, a'i cholli hi'n llwyr. Roedd o'n meddwl mai afon oedd y ffordd, yn llawn crocodeils, ac roedd o ofn ei chroesi. Cledwyn lwyddodd i'w gael o ar draws, ond dim ond wrth 'nofio' 'nôl drosodd, i afael yn ei fraich, a'i hebrwng.

Y trip yna – honna oedd hi. Dechra'r digwyddiadau domino a arweiniodd at chwalu'i fywyd teuluol, a carchar. I gyd oherwydd panad o de!

Neidiodd i'r pafin ar ochor draw'r ffordd, ac edrych 'nôl ar olion ei draed yn y memrwn tena o eira ar y tarmac. Doedd 'na'm crocodeils yno heddiw, meddyliodd gan wenu. Aeth yn ei flaen, tuag at y llwybr i gefnau Bryn Derwydd.

Roedd ar fin troi iddo, pan ddaeth sŵn car yn tynnu i fyny tu ôl iddo. Trodd rownd, i weld camper fan Volkswagen yn stopio. Yr hipi, wrth y llyw, welodd o gynta – roedd ei dreds o'n tynnu'r llygad yn syth – a meddyliodd fod y boi isio cyfeiriadau i rwla... Yna gwelodd pwy oedd yn y sêt ffrynt.

Bu bron iddo fethu â'i hadnabod i ddechra. Roedd hi wedi lliwio'i gwallt yn perocseid blond ac roedd 'na ryw blethan hir yn ei ganol o, efo *beads* bob lliw arni. Curodd ei galon fel gordd, wrth i'w lygid grwydro i gefn y camper... Ond doedd y plant ddim yno.

Weindiodd Glenda'r ffenast i lawr. "Ti allan 'lly?"

"Yndw," atebodd, wrth gerddad tuag ati, yn gwybod ei bod hi'n gwybod ei fod o'n ôl. "Ers neithiwr. A cyn i ti ddeud dim byd, dwi ar y ffordd draw, ond sgena i'm syniad lle dach chi'n byw, rŵan bo chdi di gwerthu'r tŷ..."

Roedd hi'n anodd cadw'r geiriau'n gynnil ac at y pwynt. Roedd o isio'i chontio hi i'r cymyla am werthu'r tŷ, a fynta wedi ei roi o iddi hi a'r plant, pan wahanon nhw. Ac roedd o isio'i diawlio hi am beidio cysylltu, nac atab ei lythyra, tra oedd o'n carchar. Roedd o hefyd isio'i ffycin chrogi hi...

"Lle ma'r plant?"

"Pfft! Ti'n drewi o gwrw, Tintin...!"

"Sut ma'r plant?"

"Ma Sioned a Ceri efo Llinos, Osian efo Caren, ac Aron a Siwan efo Mam. Ma Taran a fi 'di bod yn Port. Gwranda. Jysd stopio i ddeu 'tha ti, ydw i, i ti beidio boddran dod i'w gweld nhw..."

"Be?!"

"'Dio'm byd i neud efo be ddigwyddodd neithiwr, efo Cled a 'mrawd. Idiot ydi Alwyn, eniwê..."

"Gena i hawl i'w gweld nhw, Glenda!"

"Ti 'di colli hwnna erstalwm, boi!"

"'A' i â chdi i cwrt, os 'di rhaid, Glenda..."

"Pyh! A pwy ma'r cwrt yn mynd i ochri? *Jailbird*, drygi, *jobless alcoholic*? 'Ta'u mam nhw, sy 'di bod yn edrach ar 'u hola nw dros y ddwy flynadd dwytha?"

Brathodd Tintin ei dafod. Roedd o'n teimlo pob moleciwl yn ei gorff yn llenwi efo electrons o gasineb pur. Ond sathrodd ar yr ysfa i dagu'r ast, troi gwynab ei chariad newydd hi i bwlp, a cicio'r camper fan yn ffycin racs.

"'Dyn nw'n iawn, 'ta?"

"Yndyn."

"Aron a Siwan dal i…"

"Ma nw'n *iawn* Tintin."

"Ceri 'di gadal ysgol, ta aros i sicth ffôrm?"

"Coleg Meirion-Dwyfor, yn gneud Celf ac Arlunio…"

"Gad fi weld Aron a Siwan o leia! Ma nw'n fach, a ma nw angan 'gweld Dad', siŵr! Oddan nw'n arfar dod draw i'r fflat…"

"Arfar, ia. Fyddan nw ddim mwy, Tintin." Weindiodd Glenda'r ffenast i fyny rhyw ddwy neu dair modfadd, i ddangos fod y sgwrs wedi gorffan.

Trodd Tintin i wynebu Taran, oedd wedi bod yn gweddïo am dwll i agor yn y llawr, a'i lyncu, ers rhyw hannar munud. "*So, you're living with my kids, then?*"

"*Er, well, off and on…*"

"*Yes he is, Tintin, and if you don't like it, there's nothing you can do about it,* dallta!"

"*Woa, there, Glen…*" medda Taran. "*I'm sure we can all get used to it, work something out… maybe move on, yeah…?*"

Edrychodd Taran ar Tintin, yn obeithiol. Rhythodd Tintin yn syth i'w lygada, a rhewi'r mêr yn ei esgyrn, cyn gwenu. "*I'll see you around, Terry.*"

"Taran 'di'i enw fo, Tintin, dim Terry," medda Glenda, a rhoi signal i'w chariad ddreifio. "Ma'n foi iawn OK? Ma'n ffeind efo nhw."

Gwelodd Tintin fod Taran wedi deall be ddudodd hi, a'i fod o'n crefu ar i lygid Tintin gwrdd â'i rai fo eto, iddo gael gweld y diffuantrwydd ynddyn nhw. Felly mi wnaeth, a gofyn, "*Do they like you?*"

"*Yes, mate.*" Roedd y boi'n deud y gwir.

"*I'm sure that's true. Shame I'm not allowed to come and see that for myself. As their father that'd mean a lot. It'd make it easier to move on.*"

Methodd Taran ateb. Roedd o'n amlwg o dan fawd, tafod a thin Glenda. Ond gwelodd Tintin y sylweddoliad yn gwawrio yn ei lygid. Gwyddai wedyn fod yr hedyn wedi'i blannu.

"*C'mon 'en Tar,*" medda Glenda. "*We've got frozens in the back.*"

"*Cheers*," medda Taran, a nodio ar Tintin, cyn rhoi'r camper mewn gêr, a dreifio i ffwrdd. Gwyliodd Tintin hoel yr olwynion yn dadlapio, fel dau ruban llwyd, yn yr eira brau. Roedd hi'n oer. Chwythodd y snots o'i drwyn, a'i throi hi am dŷ Cled. Roedd hi'n hannar awr wedi un.

≈ 59 ≈

WRTH NESU AM ddrws cefn tŷ Drwgi, gwelodd Tintin fod Cled, Bic a Sban yno. Stopiodd i'w gwylio drwy'r ffenast. Roedd y tri'n sefyll o amgylch y bwrdd, yn gwylio Drwgi'n gneud rwbath ar ei laptop. Roedd 'na hogla ganja mawr yn dod drwy'r ffenast gil-agorad. Aeth i mewn atyn nhw.

"Porn da, hogia?"

"Duw, Tint!" medda Cled. "O'ddan ni ar y ffordd draw, ŵan. Dod i fyny i Dre? Ma Jac Bach y Gwalch yn ca'l dod i 'sbyty Dre pnawn 'ma, so o'ddan ni am beint, a mynd i'w weld o. Awydd hi?"

"Rhen Jac yn gwella'n go lew, 'lly?"

"Ma'r cont 'di'w neud o graig, dydi, Tint."

"Trio ca'l hwn i ffwrdd o'r ffycin cympiwtar 'ma 'dan ni," medda Bic. "Ffycin Bill Gates, cont! Tisio swig?" Cynigiodd Bic ei botal i Tintin.

Derbyniodd Tintin y botal, a'i gorffan hi mewn un, a gadael Bic yn gegagorad. "Be ti'n neud 'ta, Drwgi?"

"Shshshsh!" medda Sban, efo winc. "Ma'n chwara 'fo rywun."

"Eh?"

"Mae o ar ganol gêm," medda Cled, a chodi'i 'sgwydda i ddynodi nad oedd ynta'n dallt, chwaith.

"Sgin ti gwrw'n ffrij, Drwgi?" gofynnodd Bic, yn hintio i Tintin.

"Oes, oes, helpwch 'ych hunan," medda Drwgi, yn teipio, heb godi'i lygid o'r sgrin. "Dach chi'n gwbo lle mae o'r ffycars!"

Derbyniodd Tintin yr awgrym, yn llawen. Pasiodd botal o Bud yr un, i bawb, ac agorodd ei un fo efo'i ddanadd. "Lle ma'r genod, 'ta?" gofynnodd, i drio dechra sgwrs, gan fod pawb â'u sylw wedi'i hoelio ar y sgrin fach ar y bwrdd o'u blaenau.

"Siopa Dolig," medda Cled. "Llanduds. Wel, Sian a Jeni a'r babs... Athon nw i nôl y Fiesta i Dre cyn mynd. Ma Carys a Fflur 'di mynd â'r *urchins* i'r coed i weld eira... H10, Drwgi – fa'na ma'r *aircraft carrier*, saff...!"

"Nacdi, Cled," medda Drwgi.

"Yndi, Drwgi. Goro bod!"

"E7..."

"Cont gwiri..."

'*HIT*' medda'r llythrennau bras, ar y sgrin, wrth i sŵn ffrwydriadau a hŵter llong yn suddo, ddod trwy'r sbîcyrs.

"Ffycin *so long sucker!*" medda Drwgi, efo dau fys i fyny o flaen y sgrin. Cleciodd ei botal Bud, ista'n ôl yn ei gadair â'i freichia 'di plethu, a rhoi ffwc o rech...

"Ar yr *internet* oedd y Battleships 'na, Drwgi?" gofynnodd Tintin, ar ôl mynd i sefyll chydig pellach i ffwrdd o'r hogla.

"Ia, Tint. Ar Facebook, ia."

"Facebook?" Sbiodd Tintin rownd y stafall, yn chwilio am gliw.

"Paid â sbio arna fi, Tint," medda Bic. "*Latest craze,* aparentli!"

"Ma'r cont yn byw ar y ffycin we," medda Sban. "'Nes di ffendio websait Cymraeg, 'fyd, yndo, Drwgi? Maes-g, ia?"

"Maes-e. Ond dwi heb foddran ers iddyn nw alw fi'n fradwr am syportio Lerpwl!"

"Sut ffwc ma hynna'n gweithio, 'ta?"

"'Tîm o Lloegar', a rhyw lol, Tint!"

"Pwy oedd y bobol 'ma?"

"Ffyc nôs, Tint. Ond o'n nw'm yn ffans ffwti, ma hynna'n saff."

"Ffyc, be o'ddan nw? Natsis?" dwrdiodd Sban. "'Dan ni'm yn '*culturally pure*', felly 'dan ni'n fradwrs?! *Up against the wall, swein!*"

Chwerthodd Drwgi ar y sylw craff yn natganiad ei ffrind. "Ddudas i 'tha nhw am ffwcio i ffwrdd, eniwê. Ffycin prics, màn!"

Roedd Tintin yn ei chael hi'n anodd cael ei ben rownd y ffaith fod Drwgi wedi bod yn ffraeo efo bobol oedd ddim hyd yn oed yn yr un stafall â fo – ddim hyd yn oed yn yr un pentra, a mwya thebyg ddim yn yr un sir!

Synhwyrodd Bic hefyd, ei bod hi'n amsar symud. "Wel, dwi'n mynd i fod yn *very drunkenly pure*, yn munud," medda fo. "A dwi'n mynd i feddwi ar lagyr o ffycin Lloegar, Denmarc, Jyrmani, Holand, America... a ffycin fodca o Rwsia 'fyd, ffyc it... Os 'na rywun arall isio joinio fi, 'ta be?"

"Ddo i," medda Cled. "Cyn bellad ga i smocio baco o Holand – neu lle bynnag ffwc ma'n dod o – a ganja o Jamaica a Cymru... wel, o'r sied, i fod yn *precise*..."

"A byta kebab!" medd Sban.

"Ia – kebab o Dre!" medda Drwgi.

"Na, ffwcio kebab, actiwali..." medda Sban wedyn.

"Dowch 'ta, wir dduw!" medda Tintin. "Dach chi'n cofio'r *Terminator*, yn dydach? Cympiwtars yn cym'yd drosodd y byd. Dwi'n meddwl fo' nw 'di dechra efo penna pawb yn fan hyn!"

꞊ 60 ꞊

ROEDDAN NW'N ISTA ar y bws i Dre erbyn i Tintin gofio be oedd o isio'i ddangos i'r hogia. Diolch i'r *chance encounter* efo Glenda a Taran, a'r malu cachu am yr intyrnet, llithrodd y peth i gefn ei feddwl o, rywsut.

Darllenodd deitl yr erthygl yn y Daily Post, yn uchel. "'*North Wales Murder Link in Canal Death Case.*'"

"O ia! Welis i hwnna," medda Sbanish. "Ond 'nes i'm ddarllan o, chwaith. Be 'di o?"

"Gwranda... '*North Wales Police have confirmed that a man whose body was found in an Amsterdam canal more than three months ago had links to North Wales. The man's body was finally released by Dutch police, following a lengthy investigation into allegations of corruption, money laundering and fraud attributed to a former Chief Inspector of West Midlands Police, Lawrence Croft…'* dach chi'n gwrando? *'…who committed suicide last week…'* Dach chi'n gofio fo? Y boi Iorcshyr Terriar 'na, o Tyddyn Tatws? Mêt Tiwlip! Hwnna a'th yn bananas yn y Trowt, y noson 'ny!?"

"Fo ydi o?!" gofynnodd Sban, a rhoi ei ben i mewn i'r papur.

"Garantîd, mêt, Lawrence Croft oedd ei enw fo," medda Tintin, a darllan ymlaen, *'…The man, whose identity will be revealed by police later today, is believed to have been poisoned before his body was dumped in an Amsterdam canal, last August.'*

"'Poisynd' hogia! Wedi'i fwrdro. Dach chi'n meddwl 'na Tiwlip 'di o?"

"Na…" medda Bic. "Ti'n meddwl?"

"Lincs tw north Wêls, ma'n ddeud, 'de?" pwysleisiodd Tintin. "A ma 'na rywun wedi prynu'r Trowt, 'yn does?"

"Ia, ond newydd farw ma'r boi 'ma'n Amsterdam, 'de?" medda Sban. "Fysan nw'm yn gallu'i werthu fo'n syth…"

"Naci – diwadd Awst, *'over three months ago',*" medda Tintin.

"O ia, sori, o'n i'm yn gwrando'n iawn… Ond fysa nw'm angan ei signatshiyr o?"

"Na… Signatshiyr pwy bynnag gafodd y lle, yn ei 'wyllys o, siŵr," medda Bic.

"Neu na'r Lawrence Croft 'na oedd bia fo, a bod Tiwlip yn ffrynt iddo fo? Neu, Tabitha," dyfalodd Tintin. "Ma'n deud yn y papur fod o – os 'na fo ydi o – yn 'lincd' i ryw achos 'ffrôd', *'attributed to Lawrence Croft'*…"

"'Dwi'n gweld lle ti'n dod o, Tint," medda Cledwyn. "Doedd Tiwlip ddim y math o foi i ladd neb. A dwi'm yn meddwl fysa fo'n *gallu* lladd Tabitha, eniwê. Bach oedd o, ynde? Bach ac eiddil. 'Sa honna 'di'i larpio fo, siŵr!"

"So, ti'n recno 'na dim Tiwlip laddodd Tabitha?" gofynnodd Drwgi.

"Wel, dor hi fel hyn. Oedd Tiwlip yn llofrudd?"

"Fyswn i'm 'di roi o i lawr fel Hannibal Lecter teip, na. Ond ti'm yn gwbod, nagwyt? Ma gin bawb ei *breaking point*."

"Oes, Drwgi, mae ganddyn nhw. Ond be ma nw'n *gallu* neud ar ôl 'torri' 'di'r peth. Dwi'm yn gweld Tiwlip yn gallu curo'i wraig i farwolaeth efo dildo mawr du, a'i llusgo hi i'r gegin, a'i chau hi yn y ffrîsar, rywsut. Wyt ti?"

"Wel, na, ddim rili, 'de... Felly, os na dim Tiwlip, 'nath, ma rhywun arall 'di gneud."

"Da iawn Drwgi," medda Bic yn sarcastig. "Sydyn heddiw 'ma, 'dwyt?"

"Ffyc off, Bic."

Nesaodd y bws at stop yr hogia, a cododd pawb i fynd i sefyll yn y blaen, yn barod i neidio i ffwrdd.

"Pwy dalodd am y Trowt 'ta ? Ei henw *hi* oedd uwchben drws, ynde?" gofynnodd Tintin.

"Oedd Tiwlip yn bancrypt, doedd," atgoffodd Bic bawb. "Dwi'n cofio hynny."

"Felly pwy dalodd am y lle?" holodd Tintin eto. "Ti'n gwbod, Cled? Ddudodd Jerry rwbath wrtha ti?"

Pan werthodd brawd Cledwyn y Brithyll Brown i Tiwlip, a hynny'n rhad, am ei fod angan talu am y bar calypso oedd o wedi'i brynu, efo'i wraig, yn Nhrinidad, doedd o heb egluro union ins and owts y fargian. Ond roedd Cled yn gwybod mai Tiwlip *dalodd* am y lle, ond ei fod o wedi cael menthyg y pres gan 'ffrind da'. Neu, dyna oedd y stori swyddogol...

"Synnwn i ddim na Lawrence Croft dalodd, erbyn meddwl..." medda Cled, wrth neidio i ffwrdd oddi ar y bws.

"Hmmm," medda Sbanish, wrth ddilyn Cled. "Ddy plot thicyns..."

"Y 'Brithyll Brown Consbirasi!'" medda Drwgi.

"Wel, o'dd 'na rwbath yn ffishi am yr holl beth, eniwê, hogia!" medda Bic, a chwerthin ar ei ben ei hun.

= 61 =

ROEDD ELTON JONES o dan bwysa. Roedd o angan ailsgwennu'i adroddiad am Pennylove i'r Insbector, gan fod yr un oedd o wedi'i sgwennu wedi cael ei sblatro efo wanc. Roedd *'random hand-jobs'* WPC Davies wastad yn gofiadwy, ond y tro yma roedd hi wedi gadael ei marc go iawn.

Amsar oedd problam Elton. Roedd rhaid iddo gymryd datganiadau gan Gengis Cont a Kev Cwd, i ddechrau, gan fod 'na neb arall ar gael i wneud hynny. Erbyn iddo orffan efo'r ddau, roedd 'na negas gan Insbector Williams, yn dweud wrtho am sysbendio Pennylove, efo pae llawn, hyd nes byddai'r mater wedi'i setlo. Roedd Elton wedi colli'i gyfle i newid ei stori am yr *'unauthorized taking of a police vehicle'*.

Fyddai'n bosib, o hyd, iddo ffonio'r Insbector i egluro mai camgymeriad oedd o. Ond rŵan ei bod hi'n tynnu am ganol pnawn, roedd gormod o amser wedi mynd heibio, a byddai'r uwch-swyddog yn siŵr o holi pam bu'r eglurhad mor hir yn ei gyrraedd. I Elton – sarjant newydd, ifanc, ar ei ffordd i fyny'r rancs – roedd hynny'n ormod i ofyn. Roedd o isio'i record fod yn glaerwyn, heb hyd yn oed awgrym o slopeiddrwydd ar ei chyfyl.

Penderfynodd na allai gelu'r ffaith i Pennylove fynd â'r car heb ganiatâd. Pam ddylai o gael marc du ar ei record oherwydd chwerwedd cyd-weithiwr oedd yn datblygu seicosis? Y ffordd edrychai Elton arni, doedd ganddo'm dewis ond cachu ar ben ei fentor a'i gyn-bartnar.

Doedd cymryd datganiadau Barberry a Jones heb fod yn hawdd. Doedd Saesneg Kev Cwd ddim yn dda, ac roedd Gengis Cont yn rhegi drwy'r adag. Ac roedd y ddau'n tueddu i chwara i fyny'u rhannau eu hunain yn narganfyddiad y lladrad. Ac ar ddiwadd y sioe, yr unig wybodaeth gafwyd oedd nad oeddan nhw'n gwybod ffyc ôl am unrhyw beth o bwys.

Wedyn, a fynta'n trio gorffan yr adroddiad ddi-sbync – fyddai, y tro yma, yn condemnio Pennylove i amddiffyn ei yrfa mewn gwrandawiad – daeth y newyddion, gan aelod o'r cyhoedd, fod fan fawr wen wedi cael ei gweld ar y safle gwaith ffordd, toc wedi hannar nos, gan yrrwr tacsi oedd yn digwydd pasio. Roedd hi'n dechrau edrych mai'r un rhai a ymosododd ar y ddau hen gradur o Graig, ddau ddiwrnod ynghynt, oedd y lladron, o bosib.

Roedd hynny'n cymlethu pethau rhyw fymryn. Gobeithiai Elton mai lladrad cyffredin oedd y lladrad yn y gwaith ffordd. Hogia lleol – gweithwyr o'r seit, efallai – yn gweld cyfla i wneud pres ychwanegol at y Nadolig. Ond, roedd hi'n edrych, yn gynyddol, nad felly oedd pethau, ac roedd y pwysau gwaith ychwanegol oedd hynny'n ei olygu, yn rheswm arall i beidio â mynd allan o'i ffordd i achub croen Pennylove.

Â'i gydwybod yn glir, felly, arwyddodd waelod yr adroddiad, a'i osod yn y peiriant ffacs. Gwyliodd y papur yn cael ei sugno i mewn, fesul modfedd, cyn dod allan yr ochor arall i'r teclyn, yn drewi o frad.

Roedd y weithred wedi'i gneud. Rhoi gwybod i Pennylove oedd y peth nesa. A doedd Elton *ddim* yn edrych ymlaen at hynny o gwbwl.

꞊ 62 ꞊

DA OEDD GWELD Jac Bach y Gwalch yn dod yn ôl i rwbath tebyg i'w hwylia arferol.

"Ddothoch chi â cwrw i fi, 'ta be, y basdads?" oedd y geiria cynta ddaeth allan o'i geg o, pan gerddodd yr hogia i mewn i *day-room* Ysbyty Dre. "Ma'r ffycars isio 'nghadw fi fewn tan wsos nesa! 'Dyn nhw'm yn dallt fyddan nhw 'di'n ffycin lladd i os na ga i ffycin beint cyn hynny!"

Roedd o'n falch o weld yr hogia, 'fyd, ac yn hapus iawn i weld Tintin yn ôl adra. "Sut oedd hi'n ganol y crwcs 'na?" oedd hi. "Ddysgis di rwbath diddorol?"

"Dim mwy na ddysgis i wrth yfad yn y Trowt efo chdi, 'de, Jac!"

Roedd y chwydd ar ei ben a'i wynab wedi mynd i lawr, yn go lew, bellach. Ond wrth i'r cleisiau ddod allan, roedd Jac yn edrych fel tasa rhywun wedi gollwng treiffl dros ochr ei wynab. Ar wahân i hynny, a'r ffaith ei fod o mewn cadair olwyn, rhag ofn iddo ddisgyn – ac yn tagu isio peint – roedd o'n edrych yn weddol.

"Clwad fod Richard Branson 'di prynu'r Trowt!" medda Jac, a rhoi rhyw wên fach slei.

"Do," medda Cled. "A ma Osama Bin Laden 'di prynu Siop Frank!"

"Wel, ma'n well i bawb symud o Graig, felly hogia, cyn i'r Iancs niwcio'r ffycin lle!"

Da oedd gweld bod meddwl y Gwalch wedi dod drwyddi'n iawn – hyd yn oed os oedd ei wynab o'n debyg i flomonj.

"Dwn i'm be 'di hanas Tomi," medda Jac wedyn. "Ges i fynd draw i'w weld o, bora 'ma, cyn iddyn nw ddod â fi i fan hyn. Ond o'dd y ffycar diog yn cysgu!"

"O'dd Sian 'di siarad efo Medwen ben bora 'ma, Jac," medda Cledwyn. "O'dd hi ac Alis yn mynd fyny 'no ato fo, ganol bora. Dwi'm yn meddwl fod 'na unrhyw newid ers ddoe, ar ôl iddo fo stêbileisio ar ôl cael rhyw bwl drwg. O'ddan nw'n disgwyl 'ddo ddod drwyddi heddiw 'ma."

"Fuodd y cont erioed yn stêbyl, siŵr!" gwenodd Jac. Roedd hi'n dal yn brifo gormod iddo chwerthin.

"Eniwê, Jac," medda Cled. "Dan ni'n gwbod pwy o'dd y contiad aru 'mosod arna chi."

"O?"

"Ma'r boi sy bia'r fan yn byw'n Gelli. Sais ydi o, o ochra Caer…"

"Sgowsars o'ddan nw…"

"Ia, ma nw i gyd yn siarad rwbath tebyg i Sgows ffor' 'na, 'sdi Jac. I'n clusta ni, 'lly…"

"Boi tal, gwallt du. Mwstash…"

"Ia, Jac. A boi stoci, pen moel?"

"Ia. Dwi 'di gallu cofio'n go lew, erbyn rŵan. Y boi pen moel roth swadan i fi. O'r tu ôl. Ffycin cachwr."

"Ac o'dd 'na foi arall, oedd? Boi ifanc?"

"Oedd, dwi'n siŵr… Sut dach chi'n gwbod pwy ydyn nhw?"

Estynnodd Cled y walat oedd Gwyndaf a Gwynedd wedi'i ffendio tu allan i dŷ boi'r fan, a'i rhoi hi i Jac. "Ddoth y Dybyl-Bybyls â hon draw neithiwr."

"Wel myn uffarn i!"

"Sori'i bod hi'n wag, 'de, Jac!"

"Dach chi'n siŵr na dim y 'Tyrminêtyr Twins' sy 'di wario fo'n yr Het?"

Chwerthodd yr hogia – mwy o ryddhad i weld fod hiwmor brathog y Gwalch yn dal yno, na dim arall.

"Lle ma nw'u dau, eniwê?"

"'Di mynd i weld Tecs Llety'r Herwr, i weld os oes 'na siawns o achub rwbath o'u pic-yp. Aeth hi ar 'i phen i Llyn Du yn oria mân bora 'ma…"

"Llyn Du? Sut ffwc a'th hi lawr fa'na?"

"Stori hir, Jac! Ti'n gwbod y Dybyl-Bybs. Unrhyw beth yn bosib!"

Gwenodd y Gwalch, a chwifio'r walat yn ei law. "Wel, dudwch diolch wrthan nhw i fi."

"Wnawn ni, siŵr," medda Sbanish. "Ti'n falch o'i chael hi'n ôl, ma'n siŵr, Jac? Digon hawdd ca'l mobeil ffôn arall, yndydi, ond ma petha sentimental yn wahanol."

"Sentimental?"

"Presant i 'Taid' gan un o'r plantos, 'de, Jac," medda Cled, yn cyfeirio at yr enw ar ei blaen hi.

"Hon? Asu, na. Yn car bŵt sêl Port ges i hon…" eglurodd Jac. "O'n i'n meddwl bo hi'n fargian am bunt. A minna *yn* daid… Na, dwi heb weld John na Mair, na'r plant, ers Dolig cyn dwytha…"

"'Dyn nw'n gwbod fo' chdi'n hosbitol, ta?" gofynnodd Sbanish.

"John a Mair? Ffyc, nac 'dyn siŵr! A dwi'm isio nhw wbod, chwaith, neu fyddan nw i fyny 'ma, yn hofran, yn aros am y cyfla cynta i roi pilw dros 'y ngwynab i!"

Gwenodd yr hogia ar ei gilydd. Os oedd 'na unrhyw sentimentaliaeth yn perthyn i'r Gwalch, doedd o'm yn licio'i ddangos o.

"Reit 'ta, Jac. 'Dan ni'n mynd am beint... sori, rhen gont...!" medda Cledwyn, a codi.

"Basdads!"

"Fydd hi'n ffwc o beint neis, 'fyd, Jac..." medda Bic. "'Yn bydd hogia?"

"Lyfli!" medda Sban.

"Bendigedig," medda Drwgi.

"Ffycars!" gwaeddodd Jac, ar eu hola.

= 63 =

CHWARA TEG I Cleif y Barman Orenj Cyflyma Yn Y Gorllewin. Roedd ganddo wallt fel Michael Jackson yn ei ddyddiau *Thriller*, croen lliw tanjerîn, a mwstash ffelt pen, du yn amlinellu'i wefus uchaf, a doedd ffwc o bwys ganddo fo o gwbwl.

Felly doedd hi'n ddim syndod i'r hogia, pan gerddon nhw i mewn yn blu eira drostyn, i'w gael o'n sefyll tu ôl i'r bar – dwylo'n barod i fynd am y pympia – mewn crys fflamenco ffrili, du, oedd yn agorad at ei fotwm bol, efo medalion Sant Cristoffer *rolled gold* yn sgleinio o ganol mân flewiach ei frest. Pan oedd hi'n dod i *tackiness*, roedd gan y boi sým ffycin *class*!

"Peint o Carlsberg plîs, 'Fabio'," medda Bic.

"Pedwar?"

"Pein-*t*, ddudas i!"

"Dwi'n gwbod be *ddudasd* di, con-*t*!" medda Cleif, fel bwlat, ac, o weld nad oedd neb wedi rhoi unrhyw arwydd nad oeddan nhw isio peint, sbonciodd y barman oren i mewn i gêr. Ar ôl cwpwl o symudiadau tebyg i Tai Chi, ond yn llawar, llawar cyflymach, roedd o'n sefyll â'i freichiau ar led, fel Iesu Grist, yn tynnu lagyr i ddau wydryn, o'r ddau bwmp Carlsberg Extra Cold. Ac, fel arwydd pellach o'r effeithlonrwydd hynod oedd yn nodweddu'i ddoniau, roedd 'na hefyd ddau wydryn gwag yn aros wrth ymyl y pympia, yn barod am y *quickfire changeover*. Roedd o'n sydyn, doedd 'na'm dwywaith amdani...

"Gyma i Stella, Cleif," medda Cled.

"Gymi, mwn!" Roedd Cleif yn casáu pan oedd rhywun yn sbwylio'i goriograffi o. Serch hynny, sbiniodd rownd ar ei swdwl, ac mewn un symudiad, rhoddodd un o'r gwydrau gwag dan y pwmp Stella, fflipio'r tap ymlaen, a troi'n ôl i wynebu Cled. Safodd yno, efo gwynab syth, yn sbio ar ei gwsmer, â phopeth amdano'n dweud na all *neb* guro 'Mr Cool'.

"G'na hwnna'n bump peint, Cleif. Ma Tintin ar ei ffordd."

Wedi 'piciad' i fflat Sandra Mêl oedd Tintin. Roedd o a'r hogia wedi taro i mewn iddi hi a'i phlentyn ienga, ar y ffordd o'r ysbyty, ac roedd hi wedi gneud ffýs mawr ohono pan welodd hi o – hygs, swsus, a 'haias' a 'neis dy weld dis' mawr.

Doedd Sandra Mêl ddim yn stynar o ran ei lwcs, ond roedd 'na chwip o siap da arni, a rhyw rywioldeb greddfol oedd yn sicrhau min i unrhyw ddyn oedd yn ei chyffwrdd hi. Ac er nad oedd hi'n neidio i'r gwely efo pob codiad oedd yn brwsio'n erbyn ei choesa, roedd hi'n ddigon hyderus o'i rhywioldeb i gymryd be oedd hi isio – yn y fan a'r lle, bron – os oedd ganddi'r awydd.

Roedd hi'n licio Tintin, oedd wedi bod yn ei gwely gwpwl o weithia ers gwahanu efo Glenda – ac wedi rhoi uffarn o reid iddi bob tro – felly pan deimlodd hi'i lwmpyn o'n pwnio rhwng top ei choesa wrth gofleidio, mi daniodd y wreichionen y tân tu mewn iddi. Felly, wrth i'r fferomonau ddawnsio'r ddawns garu ar yr awyr rhyngddyn nhw, gofynnodd i Tintin os oedd o isio panad. Doedd 'na'm rhaid gofyn ddwywaith. Roedd y boi wedi bod yn ffwcio'i ddwrn am dros bymthag mis. Doedd 'na ddim oedd o isio fwy.

"Well ti roi peint Tintin i mewn, iddo fo," medda Bic wrth Cled. "Fydd o'm yma am sbelan, na fydd?"

"Na, ti'n iawn, Bic. Cleif – paid â tollti peint i Tint… Deud gwir, waeth ti heb â'i rhoi hi mewn, chwaith. Ella ddaw o'm yma o gwbwl, deud gwir."

"Ten pownd ten," medda Cleif, yn fflat. Roedd ei rwtîn o wedi mynd i'r gwellt.

Aeth yr hogia i ista wrth y bwrdd pŵl, a stwffiodd Bic bishyn chweigian i mewn i'w fol. Sbydodd y peli allan o din y bwystfil, a setiodd Bic nhw i fyny. "Sban! *Chdi* dwi isio. Arna fi ffwcin gweir iawn i chdi! Ty'd!"

Roedd 'na lond dwrn o yfwrs eraill yn yr Het – dau neu dri o wyneba o'r noson gynt, yn eu plith. Syllodd Cledwyn allan drwy'r ffenast ar yr eira'n peintio popeth yn wyn. Roedd hi wedi cau erbyn rŵan, ac roedd 'na ddwy neu dair modfadd o'r stwff ar y ffordd, a dros y tomenni llechi tu draw.

"Eira mân, eira mawr," medda Drwgi, wrth ddilyn llygid Cledwyn i'r pnawn tu allan.

"Felly ma nw'n ddeud, Drwgi. Felly ma nw'n ddeud."

"Ffwc o beth am Tiwlip druan, Cled. Os 'na fo ydi o."

"Yndi'n dydi. Rhen gradur. O'dd Tiwlip yn iawn, doedd?"

"Oedd, am Sais."

"Sgwn i os oes 'na rwbath ar y niws, bellach..." Trodd Cledwyn a gweiddi ar Cleif. "Cleif, gawn ni'r niws Cymraeg ar hwnna?"

"Ma'r rimôt yn fa'na," medda Cleif, gan gyfeirio at gornal y bar, wrth y jar wya 'di piclo. "Ti'n gwbo sud i iwsio fo, gobeithio?"

Cododd Cled i nôl y teclyn, ac ar ôl ffidlan, cafodd hyd i Ceefax, a thudalen newyddion Cymru. Doedd 'na'm byd yno. "Drwgi, 'sgin ti radio ar dy ffôn di?"

"Oes."

"A larwm?"

"Oes."

"Rho'r larwm am bum munud i dri, i ni gofio gwrando ar niws Radio Cymru."

≈ 64 ≈

GORWEDDAI TINTIN AR ei gefn yng ngwely Sandra Mêl. Roeddan nhw newydd gael eu gwynt atynt, ar ôl ffwcio'n wyllt am bum munud, ac yn rhannu sbliffsan o scync *neat*, heb faco. Roedd Sandra wedi lapio'i chorff dros Tintin, ac roedd o'n teimlo'n gyfforddus braf.

Pasiodd Tintin y joint iddi. Cymrodd hitha un drag a'i rhoi'n ôl iddo. Doedd hi ddim yn ddefnyddiwr trwm o ddôp, ac roedd y gwair pur yn rhy gryf iddi.

"Be 'di dy blania di 'ta Tint?"

"Efo be 'lly?"

"Dy fywyd. Rŵan bo ti allan…"

"Dwn i'm. Dechra eto, am wn i."

"Petha'n anobeithiol, felly? Efo Glenda…?"

"Welis i'r gont cynt. Stopiodd hi efo'r ffwcin hipi 'na – Taran, ia? Ddudodd hi bo hi'm yn mynd i adal i fi weld y plant o gwbwl."

"Pam?"

"Fel 'na ma'r gont, Sand… Hen hogan wedi'i sbwylio, 'di. 'Di ond yn gwbod sut i gymryd. Ma'r byd yma er ei mwyn hi."

"'Dio'm yn iawn, ddo, Tint. Chdi 'di 'u tad nw. Gin ti hawl."

"Hawl, a dim gobaith, Sand. Ar y funud, eniwê. Ella ddaw hi efo amsar."

"Ia, ond…" dechreuodd Sandra, wrth rwbio'i llaw dros ei goc, oedd yn brysur ddod yn ôl i fywyd.

"*Life's a bitch*, Sand. Fel 'na ma hi." Dechreuodd Tintin anwesu'i chorff cynnes, wrth ymatab i'r atgyfodiad islaw, a tynnodd yn ddwfn ar y sbliff eto. "Be 'di hanas y Taran 'na, 'ta?"

"Dwi'm 'bo. Mae o'i weld yn foi iawn. Dan y bawd ma'n siŵr…"

"Hmmm. Ffycin hipi ydi o, 'fyd, 'de? A ffycin Sais." Poerodd Tintin y gair allan. "Ti'n nabod fi, Sand. Ma pawb yn haeddu tsians, dio'm bwys pwy ffwc 'dio. Ond ma'r cont yna'n byw efo 'mhlant i… Dwi'm isio nhw'n ca'l 'u magu efo gwerthoedd Susnag, hipi-ish…"

"Be ti'n feddwl, 'gwerthoedd'?"

"*Values*, 'de, del? Ma *values* pawb yn wahanol, dydi? Ma gin Saeson 'u ffordd nhw o sbio ar betha, a ma genan ni'n ffordd ni. Iawn, ella fod o'n foi sy'n gwerthfawrogi cymuned, a ballu – ond pan ma hi'n dod i betha fel cadw'r Gymraeg yn fyw, chydig iawn o'nyn nhw sy'n gallu dallt. Ma hyd yn oed Saeson sy 'di dysgu Cymraeg yn ei chael hi'n anodd i ddallt pwysigrwydd y peth – y *reasoning*, y *psyche* Cymraeg…"

"Ti'n dechra colli fi, ŵan, Tint…"

"Sori, del. Geiria mawr! Cled yrrodd lyfra i mewn i jêl i fi… Peth ydi, ma Saeson yn gallu bod yn anoddefgar…"

Chwerthodd Sandra. "Ffwcin hel, be? Ti'n siŵr 'nas di'm llyncu'r llyfra 'na gas di gan Cled?"

Tynnodd Tintin ar y sbliff eto. "*Intolerant*. Ma nw'n gallu bod yn *intolerant* iawn o iaith bobol erill…

"'Dyn nw i gyd ddim, Tint…"

"Na. Ma 'na rei sy'n rhyw fath o ddallt. Ond wnan nhw byth ddallt yn *iawn*. *Post-imperialist complex* ydi o…"

"Ti'n colli fi eto," medda Sandra, wrth ddwyn y joint o'i geg, cymryd drag sydyn, a'i rhoi yn ôl.

"Wedyn, ma gin ti'r ffycin hipis. Bobol sy'n recno fo nw'n dallt bob dim am bob ffwc o bob peth… A dwi'n cyfri hipis Cymraeg yn hynna, achos ma nhwtha'n ffycin ddall i be sy ar 'u carrag ddrws eu hunan, 'fyd. Ond ma hipis Susnag, 'sdi, ma genan nhw'r syniad *enlightened* 'ma – fod cenedl a iaith, a ballu, ddim yn cyfri… 'brawdgarwch' a caru pawb a pob dim sy'n bwysig…"

"Ia, ond…"

"Shsh, del, dwi'n gwbo be ti'n mynd i ddeud. Dwi'n gwbod 'na fel 'na ma petha i fod. Ond pan ma gen ti un iaith fach yn cwffio am ei syrfeifal, ac yn ca'l 'i lladd gan iaith arall, gryfach… ma'n iawn i neud point o ddefnyddio'r iaith, a gneud yn siŵr fod bobol ddŵad yn ei dysgu hi, a bod 'yn plant ni'n siarad Cymraeg efo'u plant nhw… Achos neith y Gymraeg farw os na wnawn ni… *Simple as that…!*"

"Mmmm, Tint," medda Sandra, wrth rwbio'i hun drosto i gyd, "dwi'm yn siŵr os dwi'n dallt be ti'n ddeud, ond ma'n swnio'n reit *passionate*, mmmm…"

"…Sgin Saeson ddim *comprehension* fod iaith yn gallu marw… 'Di Saeson *enlightened* ddim yn dallt hynny chwaith. 'Dyn nw'm yn dallt bo ni'n trio achub ein iaith ni. Ma nw'n meddwl fo ni'n bod yn anti-hyn a llall, neu'n 'ffashists' ac yn '*intolerant maan*'. A nw di'r bobol '*enlightened*'! Y twats sy'n uchal 'u cloch dros Tibet a llefydd erill, ond sy'n slagio ni off, a deud fod ni'n Natsis am fod isio achub Cymru…"

"Mmmmm…" roedd Sandra'n ei swsian dros ei wddw a'i frest…

"So 'di hipis Susnag, fel Taran, byth yn mynd i ddysgu Cymraeg, a 'di bobol fatha Glenda byth yn mynd i'w ddysgu fo be di'r pwysigrwydd…" Tynnodd ar y sbliff. "Felly ma mhlant i'n mynd i dyfu fyny'n siarad ffycin Susnag efo Taran, ac yn mynd i weld hynny'n naturiol…"

Roedd Sandra drosto fo i gyd, bellach, ac roedd o'n cael traffarth cofio be oedd o isio'i ddeud. Ond roedd rhaid iddo'i gael o ffwrdd o'i feddwl.

"…Ma nw'n mynd i ga'l 'u ffycin gwenwyno efo gwerthoedd hipi Susnag… a ma hynny'n ffycin anodd i fi gym'yd, 'sdi Sand… Rŵan bo fi adra, mae o'n mynd i fod yna, yn 'y ngwynab i, o hyd…"

Stradlodd Sandra fo, a phlygu i lawr nes bod ganddo wynab yn llawn o fronnau braf. "Sut ti'n teimlo efo rhein yn dy wynab, 'ta?"

Tynnodd Tintin ei ben yn rhydd, er mwyn rhoi'r sbliff yn yr ashtre ar ochor y gwely. "Wel, fyswn i'n gallu byw yn iawn efo hynny, 'de…!"

Plannodd ei wynab yn ôl i mewn, ac aeth ei geg am un o'r nipyls mawr, calad a dechra llyfu a sugno. Ochneidiodd Sandra'n uchal. A gosod ei hun, yn barod i sleidio ar ei braffbren. Ond gafaelodd Tintin ynddi, a'i throi ar ei chefn ar y gwely. Rhoddodd hitha sgrechwich gyffrous wrth iddo neidio ar ei phen, a dechra cusanu ei bronnau, yna'i bol, wedyn top ei choesau, cyn claddu'i wyneb yn y Greal Sanctaidd, a rhoi ei dafod ar waith…

≈ 65 ≈

DOEDD 'NA'M RHAID gwrando ar radio ffôn Drwgi. Aeth Cleif i nôl radio o'r gegin, fyny grisiau, a'i rhoi ymlaen ar y bar. Gwrandawodd pawb yn astud pan ddaeth bwletin tri o'r gloch ymlaen.

Mae 'na hud ynghylch enwau. Heb enwau, fyddai'r ddynoliaeth yn ddim gwahanol i anifeiliaid. Ond tydi enwau ddim jesd yn ein gwneud ni'n unigolion, ac yn gwneud cyfathrebu'n haws. Mae 'na arwyddocad dyfnach iddyn nhw. Mae enwau'n personoli bywyd, ac felly'n creu bywyd. Os oes gan rywbeth enw, mae'n bodoli – boed yn ffisegol, fel coedan neu fynydd, neu'n haniaethol, fel Duw a lwc.

Roedd yr hogia wedi dechrau derbyn fod posibilrwydd cryf mai Tiwlip oedd y 'corff yn y canal'. Er hynny, suddodd y syniad ddim i mewn i'w pennau tan iddyn nhw glywad ei enw'n cael ei ynganu ar y radio. Trwy ei enwi, roedd ei farwolaeth *wedi* digwydd. Roedd ei farwolaeth yn bodoli, fel ffaith. Trwy gyfrwng dau air – Phillip Tadcaster – roedd ei dranc, bellach yn wir.

Prin oedd y manylion, ond adroddwyd fod "Mr Tadcaster yn arfer rhedeg tafarn y Brithyll Brown, yng Ngraig-garw, Sir Feirionnydd", fod yr heddlu wedi bod yn chwilio amdano ers ei ddiflaniad yn dilyn llofruddiaeth ei wraig, a bod yr heddlu wedi cadw'i enw'n gyfrinach oddi wrth bawb ond ei deulu agosaf ers tri mis bellach, hyd nes bod "ymchwiliadau i honiadau o dwyll" yn erbyn Lawrence Croft wedi eu cwblhau. Soniwyd hefyd fod yr heddlu wedi cyhuddo Croft o'r troseddau "fore Mercher diwethaf" a'i ryddhau ar fechnïaeth, cyn iddo ladd ei hun mewn coedwig yn Swydd Henffordd, y diwrnod wedyn.

Ailadroddwyd yr hyn ddwedwyd yn y papur newydd, sef bod "Mr Tadcaster" wedi cael ei wenwyno cyn ei daflu i'r gamlas. Ychwanegwyd y ffaith iddo hefyd gael ei guro, a'i fod o hefyd wedi'i wisgo mewn dillad merch – ac iddo guddio gwybodaeth dyngedfennol yn ymwneud â'r achos yn erbyn Croft, mewn *memory stick* cyfrifiadurol, i lawr ffrynt ei fra!

Roedd Cleif y Barman Orenj Cyflymaf Yn Y Gorllewin wedi mynd â'r radio'n ôl i'r llofft, cyn i'r hogia allu deud gair am be oeddan nhw newydd ei glywad. Ac fel oeddan nhw'n dechrau trafod, dyma'r Dybyl-Bybyls i mewn, newydd fod yn gwrando ar y radio yn Land Rofar Tecs Llety'r Herwr, a roddodd lifft iddyn nhw i fyny.

"Ma nw 'di ffendio Tiwlip!" medda un o'r ddau horwth, yn syth.

"Paid â deud?" medda Bic. "Dim mewn canal yn Amsterdam, bai eni tsians?"

"Dach chi 'di clywad 'lly?" medda'r Dybyl-Bybyl arall, cyn troi at Cleif, oedd yn sefyll 'no, dau wydryn yn ei law, yn aros y gair. Byddai wedi dechra llenwi'r gwydra'n barod, oni bai'i fod o'n gwbod fod y Dybyl-Bybyls yn tueddu i newid eu cwrw fel oedd yr hwyliau'n eu cario nhw.

"Wel?" medda fo.

"Dau beint," medda'r Dybyl-Bybyl.

"O be?"

Trodd y Dybyl-Bybyl yn ôl at yr hogia, cyn ei atab. "Be ffwc oedd o'n neud wedi gwithgo fel dynath, 'ta? Dithgeith, ma'n siŵr, ia?"

"Ma'n siŵr, 'de Gwyn. Oedd y boi ar y rỳn, doedd…"

"Ahem!" medda Cleif, yn dal i aros am ei ordors.

"Be thy?" medda Gwynedd.

"Be dach chi'n yfad heddiw 'ma? Lagyr? Guinness? 'Ta gwaed?"

"Guinneth."

"Dau?"

"Well i ti roi dau i ni, ne fydd 'na ffwc o le! A paid bo'n hir, chwaith, 'Dale'!"

Wedi cael eu cwrw, eisteddodd yr efeilliaid wrth fwrdd yr hogia.

"Ma hi'n amsar rhoi'n penna efo'i gilydd, hogia," medda Gwyndaf, a'i lais wedi gostwng, wrth lygadu'r stafall. "Awn ni i rwla saffach i siarad yn munud, ia?"

"Ma hi'n amsar i fi fynd adra," medda Drwgi, a dechra swigio'i beint. "Fflur yn gweithio am bedwar."

"Duw, ffonia Jeni, Drwgi," medda Bic. "'Neith hi edrach ar ôl y plant i chdi. Fydd hi a Sian adra ŵan."

"Ia, aroth am chydig, Drwgi," medda Gwynedd. "I ni ga'l gneud plania!"

"Am be?"

"Sortio'r ffycin wancars 'ma allan!" medda Gwyndaf, wrth edrych o'i gwmpas.

Edrychodd Drwgi o gwmpas y dafarn i weld at bwy oeddan nhw'n gyfeirio, cyn iddi wawrio arno pwy oedd dan sylw. "Boi'r fan, a'i fêts?"

"Ten owt of ten, Speedy!"

"Na, well i fi fynd. Gin y genod ddigon ar 'u platia efo'r bychans, a ballu. A dwi 'di gaddo i Fflur."

"Ti isio bod i mewn arni, 'ta?" gofynnodd Gwyndaf.

"Ar y 'plan'?"

"Ia. Fyny i chdi, ond i ti ddeud rŵan, cyn i ni ddechra planio..."

"Ymm..."

"Nagoeth, felly?"

"Wel... be dach chi'n basa'i neud iddyn nhw?"

"'U lladd nhw," medda Gwyndaf, â'i lygid yn ddu.

Poerodd Drwgi ei gegiad ola o lagyr yn ôl i'w wydryn. "Be, go iawn?!"

Chwerthodd y ddau gawr. "Na, 'dan ni ddim am 'u lladd nhw, siŵr! Dysgu gwers iddyn nhw'n de!"

"Lluchio nhw o gwmpath rhyw chydig..."

"Faint o galad?"

"Asgwrn neu ddau, math o beth. Fel 'neuthon nhw i Tomi...

"Llygad am lygad, coeth am goeth..."

"A cael nhw i dalu am y crawia – rhywsut. Ma hynna'n insylt ynddo'i hun – dwyn crawia'r hogia. Ni bia'r ffwcin crawia."

"Parch 'di o. Ma nw yma erth cyn co. Yn rhan o'r ffycin tir. Ma nw'n thefyll hyd y lle 'ma, fel hen warriarth, erth cenhedlaeth. Tha nw'n gallu siarad 'tha nw'n gallu deud thym thtorith..."

"Fel oedd Tomi Shytyl yn ddeud, rywbryd – ma'r crawia fel coed derw. Ti'n parchu nhw. Os ti'n ymosod ar yr hen grawia, ti'n ymosod ar 'yn hanas ni..."

"Petha ryff, calad, trwm... hyll i'r llygad... fel Jac a Tomi'u hunain..."

Ystyriodd Drwgi am funud. Roedd y syniad yn apelio. Cweir iawn oedd y basdads yn ei haeddu. Ond eto, doedd o'm yn berson treisgar. Drwgi Ragarug oedd o, wedi'r cwbwl. Cont bach drwg, dim cont mawr calad.

"Drwgi," medda Cled, yn dawal. "Does 'na'm rhaid i chdi frifo neb. Edri di ddreifio, neu cadw lwc-owt. Ond does 'na neb yn fforsio chdi neud dim byd, mêt, cofia. Fyny i chdi'n union."

"Gwranda," medda Gwynedd. "Fi a Wynff fydd yn gneud y brifo, paid ti â poeni…"

"Na," medda Drwgi. "A dim diffyg bôls ydi o, hogia. Jesd bo fi ddim yn foi *organisational*. Dwi'n shit efo bob dim sy'n *planned*. Sgena i'm y pen iddo fo…"

"Ma hynna'n bwynt, actiwali," medda Bic. "Mae conspirasi'n ffwc o rap, os eith petha'n rong…"

"Be ti'n feddwl, 'conthpirathi'?" medda Gwynedd. "Mynd fyny 'na, ffwc o gweir i'r bathdadth, ac o'na! Be ffwc thy'n gonthpirathi am hynna?"

"Y planio, Gwyn," eglurodd Bic. "Dyna mae nhw'n neud efo unrhyw creim sy'n cael ei gynllunio ymlaen llaw. Ma 'conspirasi' yn cario mwy o amser, so ma nw'n sticio'r ddau air – '*Conspiracy to*' – o flaen be bynnag – *rob, kill, damage, shit in a carpet shop*, watefyr – er mwyn dy gloi di fyny am hirach. Ma'n bosib ca'l mwy o amser i fyny dy din am 'gonsbeirio' i asasinêtio rywun enwog, a methu, nac am fynd allan un bora, a saethu rhyw gont yn farw."

"Tho?" medda Gwynedd. "Be ffwc 'dio bwyth? Neith nw'm 'yn dal ni, siŵr dduw! Mewn â ni, bang bang bang, ac allan!"

"Rhaid i mi feddwl am y peth, hogia," medda Drwgi. "A *rhaid i fi* fynd rŵan, 'fyd. Go iawn. Ne fydda i efo Tintin yn y fflat, heno."

"OK, Drwgi," medd Gwyndaf. "Feddyliwn ni am rwbath, a ddown ni draw os 'dan ni angan chdi. Gei di ddeud, wedyn, os ti i mewn neu beidio."

"Iawn, 'dwi off, 'ta. Wela i chi nes mlaen, ma'n siŵr."

Arhosodd y Dybyl-Bybyls i Drwgi adael, cyn dechra'r cynllwynio. "*Transport* 'dan ni isio gynta, bois," medda Gwyndaf. "Ma'r pic-yp yn deilchion yng ngwaelod y ceunant."

"Fuoch chi i lawr 'na?" gofynnodd Sbanish.

"Do. Ma hi 'di torri'n ddau hannar. Ma un hannar dan y dŵr, a'r hannar arall yn thownd ar ben craig."

"Ffwcin hel!" medda Cled. "Be am y diesel?"

"*Mae* 'na beth 'di gollwng 'de, ond dim llawar – 'mond be oedd yn yr injan. O'dd hi bron yn wag, diolch byth."

"Ne fythan ni'n cael bai am enfairomental dithath-tyr."

"Dach chi'n lwcus bo chi'n fyw, y contiad gwirion!" medda Cled, gan ysgwyd ei ben. "Eniwê, ta waeth am hynny. Rhaid i ni ffendio lle gwell na hwn i siarad."

"Ti'n iawn, Cled," medda Sbanish. "Awn ni am dro. Dowch."

⁼ 66 ⁼

GWENAI TINTIN YN braf wrth adael tŷ Sandra. Roedd o wedi cael gwagiad, wedi cael siarad, ac wedi cael dyddiad – neu dêt 'lly – i fynd â Sandra am beint. A be arall oedd yn gwneud iddo wenu, oedd ei fod newydd gofio am ei eiriau olaf wrth Essie Cullen, cyn iddo adael y wing, yn y carchar, y bore cynt...

Camodd i lawr y grisia metel oedd yn arwain o ddrws y fflat, i'r ffordd, ac edrych nôl. Roedd Sandra'n y ffenast, heb ddim ond ei chrys-t amdani, a Gareth, yr hogyn bach oedd newydd ddeffro, yn ei braich. Cododd Tintin ei law arnyn nhw, cyn ei throi hi, trwy'r eira, am yr Het.

Roedd hi wedi stopio bwrw eira, ond roedd y flancad oedd yn gorchuddio'r stryd, a'r creigia tu hwnt, fel petai'n mygu sŵn y dre. Roedd pob man yn dawal, heblaw am yr eira'n crimpio dan draed wrth iddo gerddad.

Yna sylweddolodd ei fod o'n stônd allan o'i frêns. Dechreuodd feddwl na allai handlo cerddad i mewn i'r Het yn y fath stâd, felly trodd, a chroesi'r bont dros y rêls, a mynd draw am ganol dre, am dro, i glirio'i ben.

Roedd Tintin yn ei chael hi'n anodd dygymod efo'r ffaith fod ei blant yn byw efo Sais. Efo Glenda mor ddi-hid tuag at hanes yr ardal, a Chymreictod a ballu, ac yn ffiaidd yn erbyn unrhyw beth oedd yn ymwneud â'u tad, doedd 'na'm llawar o obaith i'r plant ienga dyfu i fyny'n ymwybodol o'u hetifeddiaeth. Petha syml, ond pwysig, fel y ffaith fod eu nain a'u taid nhw, a'u hen nain a taid, a'u hen hen nain a thaid cyn hynny, yn addoli yng Nghapel Ramoth, Cwm Derwyddon, ymhell cyn i Sid Finch ei droi o'n *luxury holiday home* i rhyw *playboys* o Loegar.

Yn y carchar, roedd Tint wedi gallu wynebu, a derbyn, y tebygolrwydd na fyddai'r plant yn cael treulio llawar o amsar efo fo. Ond doedd o erioed wedi meddwl, am unwaith, am y posibilrwydd y byddai'r ast o fam oedd ganddyn nhw, yn hwcio i fyny efo Sais.

Heb sôn am ffycin hipi!

Atgoffodd Tintin ei hun o eiriau Cledwyn. "Crafa wynab hipi a mi gei di *'bigotted, middle-class, capitalist twat'*." Ond be arall oedd yn ei gorddi am Taran, oedd fod Glenda i'w gweld fel 'sa hi wedi troi mlaen i smôc, mwya sydyn. Roedd y ffaith fod Tintin yn "cymryd drygs" wastad wedi bod yn achos tensiwn rhyngddyn nhw, pan oeddan nhw efo'i gilydd – ac roedd y ffaith i Tintin fod off ei ben ar fadarch hud yn fflat Cledwyn, y diwrnod tyngedfennol hwnnw ddwy flynadd yn ôl, wedi bod yn ffactor cryf yn ei rheswm dros ei adael o. Ond rŵan, mae'r boi 'ma – Taran – yn chwifio i mewn i'w bywyd hi, ar y gwynt, a – pwff – mae hi'n dechra ffycin smocio ganj!

Cyrhaeddodd ganol dre. Toc wedi tri oedd hi, ac roedd hi eisoes yn dechra twyllu. Roedd hi'n reit dawal – dim ond amball i gar yn pasio, a chriwia o blant a phobol ifanc wedi hel i yfad, o gwmpas y goedan Ddolig. O leia'r oedd honno, a'r goleuadau lliwgar dros y stryd, yn edrych yn ddel.

Penderfynodd fynd i'r Co-op, i nôl rwbath i gnoi. Roedd y mynshis wedi cydiad, a byddai ham rôl a Mars Bar yn mynd i lawr yn dda.

Roedd hi'n Nadoligaidd iawn yn Cop. Trimings ac arwyddion yn hysbysebu bargeinion yr ŵyl, a miwsig llawn clychau yn hudo pawb i wario ar bethau nad oeddan nhw'u heisiau na'u hangen. Roedd 'na bobol yno hefyd, ond dim gormod. Cymrodd olwg sydyn rownd y gwynebau a welai, rhag ofn fod 'na rywun yno nad oedd o isio'i weld, ond doedd o'm yn nabod yr un o'r rhai oedd mewn golwg. Bobol ddiarth oeddan nhw. Saeson. Aeth draw am y silffoedd brechdana.

Wedi codi brechdan tiwna, sleifiodd yn frysiog rhwng y silffoedd. Daeth i gwfwr cwpwl o bobol lleol, a'i cyfarchodd yn ddigon clên. Serch hynny, roedd o dan bwysa – paranoias yn chwalu'i ben o. Roedd o'n rhy stônd, yn meddwl fod y byd i gyd yn sbio arno fo. Roedd o'n cachu brics o weld rhywun arall – rhywun fyddai isio dechra sgwrs efo fo, a'i orfodi i siarad efo nhw. Ystyriodd roi'r frechdan yn ei bocad, a cherddad allan drwy'r drws. Ond ailfeddyliodd.

Cerddodd draw at y silffoedd da-das, a stydio'r dewis. Mars oedd o isio, ond roedd y dewis yn ei ddrysu. Gwelodd y Yorkies, a chymryd un o'r rheiny.

Rhoddodd y siocled yn ei bocad wrth gerddad rownd at y silffoedd cwrw. Edrychodd ar y *deals* oedd ar gael yno, ond cafodd ei hun yn edrych ar yr un prisiau ddegau o weithiau ar ôl ei gilydd. Doedd ei feddwl ddim yn canolbwyntio ar be oedd o'i flaen, gan fod ei synhwyrau'n tueddu i grwydro tua'r ochrau, ble'r oedd llygid anweledig yn gwylio pob peth oedd o'n ei wneud.

"Duw, strênjyr!" medda Anwen Coed, yn ei ymyl, ac achosi iddo neidio yn ei groen.

"Ffwcin hel, ddychrynisd di fi!"

"Blydi hel, Tintin, ti'n nyrfys neu rwbath? Lle ddiawl aru nw dy gadw di, d'wad? Gwantanamo Bê?"

"Haha, na…" Allai Tintin ddim dweud gair arall, ac am ryw reswm, teimlodd ei hun yn cochi.

"Neis dy weld di adra, eniwê," medda Anwen, a mynd yn ei blaen am y tils.

"Diolch 'ti, Anwen. Dolig Llawan!"

"Ac i chditha!"

Gafaelodd Tintin mewn potal peint o Bud, ac aeth i dalu… ond safodd yn ei unfan pan welodd pwy oedd wrthi'n cael ei syrfio. Os oedd 'na unrhyw gwestiwn o gwbwl, ym mhen Tintin, o pam fod gan Glenda galon wenwynig, roedd yr atab yn sefyll o'i flaen, ar ffurf ei mam hi – Marian. Edrychodd arni. Roedd hi'n dal yn hen gont dew, ac ynghanol ei ddryswch, llwyddodd Tintin i gael rhyw fath o foddhad wrth feddwl fod posibilrwydd cryf mai fel hyn fyddai Glenda'n edrych, rhywbryd, ar ôl cyrraedd canol oed. Allai o ddim peidio meddwl ei fod wedi cael dihangfa reit lwcus ar ddiwadd y dydd. Croeso i *hippy boy* ei chael hi, meddyliodd...

Ond ddim y plant.

Sbiodd draw at y til gwerthu ffags. Roedd 'na dri'n aros yno. Penderfynodd fynd am dro unwaith rownd y lle cwrw, eto. Pan ddaeth yn ôl, roedd Marian wedi mynd, ond roedd 'na ddynas ddiarth wrthi'n cael ei syrfio. Dechreuodd honno gwestiynu'r swm a ofynnodd yr hogan ar y til amdano, a bu rhaid galw'r rheolwraig draw o'r cefn, i jecio pris y toilet rôls. Fel y trodd allan, roedd y prisiau ar y til yn iawn, ond dechreuodd y ddynas ddiawlio fod yr arwyddion ar y silffoedd wedi ei drysu.

"And while I'm at it, why is everything on the signs above in Welsh first, with the English second, and in smaller letters?"

Doedd gan yr hogan fach ar y til ddim syniad sut i ymateb. Dim ond tua un deg chwech oed oedd y graduras. Aeth hi'n goch at ei chlustia. Roedd calon Tintin yn gwaedu drosti. Bwlio oedd hyn. Dim mwy a dim llai.

"I suppose you'll say that we're in Wales. But we're in the United Kingdom, and the language of the United Kingdom is English... Oh, and I want cashback. Fifty pounds."

Yna, mi fethodd cerdyn debyd y ddynas, a bu raid i'r hogan ifanc ganslo'r sêl, a gofyn iddi dalu efo cerdyn arall, neu arian parod. Aeth hynny ddim i lawr yn dda, wrth i'r jadan feio pawb a phopeth am y ffaith nad oedd ei cherdyn wedi rejistro, cyn tyrchu cerdyn gwahanol allan o'i phwrs, a'i roi i ferch y til. Ynghanol ei bygowthan, sylwodd y ddynas ddim fod Tintin yn sefyll reit wrth ei hochor, wrth iddi wasgu'i rhif personol i'r teclyn talu-cardyn. Dau Pump Wyth Dau.

Ond doedd Tintin ddim yn lleidar.

O'r diwadd, cafodd dalu am ei botal o Big Bud a'i frechdan, ac aeth am y drws, bron â marw isio gadael y lle. Roedd hi'n rhy agorad a diamddiffyn yno, yn enwedig wrth sefyllian gyhyd wrth y til. Gwelai'r drws yn agosáu. Pedair llathan at awyr iach, a diogelwch y stryd. Pedair llathan i gael anadlu eto.

"Tintin!" Daeth y llais fel y cyffyrddodd ei droed yr eira, tu allan. Roedd o'n oer ac yn filain, ac yn llawn gwenwyn. "O'n i'n meddwl bo fi 'di dy glywad di."

"Marian."

"Jysd isio deud ydw i, bo fi'n mynd i neud yn siŵr fod y plant yn gwbod dy fod ti efo'r jipo Cledwyn Bagîtha 'na, yn waldio'u 'Yncyl Alwyn' nhw neithiwr."

Tasa hon wedi cael ei geni yn yr Almaen ddechra'r ganrif ddwytha, fydda'r Natsis wedi ennill y rhyfal drwy *psychological warfare* yn unig. Roedd Tintin wedi clywad amal i gymeriad hyll yn gweiddi pob math o erchyllbethau yn ystod ei fywyd – bobol oedd, gan amlaf, wedi gwylltio'n gandryll yn eu cwrw, a ddim yn gwbl gyfrifol am yr hyn oeddan nhw'n ei ddeud. Ond doedd o erioed wedi dod ar draws rhywun allai feddwl am y peth creulonaf i ddeud ar yr amsar mwyaf creulon posib, a hynny mewn ffrâm o feddwl, a thôn o lais, hollol, hollol oer, dideimlad a ffwrdd-â-hi, gystal â'i gyn fam-yng-nghythral. Doedd *interrogators* y Gestapo ddim patsh ar y ddiafolas yma. Roedd y gont wedi ailsgwennu'r sgript.

Sut allai unrhyw un fod mor ddieflig a bod yn hapus i ddweud celwydd i droi plant bach yn erbyn eu tad? Am ddim ffycin rheswm yn y byd! Roedd anghyfiawnder yr hyn oedd o'n ei glywed yn rhy anhygoel i'w amgyffred. Teimlodd ei frên llawn scync yn ffrwydro, a chwalu'n deilchion. Cliciodd y mecanwaith hunanamddiffyniad i mewn – ymosod, ymosod, ymosod!

"Tint!" Daeth y llais fel oedd ar fin lônshio i mewn i ffrensi o regfeydd, fyddai wedi arwain at gŵyn i'r heddlu gan y *cold, calculating bitch from hell* – neu waeth, o ystyried y casineb rhwystredig oedd ar fin llifo allan o Tintin. Roedd y llais yn gyfarwydd, yn gyfeillgar ac yn gynnas. Ac roedd o fel clywad cwch yn dod i'w achub oddi ar ynys unig ynghanol y môr.

Daeth rhywfaint o normaliaeth yn ôl i'w ben, a llwyddodd i reoli'r llosgfynydd oedd wedi bygwth ffrwydro a llosgi popeth. Cerddodd i ffwrdd oddi wrth y ddiafolas.

"Drwgi! Ti'n iawn? Lle ma'r hogia, mêt?"

CANSLODD SID FINCH bob apwyntiad ar gyfer dydd Llun. Roedd o am fod yn bresennol yn yr ocsiwn, yn hytrach na bidio dros y ffôn. Roedd hon yn mynd i fod yn *sale of the century*, ac roedd o isio *centre stage*.

Neidiodd i mewn i'w ffôr-bai-ffôr, a tharanu am Graig. Roedd o am fynd am fusnesiad bach rownd y Trowt, i wneud plania yn ei ben. Edrychodd i fyny am y pentra, a Dre, fel y nesâi ar hyd waelod y dyffryn. Roedd hi'n wyn i fyny yno – y glaw wedi troi'n eira yno, yn ystod y pnawn. Daeth i ychydig o eira, ar y ffordd, fel yr agosâi at waelod Allt Ddu – ond roedd o'n fwy o slwtsh na dim byd arall. Dim problem i'r ffôr wîl dreif.

Roedd ar fin troi i fyny'r Allt Ddu pan dynnodd car allan o'i flaen, o ffordd Dre. Breciodd yn galad. Cydiodd y brêcs *anti-lock* a daeth i stop, fodfeddi cyn hitio'r car. Dyn a dynas lled-oedrannus oedd ynddo, a mi oeddan nhw 'di dychryn.

Neidiodd Finch allan o'r car, a mynd draw atyn nhw. "Pam ddiawl na ellwch chi sbio lle dach chi'n mynd?"

"*I'm sorry?*" medda'r dyn, wrth i'w wraig o droi'n wyn yn y sêt flaen.

"*Why the hell don't you look where you're going?*"

"*Why don't you stop driving like a maniac?!*"

"*It's my right of way!*"

"*You've been drinking!*"

"*No I haven't!*" medda Finch, yn gelwyddog.

"*I can smell it from here!*"

"*Do you know who I am?*"

"*No. Who are you?*"

"*…Never mind…*"

Dechreuodd y ddynas deimlo'n sâl, gan afael yn ei brest, a chrynu… "*Harry, I don't feel very well…*"

"*Is she alright?*" gofynnodd Finch, wrth i gwpwl o geir eraill ddod rownd y gornel, a dreifio o'u hamgylch nhw.

"Rita! Are you OK?!" Roedd panig yn treiddio i mewn i lais ei gŵr.

Anadlodd y ddynes yn ddwfn.

"That's it, darling, deep breaths…"

"Is she alright?" gofynnodd Finch eto, a'r panig yn dechra crogi'i lais yntau.

"Yes, I'm OK. It's just a panic attack…"

"Are you sure? Do you want an ambulance?"

"Yes, yes, I'm OK…"

"There you go, then. Keep your eyes open in future. That sign there says 'Give Way' – not 'Fire Away'!"

"I think you've had too much to drink!"

"I think you're too old to be on the road!" medda Finch, wrth gerddad yn ôl am ei gar.

"How dare you!" gwaeddodd y dyn ar ei ôl.

Neidiodd Finch i mewn i'w gerbyd, a bacio nôl fymryn, cyn dreifio rownd car yr hen gwpwl, a tharanu i fyny'r Allt Ddu, am Graig. Edrychodd yn y drych wrth fynd. Roedd yr hen foi'n rhy brysur yn ffysian dros ei wraig i gymryd rhif ei jîp.

Lwcus, meddyliodd, cyn dechrau breuddwydio, eto, am be oedd o'n mynd i wneud efo'r Trowt.

≈ 68 ≈

DAETH DRWGI A Tintin i gwrdd â Sban, Bic, Cled a'r Dybyl-Bybs ar Ben Banc. Wedi dod ar draws Tintin tu allan Cop, roedd Drwgi wedi penderfynu ffonio Sian, i ofyn iddi gadw golwg ar yr hogia am ryw awran, os na fyddai o adra cyn i Fflur fynd i'w gwaith, cyn ffonio'r Dybyl-Bybs i ofyn lle oeddan nhw wedi mynd am sgwrs.

Safodd y saith o'nyn nhw wrth y Gofeb, yn edrych i lawr ar y dyffryn yn dianc allan o odrau'r flancad o eira, ac estyn, yn wyrdd, am y môr wrth Abereryri. Roedd yr haul yn isel, yn oren-mynd-am-goch, wrth ddisgyn o'r cymylau gwyllt, am erchwyn y gorwel tu hwnt i'r lli.

Pasiodd Tintin y botal Big Bud rownd y criw, a llyncodd pob un ei swig, fel y Clanton Gang cyn y *Gunfight At The OK Corral*.

"Ma hi'n ffwc o beth," medda Gwyndaf Dybyl-Bybyl, "ond mae bobol wedi deud ers tro, rŵan, y bydd rhywun yn cael ei frifo yn hwyr neu'n hwyrach, efo'r holl ddwyn 'ma o dai a ffermydd…"

"…Ma hi'n amlwg fod dim ffwc o bwyth gan y copth am y peth. A 'dan ni i gyd yn gwbod be 'di'u preioritith nhw, beth bynnag."

"Felly, yr unig ffordd i stopio petha, ydi drwy'i wneud o'n hunan. Ydan ni'n cytuno ar hynny?"

"Ffycin reit!" medda Tintin.

"Wo, dal dy ddŵr am funud, Tint," medda Cled. "Dwi'm yn meddwl ddylsat ti fod i fewn ar y peth, mêt. No offens, ond ti newydd ddod allan o jêl. 'Dio'm yn ffêr arna chdi…"

"Ma Cled yn iawn," medda Bic. "Ma hyn yn ffwc o doji – potenshali."

Trodd y Dybyl-Bybyls at Tintin. "Dwi'n tueddu i gytuno," medda Gwyndaf. "Ti'm isio mynd yn ôl i mewn, Tint."

Wnaeth Tintin ddim atab am funud, dim ond tynnu'r ail frechdan tiwna allan o'r pacad, a chymryd beit. Cnoiodd am chydig, a llyncu. "Wel, ma hi fel hyn, yn union. O'dd petha'n ddigon drwg yn y lle 'ma *cyn* i fi fynd i mewn. Rŵan, dwi newydd ddod allan – fel dach chi'n ddeud – ar ôl pymthag mis, a rhwngtha chi a fi, ma'r ffycin newid yn y lle 'ma'n ffycin shocing. Rhaid i chi fynd i ffwrdd a dod yn ôl i'w weld o'n iawn. Ma'n hitio rhywun fel tunnall o frics. Ma'r lle ma'n newid. Ac os 'dan ni'n mynd i ada'l i ladron a smac-heds gym'yd drosodd 'yn tre ni, heb i ni neud ffyc ôl amdan y peth, waeth i ni fod yn jêl ddim! Felly, 'dio'm bwys gena i be ffwc dach chi'n ddeud – dwi i mewn. Ffwcio chi!"

Pasiodd chydig eiliadau heb i neb ddeud gair. Edrychodd y Dybyl-Bybyls ar Cled. Winciodd hwnnw arnyn nhw.

"Drwgi?" medda Gwyndaf. "Ti mewn 'ta be?"

"Yndw. Ffyc it…"

"Sban? Bic?"

"Duw, ia, pam 'im," medda Sban.

Nodiodd Bic. "Ma genan ni ddigon o ffycin sgym 'yn hunain

yn y ffycin lle 'ma fel ma hi, heb orfod rhoi fyny efo rhei o ffwrdd. Pyrfyrts, lladron – ma'n hen bryd taclo'r basdads, lle bynnag ffwc ma'r ffycars yn dod o. Ma gena i blant, a dwi'n barod i risgio jêl i neud y lle ma'n saff iddyn nw. Dwi mewn."

"Iawn," medda'r Dybyl-Bybyl. "Yr unig beth 'dan ni isio rŵan, ydi plan."

≈ 69 ≈

LOBSGOWS O DEIMLADAU oedd yn llifo trwy feddyliau Medwen ac Alis wrth iddyn nhw eistedd wrth ochor gwely'u tad, a'r dagrau'n dal yn wlith ar eu bochau. Hitiodd y sioc o weld eu tad yn marw nhw fel trên, ond roedd y rhyddhad o weld nad oedd o wedi marw, wedi'r cwbwl, wedi'u sgubo oddi ar eu traed, fel afon o ewfforia.

Wedi cael ei symud oedd Tomi, a rhyw gradur arall wedi cael ei wely. A hwnnw welodd Medwen ac Alis yn marw, gynt. Roedd Tomi wedi stêbileiddio digon i gael ei symud allan o'r Uned Gofal Dwys i ward arferol. Er fod 'na dal amball weiran yn sownd iddo fo, a bod golwg digon truenus arno o hyd, roedd o wedi agor ei lygid, ac yn cyfathrebu, yn araf a phoenus – a ffwndrus, oherwydd y *morphine* – efo pawb. Er bod hynny'n dda i weld, roedd y merched yn dal i grynu ar ôl y profiad ysgytwol gawson nhw gynt, pan gyrhaeddon nhw Intensif Cêr, a chael sgrym o ddoctoriaid yn brwydro i achub bywyd rhywun oeddan nhw'n feddwl oedd eu tad.

Ar ôl ymddiheuro'n ddibaid am fethu gadael iddyn nhw wybod fod eu tad wedi'i symud, adroddodd y doctoriaid eu bod nhw'n ffyddiog y byddai Tomi'n dod ato'i hun, bellach. Doeddan nhw erioed wedi gweld rhywun mor gryf a chalad, medda nhw. Be oedd o angen, rŵan, oedd digon o orffwys. Ond os oedd o'n effro, roedd hi'n beth da i gael rhywun yno'n siarad efo fo, er mwyn cadw'i feddwl o'n tician drosodd. Roedd straeon a sgandals Graig a Dre yn gwneud y joban honno i'r dim.

"Ma Richard Branson wedi prynu'r Trowt, Dad," medda Alis.

"Wedi bod rownd ddoe," ychwanegodd Medwen. "Fuodd o'n y Gors yn cael bwyd, medda nhw!"

"Meddylia, Dad – Richard Branson yn tynnu peint i ti, pan ddoi di adra. Be ti'n feddwl o hynna?"

Trodd llygada Tomi tua'r awyr, am eiliad.

"Mae Jac yn sbyty Dre ers bora 'ma, cofia," medda Alis, a'i meddwl yn rasio wrth drio ffendio pethau i ddeud. "Fydd o adra wythnos nesa, medda'r doctors."

"Fyddi ditha'm yn rhy hir cyn mynd adra, chwaith, medda nhw," nododd Medwen.

"Ma Tintin allan o jêl, 'fyd," medda Alis. "Byw yn fflat Frank Siop, yn ôl Sian Wyn. Oedd hitha'n cofio ata chdi, hefyd. Ma hi 'di bod i fyny 'ma'n dy weld di – hi a Jeni Fach… a Drwgi, yn ei slipars Daleks!"

"O'dda chdi'n *unconscious* ar y pryd, Dad," ychwanegodd Medwen. "Ma Cled a pawb yn cofio ata chdi, 'sti. Fysan nw wedi dod i fyny, ddoe, ond o'ddan nw'n mynd i nôl Tintin o Lerpwl… A ma Gronwy Ty'n Twll wedi ffonio i holi am y ddau o'nach chi."

"O'dd 'na uffarn o helynt yn yr Het, neithiwr, hefyd Dad," medda Alis, yn dal i ddod o hyd i stribedi o newyddion, rhywle yn ei phen. "Ffrî ffor ôl, medda nhw. Y lle'n racs."

Pasiodd rhai eiliadau, wrth i Tomi agor a chau ei lygada. Roedd o'n blino.

"Ti isio cysgu, Dad?" gofynnodd Medwen.

Rowliodd Tomi'i lygid eto. Llonydd oedd o isio.

⁼ 70 ⁼

YSTYRIED EI GAMAU nesaf oedd Sarjant Elton Jones. Doedd ganddo ddim tystiolaeth o gwbl, ond roedd ganddo deimlad ym mêr ei esgyrn fod yr hyn ddwedodd Colin Barberry wrtho, wrth adael y stesion ar ôl rhoi datganiad, yn gynharach yn y dydd, wedi ei yrru ar y trywydd iawn.

Sôn wnaeth o am foi efo fan Mercedes fawr, wen, oedd yn byw yn Gelli. Roedd ganddo acen eitha Sgowsaidd, hefyd, medda

Barberry, a chysylltiadau efo'r farchnad gyffuriau yn y dre – heroin, medda fo – a'i fod o'n lleidar.

Roedd rhaid i Elton gyfadda'i fod o'n teimlo'n eitha cyffrous am y datblygiadau diweddara 'ma. Ai dyma fyddai'r achos fyddai'n gosod ei gredensials am ddyrchafiad pellach? Ai dyma'r cyfle i gau cega sneipars fel Pennylove, oedd yn cwyno'i fod o wedi cael ei wneud yn rhingyll oherwydd fod ei dad yn chwara golff efo un o'r hed honshos? Neu, oedd o'n rhedag cyn cerddad?

Petai o'n gallu wanglo rheswm i archwilio tŷ'r boi – *routine search* am gyffuriau, efallai – a dod o hyd i rwbath i'w gysylltu fo efo'r lladradau, gallai'r achos yma fod *yr* achos iddo fo. Roedd o eisoes wedi gofyn i WPC Davies edrych drwy'r ffeil *local intelligence* am y Jed Drake – alias Jedi – 'ma, i weld be odd ei hanas o. *"Let's see what we have on this Jedi, Gwenfar – see if we can use the Force on him."* Oedd, roedd o'n reit prowd o'r jôc yna, pan graciodd o hi.

Ar y gair – neu, fel y meddyliodd Elton amdani – daeth WPC Gwenfair Davies i mewn. "OK, Rhyl boi, gwranda ar hon…"

"Oh, Gwenfur, give us a break will yer…"

"Ey! Was that a Rhyl accent I heard coming through, there?"

Cochodd Elton. Ers iddo ddechrau siarad *copspeak* drwy'r adag, fel ffordd o guddio'i acen, yr unig berson oedd yn achosi iddo lithro, heb sylwi, yn ôl i'w acen naturiol, oedd WPC Davies. Roedd 'na rwbath amdani oedd yn ei wneud o ymlacio yn ei chwmni. A phan oedd o'n ymlacio, roedd o'n diosg y masg, weithia, heb sylwi ei fod o'n gwneud. Ond mi oedd y blismones ifanc yn sylwi. Doedd y '*foxy little wench*' yn methu dim byd.

"So what have we got?"

"Smackhead, basically. Convictions for selling heroin, cocaine and crack cocaine, robbery, burglary, theft, assault with a weapon…"

"What weapon?"

"Samurai sword."

"Nice."

"Also a conviction for arson, criminal damage and… wait for it… sexual assault on a minor…"

"Fuckin hell! Where?"

"Burnley, 1987. Sex with an under-age girl. Got three months and probation."

"How old?"

"Forty three."

"The girl!"

"Thirteen."

"Fuck me! Not quite the fifteen-going-on-seventeen thing, then, was it?"

"Apparently, she was thirteen and eleven months, and already a bit of a goer…"

Roedd Elton yn gegagorad.

"It happens, Elton… Anyway, it's not the point. He took advantage. At that age, most men don't take advantage. He did. In my book, that makes him a fucking nonce."

"How long's he been in this neck of the woods?"

"Just over a year…"

"How long have the farm thefts been going on?"

"I couldn't tell you…"

"Any warrants, searches, arrests since he's been here?"

"Apart from a couple of domestic incidents, and a possession charge, nothing…"

"Possession of?"

"Heroin."

"Domestics?"

"Usual stuff. Shouting, screaming… spouse with black eye, afraid to press charges."

"Children?"

"Two. Though they're not his…"

"Just hers, then?"

"No. They bought them at Matalan…"

"How old?" Anwybyddodd Elton sarcastiaeth y blismones.

"Two girls, aged five and eleven…"

"…And they're not his…"

"Exactly. Though Social Services are involved at the moment…"

"So she knows?! About his past – the mother?"

"She must do... unless Social Services don't know... it's over twenty years ago..."

"Well, we know, so they must know... Would they...?" Rhoddodd Elton ei law at ei ên, ac oedi i feddwl am funud.

Gwenodd WPC Gwenfair, yn ddrwg. "Rhywbeth arall, Syr?"

"Wha...? Oh, no... er... na, Gwenfaye. Deem beed arathllch... deeolk."

"Oooh! I am impressed!" medda WPC Gwenfair, yn fflyrti i gyd. "Such progress! I think you're heading for a reward!"

Llyfodd Gwenfair ei gwefusau'n ddireidus, cyn troi, a wiglo'i thintws bach twt allan trwy'r drws.

≈ 71 ≈

CAMODD YN ARAF, araf, yn ei gwrcwd, mor dawel ag y gallai drwy'r eira ysgafn ar y gwair. Roedd o fewn pedair llathan, erbyn hyn, ac roedd o angen mynd un llath yn nes, i neud yn siŵr ei fod o'n cael siot dda. Roedd am drio cael y pen, ond efallai y byddai hynny'n anodd, gan fod y telisgopic seits yn sgi-wiff, a doedd o heb gael amsar i'w tynnu nhw i ffwrdd, i allu defnyddio'r seits ar faril y gwn. Doedd o mo'r gwn cryfa, chwaith, felly roedd bod mor agos â phosib yn mynd i fod o help i roi'r farwol efo'r unig gyfla gai o.

Arhosodd yn llonydd fel delw, wrth i'w darged edrych o gwmpas. Roedd wedi clywed rwbath, ac yn synhwyro'r awyr. Daeth yn amlwg mai dyma'r agosaf fyddai'n bosib mynd ato, heb ei ddychryn i ffwrdd. Yn ara bach, a heb smic, cododd y gwn.

Anelodd.

'TFFT!'

Neidiodd y llygodan fawr rhyw lathan cyfan i'r awyr, gan droi, twistio, plygu a somersoltio yn gyflymach nag unrhyw ddeifiwr uchel yn yr Olympics, cyn disgyn ar ei hochor, bownsio a thwistio cwpwl o weithia eto, a llonyddu. Roedd y cyfan drosodd mewn cwta ddwy eiliad.

Gwaeddodd Cledwyn yn fuddugoliaethus, a chodi i'w draed, yn dal y gwn slygs i'r awyr, uwch ei ben. "IESSS! *Gotcha*, y ffycin myddyr-ffycyr!"

"Reit dda, Cled!" gwaeddodd Drwgi, o du ôl y sied. "O'dd honna'n ffycin shot, y cont!"

Cerddodd y ddau draw at y swpyn marw. Roedd y slygsan 2.2 wedi mynd mynd i mewn trwy'i llygad dde.

"Biwtar o siot, Cled! Rhaid 'mi ddeud," medda Drwgi wedyn, wrth droi'r llygodan drosodd efo blaen ei esgid. "Sbia ffycin seis ar y basdad peth! Ffycin masuf!"

"Ma 'i run seis â Dirty Sanchez, y cont!" medda Cledwyn, gan gyfeirio at gwrcath mawr Drwgi – y gath galeta yn Bryn Derwydd.

"Ych, damia nw! Gas gena i'r ffycin things, t'bo, Cled. Rhoi shifars i fi, 'sdi."

"A fi 'fyd. A ma'r ffycars yn bla yn y cefna 'ma. 'Di'r cownsil yn gneud ffyc ôl amdanyn nw, chwaith."

"Gwilydd, dydi! A gymint o blant yn byw 'ma. Ma bobol ofn riportio nw, 'fyd, cos ma nw'n tsiarjio fforti cwid i ddod allan i'w lladd nw."

"Neith y ffycars ddim byd am ddim," medda Cled wrth godi'r llygodan fawr gerfydd ei chynffon. "Ers faint 'dan ni'n aros am dybyl-glêsing, rŵan?"

"Ffycin blynyddoedd... Ffycin hel – sbia seis'i chynffon hi!" rhyfeddodd Drwgi, wrth weld y peth, fel rhaffan o dew yn llaw Cled.

"Ynde, 'fyd! Fel neidar. A damia hi! Ych!"

Aeth Cled â'r llygodan draw at y ffens rhwng ei ardd o a gardd Ned Normal. "Ned! Ned..."

Daeth llais, o rywle tu fewn y tŷ, yn gweiddi 'Hylô!'

"'Di'r cŵn isio llygodan fawr i ginio?!"

"Eh?" medda Ned Normal, wrth roi ei ben allan o ffenast y bathrwm, yn sebon siafio drosto i gyd.

"Ga i roi hon i'r cŵn?"

"Ffwcin hel! Be 'di, cath?!"

"Ma hi'n anfarth, 'dydi?" Di'r cŵn isio hi, 'ta be?"

"Gymith Dalglish hi… Witshia ddau funud…"

Diflannodd Ned Normal, a chau'r ffenast ar ei ôl. Cerddodd Cled a Drwgi am y llwybr a redai heibio drysa cefn y tai, ac wrth nesu at ddrws cefn Ned, clywai'r ddau sŵn ei draed o'n rymblian i lawr y grisia. Daeth allan trwy'r drws cefn efo Dalglish, y staffi coch, yn gwenu ac ysgwyd ei gynffon bwt, wrth ei draed.

"Ynda boi," medda Cled, a rhoi ffling i'r llygodan iddo fo. Rhoddodd y ci hi yn ei geg, a'i hysgwyd yn ffyrnig, cyn trotian i ffwrdd i waelod yr ardd, i'w rhwygo hi'n racs.

"Efo'r gwn g'as di hi, Cled?"

"Ia, mêt. Jesd ŵan, fa'na, yng ngwaelod 'rar'."

"Ma'r ffycars yn bla 'di mynd! Gath hwn un yn 'rar' 'ma, wsos dwytha," medda Ned, gan bwyntio at Dalglish. "A gafodd Tanc un, wsos gynt, 'fyd."

"A ma Ding 'di dal dwy mewn trap…" dechreuodd Cled, cyn i Sian weiddi arno, o drws tŷ.

"Cled! Ffôn! Jerry…"

"Jerry?! Ffwcin hel!"

Bobi Dici Nel oedd tad y Bagîthas. Robat Richard Williams. Roedd o'n fab i Neli Bagîtha Williams, sipsi, o deulu Romani yr Hughesiaid – oedd yn dal i drafaelio i lawr tua'r Devon 'na. Roedd Neli Bagîtha'n gymeriad a hannar, a doedd hi'm yn syndod i enw mor anghyffredin, ar berson mor hynod, aros ar go'r ardal, a chael ei basio i lawr y cenedlaethau. Doedd y brodyr ddim yn gwybod os mai dyna'i henw iawn hi, neu ai llysenw gafodd hi gan drigolion yr ardal oedd o. Serch hynny, roeddan nhw'n falch o'i arddel. Ac er mai cof plentyn oedd gan Cledwyn Llywelyn Williams o'i nain, ac mai mewn tŷ, ac fel *gajos*, y magwyd ei frawd a fynta, doedd 'na'm dwywaith fod natur eu nain yn gry yn y ddau.

Roedd y tebygrwydd yn stopio'n fa'na, fodd bynnag. Tra'n rhannu'r un natur wyllt, roedd Jerry yn llawar mwy cyfrwys a threfnus na Cled – oedd yn un o'r bobol mwya agorad a di-drefn yn y byd. Pen busnas oedd gan Jerry, er nad oedd y busnesau

– neu'r 'ecsperiments', fel y galwai nhw – yn llwyddiannus, na gonest chwaith, bob tro. Pen rhyddid oedd gan Cledwyn – pen yn llawn o freuddwydion a llwybrau defaid.

Gan fod 'na bron i ddeng mlynadd rhwng y ddau hefyd, doeddan nhw ddim mor agos â hynny, fel brodyr, chwaith. Ond roedd y naill wastad yn gwybod y gellid dibynnu ar y llall am gymorth, pan fyddo'r galw. Rhwng yr adegau hynny, gallai'r ddau fynd am flwyddyn a mwy heb siarad â'i gilydd, hyd yn oed. Roedd 'no news is good news' yn un o elfennau sylfaenol eu dealltwriaeth.

"Cledwyn! Sud ma petha?"

"Jerry! Gret, diolch 'ti. Sud ma Trinidad yn dy drin di?"

"Yn union fel gelli di ddychmygu, ond deg gwaith gwell. Gwranda – be ti'n neud fory?"

≈ 72 ≈

WELODD PENNYLOVE ERIOED y ffasiwn lol. Roedd o'n sefyll yn yr eira, efo WPC Gwenfair Davies a phedwar o blismyn eraill, mewn *lay-by* ar ochor y ffordd allan o Graig am Dre, yn stopio pob car a fan oedd yn pasio. Dyna oedd y gorchymyn gawson nhw, beth bynnag. Er ei bod hi'n ddydd Sul, a'r traffig yn gymharol ddistaw, roedd hi'n amhosib stopio pob un, gan mai hyn a hyn o gerbydau allai chwech heddwas eu harchwilio a chofnodi'u manylion ar yr un pryd. Fyddai '*Command*' ddim callach faint yn union oedd yn trafaelio ar hyd y ffyrdd, beth bynnag.

Eu job oedd tsiecio'r tacs, insiwrans, MOT, teiars a chyflwr cyffredinol pob car a fan oeddan nhw'n stopio. Rhwng eu gang nhw, dan arweinyddiaeth Sarjant Harris o Ddolgellau, a'r ddau gang arall oedd wrthi'n stopio ceir i fyny'n Dre – un o'nyn nhw dan lywyddiaeth Elton Jones – roeddan nhw wedi cael diwrnod llwyddiannus. Dangosai'r ystadegau eu bod wedi dal dros bedwar deg o geir oedd ar y ffordd yn anghyfreithlon, ac wedi impowndio dros ddeg o'r rheiny, am resymau amrywiol, fel dim treth, eu bod nhw mewn cyflwr peryglus, neu am ddefnyddio diesel coch.

Diwrnod llwyddiannus, ia. Ond gwerth yr ymdrech a'r adnoddau? Roedd Pennylove yn amau'n fawr os oedd hynny'n wir. Un llygedyn o oleuni oedd 'na, meddyliodd, a hwnnw oedd ei fod wedi cael y plesar o roi ticad am deiars moel i Fflur, gwraig Drwgi Ragarug.

Fuodd hynny ddim yn hawdd. Roedd 'na uffarn o geg ar Fflur Drwgi. A doedd hi ddim yn licio'r awdurdodau, o gwbwl – yn enwedig awdurdod efo coron Lloegr ar ei iwnifform. Er syndod i Pennylove, cadwodd Fflur rhag rhegi a bytheirio, ond mi roddodd hi uffarn o bregath iddyn nhw. Roedd 'na ladron a myrdyryrs allan yn fa'na, medda hi, "a dyma chi'n wastio amsar pawb ar bnawn dydd Sul, wrth drio cael mwy o bres i'ch coffra!" Roedd rhaid i Pennylove gyfadda, yn dawel wrth ei hun, fod ganddi bwynt...

"Brrrr!" medda Pennylove, a chwythu i mewn i'w ddwylo, wrth wylio'r Vauxhall Astra coch oedd o newydd ei fflagio i lawr, yn tynnu i mewn i'r lle parcio, at y tîm archwilio. "Gawn ni fynd nôl i'r *station* ar ôl hwn, gobeithio."

"Gobeithio, ia," medda WPC Davies. "Mae'n ffycin 'nhraed i'n rhewi!"

Chwartar i ddau o'r gloch y pnawn oedd hi, ac roeddan nhw'n sefyll yn y llain parcio ers pedair awr. Roedd Pennylove yn difaru iddo ddod i mewn i'w waith. Roedd o wedi gwrando ar 'orchymyn' Elton, i gymryd diwrnod i ffwrdd ar y sic, ddoe, ond doedd o heb dderbyn y cyngor i aros adra heddiw hefyd. Roedd o'n teimlo'n well ar ôl cael brêc bach, felly be oedd y pwynt o aros adra'n pydru? Doedd Pennylove ddim y math o foi i aros yn llonydd yn rhy hir, beth bynnag. Roedd o'n gredwr cry yn y ffilosoffi '*devil makes work for idle hands*'.

Daeth llais Elton dros y radio. "*Sargeant Jones here, we're pulling out from Checkpoint Alpha. See you back at base.*"

Crechwenodd Pennylove wrth glywed y llais gwichlyd. Doedd y cont bach heb hyd yn oed ddysgu sut i siarad *radiospeak* yn iawn.

Synhwyrodd Gwenfair Davies ei atgasedd. "Dim bai Elton ydi hyn 'sdi, Wynne. Ordors ffrom abyf ydi o..."

"Ia, dwi'n gwybod, Gwen."

"Oedd Elton efo plania ei hun ar gyfar heddiw 'ma."

"O?"

"Oedd. Roedd o'n pasa gwneud *raid* fach ar dŷ'r boi mae o'n amau sydd wedi bod yn dwyn rownd y lle 'ma."

Berwodd y chwerwedd tu mewn i Pennylove eto. "Be, efo achos y Ty'n Twll *assault* a *robbery*?"

"Ia. Mae gena fo *lead*... Be sy, Wynne?"

"Dim byd. Meddwl fysa fo wedi gallu gadael i fi wybod, *that's all*..."

Ysgwydodd Gwenfair ei phen. "Oedda chdi'm i mewn, nag o'ddachd?"

"Very conveniently!"

"O cym on – ti'n gadael i'r reifalri 'ma fynd *out of hand*, rŵan. Jysd gneud ei job mae o. Ffoniodd o'r Insbector bora 'ma, i glirio'r *raid*, ond gafodd o wybod fod yr *Operation* yma wedi cael ei phlanio... "

"Hy! 'Operation Peace of Mind!' Operation Piece of Shit, more like it."

"Wel, o leia 'dan ni'n cael y ffyrdd yn saffach, Wynne!"

"Y *ffyrdd*, ia... So mae Elton yn planio *mission* bach, yndi? Pryd 'dan ni'n mynd 'ta?"

Edrychodd Gwenfair yn chwithig. "Dim syniad. Mae'r *purge* yma wedi chwalu'r plania, am y tro..."

"Fory?"

Oedodd Gwenfair cyn ateb. "Gwranda, Wynne... 'Di ond yn iawn i chdi gael gwbod... Gafodd Elton ddim cyfla i siarad efo'r Insbectyr – am y busnas efo'r car... yr *unauthorized acquisition*..."

"Be ti'n feddwl, 'dim cyfla'?!"

"Oedd hi'n brysur ddoe, efo'r byrglari ar seit Codd, ar y Bwlch, a..."

"Brysur, *my arse*..."

"Wynne! Driodd o dy helpu di – oedd o wedi gneud ripôrt a bob dim..."

"A be ddigwyddodd iddi?"

Cochodd WPC Gwenfair Davies. "Gafodd o'm cyfla i'w rhoi hi i mewn…"

"*Whitewash*, ia?"

Cochodd Gwenfair Davies fwy fyth. "Na… gafodd o'm cyfla – ffoniodd Insbectyr Williams i ddeud fod o am, wel… syspendio chdi – ond ar *full pay*, so dio'm yn rhy ddrwg!"

Ysgwydodd Pennylove ei ben mewn anghredinedd. Aeth y blismones yn ei blaen, â'i llais yn gostwng, fel ei llygid. "Ti'n mynd i gael llythyr fory neu dydd Mawrth…"

"Pam ffyc fysa fo 'di deud wrth fi bore 'ma? Rhy brysur i hynny hefyd, oedd? *The little shit!*"

"Dwi'n meddwl fod o'n aros am yr amsar iawn… Ac oedd angan *all hands on deck* heddiw… Wynne, mae Elton yn meddwl y byd o'na chdi…"

"*Oh spare me the bullshit*, Gwenfair fach," medda Pennylove. "Mae o'n cachu ar 'y mhen i, siŵr! Cael fi allan o'r ffordd, a gwneud enw iddo fo'i hun efo'r *Ty'n Twll case*! Mae o'n mynd i syspendio fi heddiw, ond fod y basdad bach isio fi weithio shifft, i ddechrau, am ei fod o'n methu handlo'r *Operation* yma ar ben ei hun!"

"Wynne! Ti'n paranoid!" medda'r blismones. "Dwi'n mynd i helpu heincw. Gawn ni fynd o'ma, wedyn."

Martsiodd WPC Gwenfair Davies draw at yr Astra, a gadael Pennylove yn sefyll ar ochor ffordd, yn ddwfn yn ei drobwll o chwerwedd. Roedd o mor bell i ffwrdd yn y ddrycin feddyliol, fel na welodd y car nesa'n agosáu tan oedd hi'n rhy hwyr. Erbyn iddo lusgo'i hun allan o'i fyfyrdodau, roedd y Triumph Spitfire *convertible*, melyn llachar, yn pasio ddim ond llathan i ffwrdd oddi wrtho – a phwy oedd yn ista yn y ddwy sêt, fel Noddy a Big Ears ddwywaith yn rhy fawr i'r car, ond Gwyndaf a Gwynedd Dybyl-bybyl.

⁼ 73 ⁼

DOEDD HI'M RHYFADD fod Sid Finch wedi cael ei weld yn snŵpio o gwmpas yng nghefna'r Trowt y diwrnod cynt. Roedd y basdad tew yn gwybod am yr ocsiwn ddydd Llun, ac yn bwriadu prynu'r lle.

Roedd hynny ynddo'i hun yn rheswm dros gytuno i fynd i Crewe, i roi bids ffôn i mewn dros Jerry. Fydda Cled yn barod i fynd yr holl ffordd i Sgotland i stopio Finch rhag cael ei fachau budur ar y Trowt. Chwerthodd Cledwyn, yn eironig, wrth ei hun. Roedd y peth yn anhygoel.

"Sgin ti awydd mynd i Crewe i brynu'r Trowt i fi?" oedd geiria Jerry ar y ffôn, ar ôl gofyn iddo be oedd o'n wneud fory. Fedra Cled ddeud dim, heblaw gofyn iddo ailadrodd be ddudodd o, a phan wnaeth Jerry hynny, roedd o'n dal i gael traffarth coelio'i glustia.

Roedd ei frawd mawr wedi gwneud y trefniadau efo'r ocsiwnîars, yn barod. Yr unig beth oedd ar ôl, oedd cael rhywun i fod ar ben arall y ffôn, yn yr ocsiwn, ar y diwrnod. Cytunodd Cled i golli diwrnod o waith, er mwyn gneud y job. Roedd 'na jans y byddai'n cael sac, beth bynnag, am y sgam crawia.

Roedd 'na lot o waith i'w wneud ar y Trowt, medda Jerry, ac mi oedd o'n cael ei werthu fel tafarn efo '*extensive renovation needed*', a manylion y gwaith oedd angan ei wneud wedi eu rhoi i fyny ar safle we'r ocsiwn. Doedd yr ocsiwnîars ddim yn disgwyl iddo fynd am fwy na hannar can mil, a "fysa hyd yn oed Ffati Finch ddim digon gwirion i roi mwy na hynny amdana fo," medda Jerry, ar ôl i Cled ddweud wrtho fod hwnnw, mwya tebyg, hefyd yn y ras. A beth bynnag, fysa Jerry'n gallu stretshio petha i saith deg, os fysa rhaid, medda fo.

Chafodd Cledwyn ddim llawar o fanylion pellach am ddydd Llun, heblaw am gyfeiriad yr ocsiwn, a faint o'r gloch oedd y sêl. Ond mi *oedd* Jerry'n gwybod hanas Tiwlip, a'r achos yn erbyn Croft.

Roedd o'n trio bod yn ofalus efo enwau, ar y ffôn, ond daeth yn amlwg fod Jerry'n gwybod nad oedd enw Tiwlip ar y *deed of sale* ddaru o arwyddo, achos mi ddudodd – heb unrhyw brompt gan ei frawd – nad oedd bwys ganddo pwy oedd yn cael y dafarn, cyn bellad â'i fod o'n cael y wonga.

Roedd Cledwyn wastad wedi gwybod mai *cash deal* oedd

gwerthiant y Trowt, ac yn gwybod fod Tiwlip wedi cael menthyg pres er mwyn ei brynu. Roedd o hefyd wedi gweithio allan, yn y diwrnod ers clywed y newyddion trist am Tiwlip, mai Lawrence Croft oedd wedi rhoi menthyg y pres iddo. Roedd o hyd yn oed wedi chwarae efo'r syniad fod Lawrence Croft wedi bod yn twyllo Tiwlip ers y dechrau. Ond doedd o erioed, am funud, wedi dyfalu fod ei frawd ei hun yn rhan – *unwitting* neu beidio – o'r holl dwyll. Er, doedd o'n synnu dim i glywed hynny, chwaith, o nabod ei frawd mawr...

"Siarc o'dd y Croft 'na, Cled," oedd cyfiawnhad euog-a-ffy-heb-ei-erlid, Jerry, ar y ffôn. "O'dd o'n gwbod fod ffwc o bwys gena i pa Sais oedd yn mynd i sginio'r llall. Dau gan mil, Cled! Fysa ti?"

Fedra Cled ddim anghytuno. Ond y mwya oedd o'n meddwl am y peth, y mwya oedd o'n teimlo dros yr hen Tiwlip druan. Roedd y cradur yn credu fod ei 'ffrind agos' wedi menthyg pres iddo fo brynu'r dafarn – intrest ffrî – iddo gael dechrau bywyd newydd, ar ôl yr 'helynt' nôl yn Wolverhampton. A thrwy'r adag, y cwbwl oedd y cont isio oedd lle i lôndro'i bres, rhyw fypet i redag y lle iddo fo, a bod y mypet hefyd yn talu iddo am y fraint!

Ond be oedd hyd yn oed yn fwy dieflig am yr holl dwyll, oedd y ffaith fod Croft a Tiwlip yn arfar bod yn gariadon! Gorfod i Cledwyn ista i lawr, rhoi'r ffôn rhwng ei glust a'i ysgwydd, a tanio'r ffag oedd ganddo dan y glust arall, pan glywodd o hynny. Chwerthin wnaeth o wedyn – dim o ran sbeit, ond am ei fod o'n eu dychmygu nhw'n mynd ati; Tiwlip, y cradur bach eiddil â'i sbectol gwdi-hŵ ar ei drwyn, wedi plygu fel stwffwl dros gasgan gwrw, a'r Croft blonegog – rhosyn yn ei geg, helmet copar ar ei ben – yn pwmpio'i din o i gytgan 'Happy Birthday' gan Stevie Wonder. Chwerthodd fwy fyth pan ddychmygodd Tiwlip yn ei rhoi hi i Croft...

Peidiodd y chwerthin, fodd bynnag, pan glywodd be ddudodd Jerry nesa. Roedd Cledwyn wastad wedi amau, o'r ffordd oedd Tiwlip yn siarad – neu'n hytrach, *ddim* yn siarad – am adra, fod 'na rhyw helynt wedi bod, nôl yn Wolverhampton. Yr helynt, yn ôl Jerry, oedd blacmel. Roedd Tiwlip a Croft wedi cael eu dal rywbryd – llunia a'r jamborî i gyd, fel ddudodd Jerry – pan oedd Croft yn dal i fod yn Chief Inspector. Fuodd rhywun yn eu gwaedu nhw o bres am flynyddoedd, a dyna pam oedd Tiwlip yn bancrypt. Ond – a hyn oedd yn ddiawledig – Croft ei hun oedd y blacmeliwr. Fo oedd wedi setio'r holl beth i fyny, a fo oedd yn gwagio cyfrif banc Tiwlip drwy'r adag, heb i Tiwlip amau dim. Pan aeth y cradur yn fethdalwr, sychodd y ffynnon, felly pa well ffordd o'i hailagor na thrwy actio'r 'ffrind da' a chynnig dyfodol newydd i Tiwlip a'i wraig yng ngogledd Cymru. Doedd paraseits fel Croft ddim yn dod ar draws sycyrs fel Tiwlip druan, yn amal. Cyn bellad â bod Croft yn y cwestiwn, Tiwlip oedd ei gronfa bensiwn, ei ŵydd aur. Doedd 'na'm dwywaith amdani – tu ôl y ffasâd o barchusrwydd, roedd Lawrence Croft yn ddyn drwg ofnadwy.

Doedd Cledwyn ddim yn siŵr be i wneud o'r rhan y chwaraeodd ei frawd yn yr holl beth, chwaith. Tan i Jerry egluro mai wedi bod yn dilyn yr hanes drwy'r *chatter* yn yr isfyd troseddol oedd o, a hynny ond ers i Lawrence Croft fynd i "fyta smartis" a'u golchi lawr efo wisgi, yn y coed, yr wythnos gynt. Gallai Cledwyn gredu hynny'n hawdd – roedd gan ei frawd gysylltiadau digon doji, a mi oedd ei wraig o Drinidad yn chwaer i un o hwdlyms Birmingham. Tyngodd Jerry i Cledwyn nad oedd o'n gwybod fod Tiwlip wedi'i ddarganfod, mewn ffrog Versace, wynab i lawr mewn camlas yn Amsterdam, tan iddo ffonio'i frawd yng ngyfraith "bora 'ma" i holi be oedd yn digwydd i *assets* Croft.

Lwcus i Jerry ei ffonio, achos roedd yr ocsiwn wedi'i threfnu ar gyfar dydd Llun, ers rhai wythnosa. Doedd a wnelo marwolaeth Tiwlip ddim â'r peth. Cyd-ddigwyddiad hollol oedd hynny. Gŵr merch Lawrence Croft oedd yn cael gwarad ar y Trowt – yn cashio i mewn cyn i unrhyw lwybr papur arwain at y lle. Dim fod 'na unrhyw bapura – roedd Croft wedi rhoi'r dafarn yn enw cwmni ffug, yn fuan wedi diflaniad Tiwlip, ac roedd y cwmni ffug wedi'i 'werthu' i'r mab yng nghyfraith, yn fuan iawn wedyn. Hwnnw oedd yn gwerthu'r Trowt, rŵan, a hynny ar ocsiwn, er mwyn cael gwarad arno'n reit sydyn.

Roedd hi'n amlwg fod Jerry'n gwybod pwy laddodd Tabitha hefyd, achos mi ddudodd mai nid Tiwlip wnaeth. Roedd gan Cledwyn ofn gofyn mwy, felly wnaeth o ddim. Y peth pwysig rŵan, oedd stopio Sid Finch rhag cael ei fachau ar y Trowt.

= 74 =

"TI'N FFYCIN BE?" medda'r Dybyl-Bybyls, pan gerddon nhw i mewn trwy'r drws ffrynt, ar ôl parcio'r car tu allan.

"Dwi'n prynu'r Trowt!"

"Gan Richard Branson? Ffyc off!" medda Gwyndaf.

Roedd yr efeilliaid yn iawn i fod yn amheus. Roedd hi *yn* un anodd i'w llyncu, ond erbyn i Cled egluro i bawb – wedi i weddill yr hogia gyrraedd, at ddau o'r gloch, fel y trefnwyd – roedd petha'n gneud fwy o sens.

"Felly ti'n mynd i Crewe fory?!" gofynnodd Tintin.

"Erbyn un o'r gloch. Pwy sgin awydd hi?"

"Be am gwaith?" gofynnodd Bic.

"Ti'n meddwl fydd genan ni job ar ôl?" gofynnodd Cled.

"Dwi'm 'bo… fydd gena *i* ddim, ma'n siŵr…"

"Na fo 'ta. Ty'd i Crewe efo fi, Bic. Fydda i angan rywun i distractio Finch."

"Fydd o yna?" gofynnodd Drwgi.

"Wel bydd, siŵr dduw. Ti'n meddwl fod o'n mynd i golli'r cyfla i brynu'r Trowt? A ti'n meddwl fod o'n mynd i golli'r cyfla i fod yno, yn chwifio'i ffycin jec-bwc o gwmpas i bawb gael gweld?"

"Ddo i efo chdi, 'fyd," medda Drwgi. "Sgena i ddim job i golli…"

Eistedd, yn bwyllgor, o amgylch y bwrdd, yng nghegin gefn tŷ Cled oedd yr hogia. Roedd y gadeiryddiaeth yn nwylo – neu dan dinau – y Dybyl-Bybyls.

"Reit hogia," medda un o'nyn nhw. "Awn ni ymlaen at yr agenda, ia?"

"Ia," medda Cled. "'Opyrêshiyn Llygod Mawr!'"

Chwerthodd y Dybyl-Bybyls. Roedd yr enw newydd yn plesio.

"Cwestiwn!" medda Bic, â'i law i fyny.

"Ia?"

"Be ffwc 'di'r ffycin 'Noddy Car' 'na allan yn ffrynt? 'Di'r ddau o'na chi'm yn ffitio ynddo fo. Be ffwc 'dan ni fod i neud?"

"'Noddy Car?'" gofynnodd Cledwyn, nad oedd wedi gweld y car eto.

"Triumph Spitfire 1500cc, 1977, convertible..." medda Gwyndaf.

"Melyn!" ychwanegodd Bic.

"Ffwc o bwyth be 'di'i liw o, nacdi'r clown!"

"Na, ond ffycin melyn?!"

"Be ffwc 'di o bwys fod o'n felyn, Bic?" medda Gwyndaf, yn bacio'i frawd i fyny.

"Dim byd. Ond ffycin melyn?!"

"Inca yellow, actiwali," medda Sban, oedd yn gyfarwydd â'r lliwia fydda Triumph yn ei ddefnyddio ar eu ceir.

"Inca neu outca, neu ffycin beidio, sut ffwc 'dan ni'n mynd i beidio tynnu sylw at 'yn hunan wedi peilio ar ben 'yn gilydd, fel yr Anthill Mob, mewn ffycin cacan gwstard?!"

"Bic!" medda Cled.

"Be?"

"FFYC OFF!" medda pawb efo'i gilydd.

Wedi cael chydig o drefn, eglurodd y Dybyl-Bybyls eu bod yn cael menthyg fan gan Desi Evans ar gyfar y job. Roeddan nhw wedi bod draw yn ei iard sgrap o, jysd cyn cinio, i'w nhôl hi, ond wedi gorfod ei gadael yno am y tro.

"Doeth 'na'm tacth nac MOT arni," medda Gwynedd, "ac mae'r copth wedi thîlio pob ffordd i mewn i Dre i ffwrdd – ma nw'n tynnu pob car thy'n pasio i mewn am tsiecth..."

"Dwi'n gwbo, medda Drwgi. "Ma Fflur 'di'w chael hi, cynt. Dau bôld teiar! Basdads. Jysd abowt yn bôld, oeddan nhw 'fyd – fysa copar iawn wedi gadael hi off efo worning. Ond ffycin Pennylove oedd y cont! Sê no mor!"

"Eniwê," medda Gwyndaf. "Gawn ni nôl y fan nes ymlaen. Ond guthon ni fenthyg y car Nodi am pnawn 'ma, achos hwnna o'dd yr unig beth lîgal oedd ganddo fo yn yr iard..."

"...felly, yn ôl at y pwynt," medd Gwynedd. "'Dan ni 'di bod o gwmpath..."

"Yn y '*Noddy Car*'..."

"Ia, Bic, yn y '*Noddy Car*' – a 'dan ni'n gwbod lle ma'r boi pen moel yn byw..."

"Yn lle?" gofynnodd Drwgi.

"Gwaelod Rhiw Rhyd," medda Gwyndaf, yn rowlio'i lygid oherwydd yr holl dorri ar draws, cyn gadael i'w frawd gario mlaen.

"...Ond 'dan ni'm 'di gweithio allan pwy 'di'r trydydd boi, heb thôn am lle ma'n byw..."

"Duw, sgali bach oedd hwnnw, eniwê," medda Cled. "Rhyw scag-hed yn mynd i helpu nhw, jesd am ffics – fydd o'n siŵr o ga'l y negas ar ôl i ni sortio'r ddau arall. Welwn ni mo lliw'i groen o yma wedyn..."

"...Digon gwir, Cled," medda Gwynedd. "Ond oth ga i orffan be dwi'n mynd i ddeud, cyn i bawb anghofio lle oeddan ni?"

"Sori, Gwyn. *Fire away*, mêt..."

"Diolch... Reit, ma'r boi 'Jedi' 'ma'n trici, achoth mae o nôl a mlaen rhwng 'i le fo a lle'r boi Mike 'na, ar y Migneint, o hyd..."

"Ia, wel, dwi 'di bod yn meddwl," medda Cled, wrth i'r Dybyl-Bybyls roi eu pennau yn eu dwylo, mewn anobaith, oherwydd y torri ar draws eto fyth. "Fysa'n well 'sa ni'n hitio'r cont yna tra mae o i fyny fa'na. Achos, wel, dwn i'm amdana chi, ond ma'n edrach yn debyg i fi, fod y 'Jedi Knight' yn gweithio i'r Mike 'na – a dwi'm yn sôn am helpu efo'r buldio, a ballu. Dwi'n recno 'na gwerthu smac drosto fo, mae o... Welis i'r wads o bres oeddan nw'n basio o law i law yn y sied, diwrnod o' blaen... Dwi'n recno dylsan ni hitio'r ddau ar unwaith, gan bo ni'n hela llygod mawr... A 'dan ni isio ca'l 'yn digolledu am y crawia, 'yn does? Saff dduw fod y pres 'na'n dal yna – pwy ffwc fysa'n cadw ci fel sgin hwnna, oni bai fod ganddo fo stash i'w warchod?"

"A be *am* y ci, Cled?" holodd Sban. "Sut ffwc 'dan ni'n mynd i fewn yna heb ga'l 'yn byta?"

"Gyrru Drwgi gynta, 'de!" medda Bic. "Fydd o'm isio bwyd ar ôl byta hwnna…"

"O, jysd ffyc off, 'nei Bic, y cont!" medda Drwgi, a rhoi uffarn o ddwrn calad i'w fêt, ar ei fraich.

"Hogia!" gwaeddodd Gwynedd, a waldio'i ddwrn ar y bwrdd. "Ma hyn yn ffycin thiriyth, ffor ffyc'th thêcth!"

"OK, OK," protestiodd Bic, "dwi'n gwrando, dwi'n gwrando! 'Tha'm isio gwylltio, nagoeth!"

"Y crac ydi," medda Gwyndaf, ar ôl sbio dagyrs ar Bic, am gymryd y piss o leferydd ei frawd, "fel ma fi a Wynff yn trio'i ffycin ddeud, ers meitin, 'sa ni ond yn ca'l ffycin tsians – ma'n edrach yn debyg mai fyny'r Migneint fydda ni, eniwê!"

Aeth pawb yn ddistaw am rai eiliadau, cyn i Tintin gael hyd i'w lais. "Pam?"

"Ma'r ddau o'nyn nhw i fyny 'na rŵan. Ma nw 'di bod yna erth bora 'ma. Yndo Wynff?"

"Do, Wynff. 'Dan ni 'di bod i fyny 'na deirgwaith, hogia," eglurodd Gwyndaf. "Ma nw'n codi'r llawr yng nghefn y tŷ, ac yn cario crawia – 'yn crawia ni – i mewn, a'u gosod nhw. Ma hi'n dipyn o gontract, i weld. Fyddan nw yno drwy dydd…"

"Ond yn y nos 'dan ni isio nw 'na!" medda Drwgi.

"Fyddan nw yna ar ôl 'ddi dwllu, ma hynna'n thaff…"

"Be sy'n neud 'ti ddeud hynna?"

"Am fod y boi fan wen, a'r boi Pen Moel, newydd fod yn Cop yn nôl dau grêt o Stella…" medda Gwyndaf.

"Ffycin hel" medda Bic. "Dach chi'ch dau'n ffycin sgêri, màn!"

"Be ti'n feddwl?"

"Dach chi 'di bod yn gwatsiad y ffycars 'ma drwy dydd?"

"Do, Bic. Lle ffwc ti'n feddwl 'dan ni 'di bod yn y Nodi Car? Toytown?"

"Ond be am y ffycin monstar 'na, y ffycin ci?" gofynnodd Tintin.

"Ia," medda Sban. "Sgena i'm awydd bod yn yr un lle â hwnna, os na bo fi'n gwbod fod o 'di marw."

"Sban," medda Gwyndaf. "Alla i garantîo i chdi, os fyddan ni'n mynd i fa'na heno, fydd y ci ddim yn broblam."

Roedd yr olwg yn llygada duon y Dybyl-Bybyl yn ddigon i argyhoeddi unrhyw un ei fod o'n golygu be oedd o'n ddeud. Serch hynny, yn wyneb cael eu llarpio'n fyw gan fwystfil deg stôn, llawn dannadd, byddai chydig o ymhelaethu wedi mynd dipyn pellach i leddfu'u hofnau.

"Be am y ieir 'ta?" gofynnodd Drwgi.

"Ieir?" medda Gwyndaf.

"Ia."

"Be amdanyn nw?"

"Fyddan nw mewn cwt, 'ta fyddan nw'n cerddad o gwmpas?"

"Fyddan nw mewn cwt dros nos, fyswn i'n feddwl, lle bod llwynog yn ca'l nw. Dwn i'm. 'Nes i'm rili meddwl fysa'r ieir yn broblam. Be ti'n feddwl ma nw'n mynd i neud, pecio ni tw deth?"

"Gena i ofn nhw."

"Ffyc off!"

"Oes, màn, go iawn! Dwi 'di ffycin deud 'tha chi o' blaen."

"Ofn ieir?"

"Ia."

"Paid â malu…"

"Ma'n beth digon cyffredin. Ma rei bobol ofn sbeidars, bobol erill ofn nadroedd. Gena i ofn ieir."

"Be ti'n feddwl wnan nw i chdi, os 'dyn nw'n dy ddal di?"

"Dim fel 'na ma'n gweithio. Do's 'na'm rheswm am y peth. Ti jesd ofn ieir, a dyna fo."

"A ti'm yn gwbo pam?"

"Na, 'im rili. Plu, traed… a'r ffycin llygid 'na. Fel 'na…!" Gwnaeth Drwgi impreshiyn o iâr. "A ma nw'n cysgu ar 'u traed – a 'di hynny jysd ddim yn naturiol…"

"Paid â poeni, Drwgi," medda Cled. "Wnawn ni watsiad dy gefn di, gyfaill. Unrhyw olwg o ieir, byddan nw'n 'i chael hi'n syth…"

"'Nawn ni hyd yn oed gerddad o dy flaen di," medda Bic. "Os oes 'na ieir yn dod amdanan ni, fyddi di'n bell i lawr y *pecking order*!"

Cododd y Dybyl-Bybyls ar eu traed, yn barod i fynd. "Gadwan ni lygad allan pnawn 'ma," medda Gwyndaf. "Os 'di petha'n newid, adewan ni chi wybod. Ac os fyddan nw wedi newid, 'nawn ni hitio tŷ y Jedi. Fel arall, bigan ni chi fyny am chwech."

⁼ 75 ⁼

FASA PENNYLOVE WEDI gallu tagu Elton yn y fan a'r lle. Roedd o'n piso yn nhoilets y Stesion – newydd ddod yn ôl o'r cyrch mawr ar yrwyr ceir yr ardal – a pwy ddaeth allan o'r cwt cachu, a'i gyfarch fel 'sa dim byd yn bod o gwbwl, ond y ffycwit bach ei hun.

"*Wynnie! How's things? Had a good day yesterday? Did you go anywhere?*"

Cont bach dan din, meddyliodd Pennylove, ond brathodd ei dafod, ac ateb yn glên. "*Excellent, thank you Sarge, I feel so much better. Like a new man!*"

"*That's… good news, Wynnie,*" medda Elton, wrth folchi'i ddwylo. "*Really good news. I'll talk to you later, yeah? Oh – you don't have to call me Sarge, Wynnie! We're old friends, aren't we?*"

Diflannodd Elton drwy'r drws, ac i lawr y coridor, yn wislo rhyw diwn cont gan Westlife, neu rhyw wancars tebyg. Trodd Pennylove at y sinc, a sbio'n y drych wrth olchi'i ddwylo ynta. "*Oh yes, boy, we're old friends…*"

Wedi penderfynu chwara'r gêm oedd Pennylove, ac aros o gwmpas i weld be oedd Elton yn fwriadu ei wneud, o ran rêdio tŷ'r syspect newydd 'ma. Os oedd Elton am greu *starring role* iddo fo'i hun, doedd dim drwg mewn hongian o gwmpas, a trio bod yn rhan o'r llun. A phwy a ŵyr, efallai y codai cyfle i ddial ar y ffycar bach dan-din hefyd, rhwng rŵan a diwadd y shifft. Ffwcio fyny'i gêm o, unwaith ac am byth. Os oedd Elton yn ormod o gachgi i ddeud wrtho ei fod o'n syspended, yn y gobaith yr âi adra ar ddiwadd y shifft heno, cael llythyr neu alwad gan y Chief fory, a diflannu o'i fywyd bach di-nod o, yna roedd o'n gneud camgymeriad enfawr. Achos, os câi gyfla, roedd Pennylove yn mynd i ddefnyddio'r shifft yma i'w ddinistrio fo...

Ond bonws fyddai hynny, deud gwir. Byddai Pennylove yn hen ddigon bodlon efo cyfla i berswadio'r Insbectyr i godi'i waharddiad o. Os câi gyfle arall, matar o amsar fyddai cyn i Elton slipio i fyny, beth bynnag. Os fydda Pennylove fyw drwy hyn, byddai yma i drio eto...

Roedd un peth yn saff, fodd bynnag. Doedd Elton ddim yn gwybod ei fod o'n gwybod ei fod o wedi cachu ar ei ben o. Os chwaraeai Pennylove ei gardiau'n iawn, roedd 'na obaith, o leiaf, o gael *rhywbeth* o groen y dydd. Ac os mai cyfle arall fyddai'r rhywbeth hynny, byddai'n ddechrau da...

꞊ 76 ꞊

DOEDD SID FINCH ddim yn hapus efo be ddudodd Richard Twrna. Roedd o wedi siarad efo 'cyfaill' yn Crewe, oedd wedi siarad efo 'cyfaill' oedd yn dwrna i'r ocsiwnîars, a doedd y newyddion ddim yn dda. Roedd pawb yno'n wynnach na gwyn. Neb yn agorad i wobr ariannol am stacio'r ods ar ochor unrhyw fidar arbennig, ar draul un arall.

"Fyswn i ddim yn gymryd o i galon, Sidney. Mae gen ti wastad yr opsiwn o chwara'n lân! Wedi'r cwbwl, mae'r ods ar dy ochor di'n barod."

"Sut hynny, Dici boi?"

"Wel, mae dy walat di'n gallu stretshio'n bellach na lot o bobol, dydi?"

"Dim ond hyn a hyn, Dic. A beth bynnag, y pwynt ydi *peidio'i* ffycin stretshio hi!"

"Wel, mae'n edrych yn debyg fydd rhaid i ti, Sid. Dydi'r bobol sy'n gwerthu ddim isio gwerthu cyn y sêl. Ma nw'n gweld y diddordab sydyn yma fel arwydd o *potensial bidding war*. Dyna oedd y gambyl o ofyn..."

"'Nes di ddim deud hynny, naddo, Dic?"

"Oedd rhaid i fi? Gin ti ddigon o *business acumen* erbyn hyn, Sid Finch!"

"OK, OK. Oedd o'n werth trio, am wn i. Eniwê, fuas i fyny yn sbio ar y Trowt, ddoe. Ac o'n i'n meddwl faint o broblam fysa cael *planning* i ddemolisio'r lle, a *chael change of use* i'r *premises*?"

"Dim problam efo'r *demolition*, wrth gwrs. Os ti'n gallu 'dangos' ei bod hi'n *economically unviable* i beidio â'i chwalu fo, neu fod yr adeilad ddim yn saff, *fire away*. Ac efo *planning*, wel, tydi dyn yn dy safle di, Sidney, ddim yn mynd i gael unrhyw broblam."

"So fyswn i'n gallu rhoi clec i'r lle, a cael *planning* i droi o'n unrhyw beth dwi isio?"

"Mewn gair, bysat."

"Unrhyw *development*?"

"O fewn rheswm. Fysat ti'n gallu'i droi o'n faes parcio, os fysa ti isio!"

"Fflats?"

"Fflats, no problemo. Elli di hyd yn oed gael gwarad o'r *affordable housing clause* a bob dim."

Wislodd Sid Finch. Roedd o'n gweld *dollar signs* o flaen ei lygaid. "OK, Ricardo, *my man*. Mae hynny'n *good news*, o leia!"

"*Master is pleased?*"

"*Cut the sarcasm, Richard. It suits you too much!*"

"*Why thank you, Sidney!* Hwyl rŵan."

Roedd Richard wedi mynd, ac roedd Finch ar ben ei hun, efo'i frandi a'i sigâr, eto. Cleciodd y brandi, a thollti gwydriad arall. Aeth draw at y drysau patio eto. Carafans! Carafans a pysgod! Petai ond yn cael y Trowt, fyddai dim rhaid iddo drafferthu 'fo'r blydi petha. Roedd o wedi prynu Coed Myrddin efo pres sêl Capel Ramoth, ac roedd Wizard's Grove yn mynd i wneud pres da. Ond tasa fo'n cael y Trowt am fargian, a chwalu'r adeilad i neud lle i dri neu bedwar o dai moethus, gallai werthu'r lle yma ac ymlacio am weddill ei fywyd.

Cododd gopi o'r *Wales on Sunday* oedd ei frawd wedi'i adael, pan alwodd yn gynharach, a darllan yr erthygl eto. Roedd hi'n ddealladwy fod yr ocsiwnîars isio bod yn *squeaky clean* efo'r sêl 'ma. Roedd hi'n amlwg fod 'na fisdimanars go ddifrifol wedi bod yn mynd ymlaen. Stwff budur hefyd, yn ôl be a ddeallai.

'*Village Rocked By Dutch Death*', meddai'r pennawd. Roedd o'n swnio fel rhyw fath o afiechyd. Taflodd y rhacsyn yn ôl ar y gadair, a throdd yn ôl at y llun yng ngwydr y drws.

≈ 77 ≈

CHWERTHIN DDARU BERYL pan gyrhaeddodd y Dybyl-Bybyls yn eu car Nodi. Doedd o'm yn gwybod sut oeddan nhw wedi ffitio i mewn iddo, i ddechra cychwyn, ac o weld y traffarth oedd y dreifar yn gael i ffendio'r hambrec o dan ei goes chwith, roedd hi'n anodd dallt sut ar wynab daear oedd o wedi gallu newid gêr, ar y ffordd i fyny, o gwbwl.

Gwyliodd nhw am funud – y ddau gawr yn cecru, y naill yn beio'r llall am beidio symud ei goes o'r ffordd. Dylai'r ddau fod ar lwyfan.

"Iawn Nodi? Big Ears?" medda fo, o du ôl i gwmwl o fwg o'r rôl fawr dew oedd yn symud i fyny ac i lawr, yng nghornal ei geg, wrth iddo siarad.

"Ffyc off, Beryl!"

Roedd Beryl yn byw ar y ffordd allan o Dre, am y Bwlch. Boi yn ei bumdega, yn byw efo'i gŵn a'i dri mab, Francis, Elvis a Dylan, oedd o. Cymeriad a hannar ac, efo'i frawd Gronwy Ty'n Twll, yn un o botsiars mwya'r ardal. Os oedd unrhyw un isio samon, cwningan neu garw, Beryl oedd y boi. Ac os oedd rhywun isio menthyg *cross-bow*, roedd ganddo un neu ddau o'r rheiny, hefyd.

"Dwi'm yn mynd i ofyn be dach chi'n mynd ar 'i ôl, hogia, dim ond i chi fod yn ofalus, a bo chi'n dod â fo'n ôl. A triwch ddod â'r boltia yn ôl hefyd, hogia. Ma'r ffycin things yn ddrud."

Roedd gan y Dybyl-Bybyls gwpwl o shotgyns adra, ond roedd rheiny'n betha braidd yn rhy swnllyd i be oeddan nhw angan heno. "Dan ni'n gobeithio 'na jythd un boltan fydd rhaid i ni iwsio," medda Gwynedd.

"A coelia di ni, 'dan ni *ddim* isio bod mewn sefyllfa lle 'dan ni'n gorfod rî-lôdio!" ychwanegodd Gwyndaf.

Agorodd Beryl ddrws y sied, a diflannodd i mewn iddi. Daeth allan yn ei ôl rhyw funud neu ddau'n ddiweddarach, efo rwbath wedi'i lapio mewn blancad. "Ma'r boltia efo fo. Mae 'na dair yna. Rhag ofn, ia?" medda fo, efo winc.

Tynnodd Beryl ar ei rôl, a chwythu cwmwl o fwg allan, heb ei thynnu o'i wefusa. "So be ffwc 'di hanas y car 'ma, 'ta? Lle gathoch chi o? Toys R Us?"

"Ffyc off, Beryl!"

"Be ddigwyddodd i'r pic-yp?"

"Thgrap," medda Gwynedd, wrth roi'r flancad, a'i chynhwysion, yn y bŵt.

"O?" Gwenodd Beryl mewn ffordd wnaeth iddyn nhw amau iddo fod yn siarad efo Tecwyn Llety'r Herwr. "Be 'nath hi? Pydru dros nos?"

"Rwbath felly, Ber," medda Gwyndaf. "Diolch 'ti am rhein. Ddown ni â nhw 'nôl fory, gobeithio."

"Dw inna'n gobeithio, hefyd. Cofiwch fod yn ofalus. Ma'r trigyr yn ysgafn – twtsh lleia'n ddigon." Gwenodd Beryl yn ddrwg. "Deud gwir, hogia, ma'n ffycin dedli!"

≈ 78 ≈

ROEDD DRWGI, CLED a Sban yn piso chwerthin yn fflat Tintin, wrth ddarllan yr erthygl yn y *Wales on Sunday*. Roedd 'na riportar wedi bod o gwmpas y pentra, y diwrnod cynt, mae'n rhaid, achos roeddan nhw wedi cael gafael ar y llysenw 'Tiwlip'.

Tintin oedd yn darllan, ar dop ei lais. *"Affectionately known as 'Tulip' by his locals, Mr Tadcaster ran the Brithyll Brown pub in the village until just over a year ago...... Distraught cleaning lady Megan Parry said she was devastated on hearing the news. 'He was very well liked here and we couldn't believe it when he killed his wife.' Mrs Parry said the village was in a state of shock. 'First we heard that Richard Branson had bought the pub, then this. We're*

244

very shocked, yes, very shocked.'...'"

Roedd yr erthygl yn rhoi mwy o fanylion ynglŷn â'r cysylltiad efo achos Lawrence Croft, ond dim byd gwahanol i amball i beth ddudodd Jerry dros y ffôn wrth Cled. Ond gan mai'r *Wales on Sunday* oedd o, mynd mwy am yr elfen 'syfrdanol' oeddan nhw, ynghyd â'r cachu arferol am y cysylltiadau Cymreig – os oedd gan rywun gath o'r enw Tom Jones, roedd o'n Gymro, math o beth.

"...Ac oedd rhaid iddyn nhw ffeindio'r twat yma eto'n doedd!" medda Tintin, pan ddaeth at ddyfyniad gan Gregory Ainscough, y 'Sais Mawr Tew' lleol, oedd yn treulio'i amsar yn sefydlu mudiadau fel y *'Friends of Graig'* – neu 'Gyfeillion Greg' fel y galwai'r bobol leol nhw – ac yn ymgyrchu dros wahardd plant rhag cicio peli, sgêtbordio a campio yn y coed. Yn falch o gyfle arall i glochdar, roedd o wedi cael ei big i mewn, unwaith eto.

"... *'Prominent local figure...'* Ffigyr? 'Porpois' ma'r plant yn 'i alw fo – dyna faint o 'ffigyr' sy ganddo fo!" Trodd Tintin i acen Saesneg posh, i ddarllan ymlaen '...*Prominent local figure Gregory Ainscough, Chairman of community group Friends of Graig, was outraged that yet more negative publicity was associated with the village...'* Ffwcin hel, dyma ni – clywch... *"I'm sure I speak for every one when I say that crime rates in the village are unacceptable. I've raised the matter with the local constabulary on numerous occasions. Some of us are afraid to go out at night."*

"'Sa'r cont yn gadal llonydd i'r plant, 'sa'r plant yn gadal llonydd iddo fo!" medda Drwgi. "Ma'n syml, dydi? Pan o' chdi'n chwara noc dôrs ers dalwm, pwy o'dd yn chael hi o hyd, gena chdi? Y ffycin rhei oedd yn mynd yn seico bob tro, 'de?"

Chwerthodd Tintin yn uchal. Roedd o wedi dod at ddarn o'r stori oedd wedi'i diclo'n racs. "Gwrandwch ar hwn, ffor ffyc's sêcs – ha-ha! '...*Not all villagers shared the affection shown towards Mr Tadcaster by some. In a hostile response to a simple question, one elderly local man flew into a tirade of expletives. "I never liked the ****. He couldn't serve a ******* proper pint, and he looked like a ******* goldfish!" said Robert 'Beebo' Jones...'*! Ffacin Bibo Bach, ha-ha! Ddim yn ffwcin gall!"

Agorodd y drws. Bic oedd yno, â'i lygid yn fawr ac yn ddu, wedi bod i lawr yn nhŷ Dilwyn Lldi, yn sgorio mwy o sbîd.

"Be gas di, Bic?" gofynnodd Drwgi.

"*Base*. A ma'n ffwc o stwff!" Taflodd Bic y bag bach ar y bwrdd coffi, ac estynnodd pawb ato, a rhawio lympia mawr o'r pwti melynaidd i lawr eu cyrn cwac, cyn ei olchi i lawr efo lagyr – a Bacardi, yn achos Tintin.

Edrychodd Bic yn hurt ar Tintin yn llowcio o'r botal. "Cym hi'n îsi ar hwnna, Tint. Ma'r *base* 'ma'n ffycin gry, 'sdi. 'Dan ni'm isio i chdi droi'n seico arnan ni heno!"

"Ia, ffor ffyc's sêcs!" medda Cled. "'Dan ni'm isio i hyn droi allan fel 'Dead Man's Shoes', y cont!"

Er fod yr hogia'n jocian, roedd ganddyn nhw reswm da i fod yn wyliadwrus, achos roedd Tintin wedi bod yn ddistaw ers dipyn ac, yn waeth 'na hynny, rywbryd yn ystod y pnawn, roedd o wedi cael menthyg clipars gan Gwyn Gwallt, ac wedi siafio'i ben yn foel, "fel oedd yr hen Gymry'n ei wneud mewn *guerilla warfare* ersdalwm, sbario snagio'u gwallt ar friga coed."

"Ma gena i chydig o côc ar ôl 'fyd," medda Bic, wedyn, yn dal i wylio Tintin yn llowcio. "'Sgin ti amonia 'ma, Tint? 'Sa ni'n gallu rocio fo i fyny…"

"Ffycin hel, Bic!" medda Cled. "Ma'r *base* 'ma'n ddigon i droi ni'n ffycin *Tasmanian Devils*, siŵr dduw!"

"Jocian dwi, Cled!" medda Bic. "Be arall 'dan ni isio 'ta?"

"Genan ni bob peth, dwi'n meddwl, Bic," medda Drwgi. "Ma 'nw drwodd yn y gegin, ar y bwrdd."

Aeth Bic drwodd i weld yr infentori, ac yno, wedi'u gosod yn daclus, fel cinio i bump, roedd pum balaclafa du, pum pâr o fenig o bob math, a phum darn o beipan ddŵr, las, tua tair troedfadd o hyd, yr un.

"Peips *alkathene*?" gwaeddodd drwodd at yr hogia.

"Ia," atebodd Cled.

"Poenus!" atebodd Bic, yn twistio'i wynab wrth ddychmygu'r effaith.

"Ia, yn union," medda Cled, a dod drwodd at Bic. "'Dan ni'm

isio torri esgyrn neb – adawn ni hynny i'r Dybyl-Bybs – ond chwipith rhain nw'n ffycin ddu-las. Fyddan nw'n methu symud am fis ar ôl cweir efo rhein – heb sôn am be neith y Dybyl-Bybs!"

"Ia, dwi'n poeni braidd be ma'r ddau yna'n basa'i neud i fod yn onast 'fo chdi, Cled…"

"'Dan ni i gyd yn ffycin poeni, Bic!" medda Cled. "Does wbod be ma'r ffycars yn *capable* o! Ond cyn bellad fo nw'm yn lladd neb, ma'n iawn efo fi."

"Ond ma nw'n mynd i ladd y ci, yndyn?" gofynnodd Bic, wrth i'r ddau o'nyn nhw fynd 'nôl drwodd i'r stafall fyw.

"Gobeithio. Bechod, ond dyna fo. *Kill or be killed* ydi efo'r ffycars 'na. Ddylsa cŵn fel 'na ddim ca'l 'u brîdio'n y lle cynta. *Death on legs* – ffyc ôl arall."

"Hwnna 'di'r unig gi sy 'na, ia?" holodd Sban. "'Dyn nw 'di gneud yn siŵr o hynny, yndyn?"

"Sban, ma'r Dybyl-Bybs yn dybyl-tsiecio bob dim…"

"Yndyn siŵr," medda Sban. "Ma 'na ffycin ddau o'nyn nw, bob tro, yn bob man!"

"Ma nw 'di cêsio'r lle'n dda, Sban – ti'n gwbo fel ma nw! Militari presishion! 'Di'r SAS 'im ynddi!"

Eisteddodd Cled a Bic i lawr. Roedd hi'n chwartar wedi pedwar.

"Y ffycin ieir dwi'n boeni am," medda Drwgi.

≈ 79 ≈

ROEDD PENNYLOVE WEDI cael hwyl 'dieflig' yn ystod y pnawn. Nid yn unig oedd o wedi cael cyfla i fusnesu be oedd Elton yn neud, ond roedd o hefyd wedi bod yn cymryd mantais llawn o'i gachwrdra fo. Pan ofynnodd o am wirfoddolwyr i wneud ofyrteim, rhoddodd Pennylove ei law i fyny'n syth. Braf oedd gweld Elton yn gwingo, ond am fod ganddo ofn gadael i Pennylove wybod ei fod wedi methu dweud wrth yr Insbector nad oedd angen ei sysbendio, roedd rhaid iddo ymddwyn fel bod popeth yn normal. Allai Elton ddim gwrthod gwirfoddoliad Pennylove, felly. Roedd o mewn twll, ac roedd o'n dal i dyllu.

Unwaith gafodd Pennylove ista tu ôl olwyn car, aeth am dro o gwmpas Dre. Roedd wedi gweld mai Jed Drake oedd y boi oedd Elton am ei rêdio, felly aeth am fusnesiad bach i fyny i Gelli, gwpwl o weithia, ond doedd y fan Mercedes wen ddim i'w gweld yn unlla.

A hithau wedi pasio pedwar, roedd o'n dreifio drwy'r stryd fawr, pan welodd o'r Dybyl-Bybyls unwaith eto – yn eu car Nodi – yn tynnu allan o stryd ochor, rhyw ganllath a hannar i lawr y ffordd. I feddwl ei bod hi'n ddydd Sul, roedd hi'n rhyfadd ar y diawl nad oedd y ddau mewn tafarn, yn meddwi. Penderfynodd mai da o beth fyddai stopio'r ddau, i weld be oeddan nhw'n neud. Os nad oeddan nhw i fyny i rwbath, roedd 'na siawns eu bod nhw *wedi* bod yn yfad, a rhwng y ddau bosibilrwydd roedd 'na gyfla posib i Pennylove ennill rai o'r pwyntiau browni yr oedd mor daer eu hangen o'r diwrnod. Fflachiodd y golau glas, a rhoi tro bach i'r seiren.

"Ffyc's sêcs! Pennylove!" medda Gwyndaf, oedd erbyn hyn yn dreifio'r car bach. Roeddan nhw wedi ffraeo gymaint wrth drio cael y car i gêr, tu allan lle Beryl, roedd Gwynedd wedi neidio allan, a deud wrth ei frawd am "ffycin ddreifio, ta!" Ac felly y bu – neidiodd Gwyndaf i sêt y dreifar, ac efo'r union 'run faint o drafferth, ffraeo a checru ag o'r blaen, roeddan nhw bellach ar eu ffordd i iard Desi Evans, i nôl yr Escort Van oedd o wedi'i addo iddyn nhw'n gynharach yn y dydd. Efo *crossbow* yn y bŵt, a *mission* ar y gweill, roedd gormod i'w golli i wneud rynar. Ac roedd owt-rynio car cops mewn car Nodi – Triumph Spitfire neu beidio – yn gofyn chydig bach gormod.

Tynnodd y ddau i fyny ar ochor y ffordd allan o Dre. Dyma un o'r adegau lle oedd eu 'harwyddair teuluol' nhw'n dod i mewn – 'Na Thyfer Farf!' Doedd 'na'm posib deud y gwahaniaeth rhwng y ddau – roeddan nhw mor debyg fel na allod eu tad nhw, pan oedd y cradur yn fyw, erioed allu deud y gwahaniaeth rhyngthon nhw. Roeddan nhw hyd yn oed yn rhannu'r un tatŵs, ac mi oeddan nhw wastad yn trio siafio ar yr un diwrnod, os oedd hynny'n bosib.

Oni bai am broblam Gwynedd efo'r lythyran 's', fyddai neb byth unrhyw gallach pwy oedd pwy.

"Reit, Wynff," medda Gwynedd. "Cofia th-io dy eth-uth!"

"Mi ffycin wna i – jysd cofia di beidio deud gair efo 's' ynddo fo!"

"A deud cyn lleiad â phosib, OK?"

"Ia, ia, dwi'n ffycin gwbod!"

"Pa un 'di Noddy, a pa un 'di Big Ears?" medda Pennylove, wrth gerddad rownd ochor dreifar y car – *chewing gum* yn ei geg – yn edmygu ei gyflwr da-am-ei-oed... a tsiecio'r teiars ar yr un pryd.

Ddudodd y Dybyl-Bybyls ddim byd.

"Wel? Wedi colli'ch tafodau? Fel wnaethoch chi colli eich pic-yp? Be ddigwyddodd iddi, dwedwch? Sownd yn ganol cae, *perhaps*? Ar ôl dianc oddi wrth yr heddlu yn oriau mân bora ddoe, *maybe*?"

"Dim *th*yniad," medda Gwyndaf.

"Dim *th*yniad?" medd yr heddwas, gan nodi'r 'th'. "Rhaid i fi dweud – Gwyndaf – rydach chi'n ofnadwy o lwcus fod dim *back-up* ar gael i fi neithiwr..."

"Gwynedd 'dw i, Pennylove," medda Gwyndaf. "Hwnna 'di Gwyndaf, ynde Wynff?"

"Ia Wynff."

"Wel, rhaid i fi cymryd gair chi am hynny. Ond pa un ydi Noddy, a pa un ydi Big Ears? Dyna ydw i isio gwybod."

"Ti'di *th*dopio ni, i gracio joc*th* cachu, ta be?"

Gwenodd Pennylove yn oer a coci, wrth gnoi ei *chewing gum* heb brin agor ei geg. Cerddodd yn ôl am gefn y car, ar hyd ochor y pasenjyr, gan jecio'r disg treth, a'r teiars, wrth fynd. Roedd o'n mwynhau ei hun. "Peth rhyfadd fo chi ddim yn y *pub* heddiw. Be sy, wedi troi'n *religious*?"

Tawelwch.

"Wel?"

"Na."

"Na be?"

"Na 'dan ni'm yn y pyb, a na 'dan ni'm yn... grefyddol," medda Gwynedd, o'r sêt pasenjyr.

Gwenodd Pennylove eto. "Be sy'n y bŵt?"

"Dim... *idea*," atebodd Gwynedd, gan frathu'i dafod cyn i'r gair 'syniad' lithro allan. "Dim ni bia'r car."

"Oh?" medda Pennylove, gan gerdded yn ei ôl tuag at flaen y car. Roedd o wedi nodi'r brathiad tafod, ac mi oedd hynny'n llawer mwy difyr na be oedd yn y bŵt.

Safodd uwchben Gwynedd, fel crëyr glas uwchben brithyll. "Pwy bia fo?"

"De*thi* Evan*th*," medda Gwyndaf, gan achub ei frawd o dwll, cyn paldaruo yn ei flaen – mor ofalus â fedrai – er mwyn trio cadw sylw'r copar oddi ar ofyn y cwestiwn i Gwynedd eto. "Ma'n hollol lîgal – inshŵrd a bob dim. Oth ti isio rhoi bag i fi, ne rwbath, tria neud o'n reit handi – genan ni betha gwell i neud na..."

"Be 'di'r *registration number*?" gofynnodd Pennylove, oedd bellach yn sefyll o flaen y car.

"Eh?"

"Be di'r *registration number*?" medda Pennylove eto, gan sbio i ffwrdd i gyfeiriad Dre, a chnoi ei jiwing gym.

"Dwi'm yn gwbod, dwi newydd ddeu' 'tha ti – dim fi bia'r car!"

Edrychodd Pennylove i lawr ar y plât. "Bî Sî Sî Ffôr Ffôr Ffôr Âr. Dyna mae o'n ddeud yn fan hyn."

"Wel, dyna fo, felly!"

"Fedri di *repeat after me*, os gweli di'n dda?"

"Pam?" gofynnodd Gwyndaf.

"*Routine drug test... thing...*" medda Pennylove, yn gelwyddog.

"Dwi'm yn twtsiad dryg*th*!"

"Dim bwys, Gwyndaf..."

"Gwynedd!"

"Gwynedd... *repeat after me*... Bî Sî Sî Ffôr Ffôr Ffôr Âr."

"Bî Thî Thî Ffôr Ffôr Ffôr Âr."

"Diolch. Chdi rŵan." Trodd Pennylove i sbio ar Gwynedd.

"By By By Pedwar Pedwar Pedwar Yr."

Stopiodd Pennylove gnoi. "Yn Saesneg."

"Na 'naf."

"Wyt ti'n gwrthod co-opyretio?"

"Nadw. Dwi'n defnyddio fy hawl i siarad Cymraeg…"

"Ia, yn union," medda Gwyndaf. "*Th*gin ti'm hawl i orfodi neb i siarad *Thuth*nag!"

"Fedra i fynd â chi i mewn…"

"Am be?"

"*Failing to co-operate.*"

"Boly*cth*. 'Dan ni heb neud dim byd yn rong. Hara*th*ment 'di hynna. A dwi'n deu' 'tha ti, rŵan – fyddan ni'n cwyno i dy fo*th* di. Ac i'r Bwrdd Iaith hefyd, erbyn meddwl."

Doedd yr efeilliaid heb ddisgwyl i Pennylove facio i lawr. Ar ôl iddyn nhw ddianc o'i afael o, y noson o'r blaen, roeddan nhw'n disgwyl iddo fo wneud popeth o fewn ei allu i drio'u cael nhw, am rwbath, heddiw. Ond er syndod i'r ddau o'nyn nhw, dechreuodd ystyriad ei opsiynau.

Meddwl oedd Pennylove. Petai o'n llusgo'r ddau horwth i'r clinc, a'u dal nhw'n dynwarad ei gilydd, fyddai o'n gallu gwneud Gwyndaf am ddreifio heb leisans. Byddai hynny'n siŵr o sicrhau rhywfaint o bwyntiau browni gan Insbectyr Williams. Ond, er bod Pennylove yn eu hamau, roedd 'na siawns eu bod nhw'n deud y gwir, ac hyd yn oed os nad oeddan nhw'n deud y gwir, roedd 'na bosibilrwydd cryf y byddan nhw'n dal allan – gan ddefnyddio'u hawl i ddeud dim gair o'u pennau – tan y byddai rhaid eu gollwng yn rhydd. Byddai hynny'n golygu fin nos cyfan o wastio amsar – amsar y gallai'i dreulio yn busnesu yng nghynllluniau Elton Jones. Ac wrth gwrs – petai'r Dybyl-Bybyls yn gwneud cwyn, fyddai dim gobaith iddo adfer ei enw da…

Gwyddai Pennylove ei fod ar *borrowed time*. Roedd y cloc yn tician, ac amser yn prinhau. Allai o'm fforddio'i wastio fo.

"Rhowch 'heina mlaen!" medda'r Dybyl-Bybyl, a taflu pump ofyrôl llwyd, wedi'u lapio'n daclus mewn bagia plastig clir, at bawb.

"Boilyr sŵts Musgroves 'di rhein!" medda Bic.

"Ia, fuon ni'n gweld Malcolm, yn stôrs, ar y ffordd, rŵan. Ti'm yn *fashion conscious*, nagwyt?"

"Guthon ni'm welintynth, tho gwithgwch hen thgidia, neu llothgi be dach chi'n withgo rŵan, wedyn."

"Shit màn! Hein 'di sgidia gora fi!" protestiodd Drwgi. "Edran ni fynd heibio tŷ i nôl bŵts gwaith?"

"Na. Thgenan ni'm amthar. Ddyltha chdi fod wedi iwsio dy ben a gwithgo nhw cyn dod!"

"Ond 'udoch chi bo chi'n mynd i ga'l welintyns!"

"*Hwyrach* ddudon ni, Drwgi. Do'th 'na'm welith yn th-tôrth Muthgroveth bob tro."

"Ffyc's sêcs! 'Mond wsos dwytha ges i nhw – 'run adag â'r ffycin slipars!"

"Tyff ffycin shit. Aroth adra oth ti'm yn haputh! Reit – wepynth tsiec…"

"Wo, wo, wo!" medda Bic. "Cyn i ni fynd ddim pellach… Rhaid i chdi roi'r ordors, Gwyndaf, achos 'dan ni'm yn mynd i ddallt ffyc ôl ma Gwynedd yn mynd i ddeud… No offens, 'lly, Gwyn."

"Ia," medda Cled. "A bydd rhaid i chdi gadw dy geg ar gau, pan 'dan ni i mewn yna, hefyd, Gwyn."

"Dim problem, hogia," medda Gwyndaf, cyn i'w frawd allu atab. "Gafodd o ddigon o bractis efo Pennylove pnawn 'ma!"

Ar ôl gwisgo'r ofyrôls, a rhoi'r balaclafas du, wedi'u rowlio i fyny, ar eu penna, dybyl-tsieciodd pawb fod pob dim ganddyn nhw, a neidio i mewn i'r fan Escort goch tu allan. Ddudodd neb ddim gair wedyn, tan i Gwyndaf droi rownd, o'r sêt pasenjyr, ac egluro'n union be oedd pawb i fod i neud.

Ar ôl rhyw filltir, roedd o wedi gorffan. "Unrhyw gwestiyna?"

"Pam bo fi'n *look-out*, mwya sydyn?" gofynnodd Tintin. "O'n i'n meddwl bo fi'n ca'l dod i mewn i joinio'r hwyl a sbri!"

"Tic-tacs, Tintin," medda Gwyndaf. "Chdi 'di'r potsiar allan o'nan ni i gyd. Ti 'di arfar cadw golwg allan yn y twllwch."

Roedd hynny'n wir, ond doedd yr esgus ddim. Y gwir reswm oedd, nad oedd neb yn gallu dweud yn iawn be fydda Tintin yn ei wneud. Roedd 'na olwg eitha sgêri yn ei lygid o, heb sôn am y ffaith ei fod o 'di siafio'i ben – rwbath wnaeth i'r Dybyl-Bybyls gydnabod signal Cledwyn, yn ôl yn y fflat, fod angan bod yn ofalus.

"'Di hyn am bo fi newydd ddod o jêl, a rhyw lol, yndi?" medda Tintin wedyn. "Edrach ar 'yn ôl i, a rhyw bolycs...?"

"Nacdi Tintin," medda'r Dybyl-Bybyl, a'r pendantrwydd yn ei lais yn setlo'r matar yn y fan a'r lle. "Unrhyw un arall efo cwestiwn?"

"Ym," medda Drwgi. "Ydy ieir yn gweld yn twllwch?"

≈ 81 ≈

'EXTERMINATE... EXTERMINATE... EXTERMINATE...'

"*Hey, thanks fer the slippers, Porky, mate! They're fucking boss!*" Roedd Mike yn chwerthin yn braf wrth hannar dawnsio i'r miwsig 'rave', yn y slipars oedd y boi pen moel wedi'i roi iddo fo. "*Look, they go well with the music! Je reckon?*"

"*Buzzin, Mick!*" Chwerthodd Porky cyn rhoi'r can lagyr gwag, oedd o wedi'i addasu'n getyn, i'w geg. Taniodd y mics o lwch ffag a 'cherrig' crac cocên efo'i leitar, a sugno'r cyffur yn ddwfn i'w ysgyfaint. Pasiodd y 'cetyn' i Jedi, a dal ei wynt i mewn am hannar munud, cyn gollwng y mwg allan, a suddo'n ôl i mewn i'w sêt. "*Fuckin buzzin mate!*"

"*Fuck me,*" medda Jedi, cyn hir, ar ôl cymryd hit o'r cetyn, "*it's a good job we stayed up here and didn't take the 'pepper' down town this avvy. The bizzies were fuckin every where, mate. On top. Stoppin every fuckin car, mate.*"

"*Like I said, it's better to move when it's dark,*" medda Mike. "*If it all comes on top, you can fuckin throw the fuckin stuff in a river, or somethin."*

"Best lie low for a bit anyway…" medda Porky.

"Nah! Fuck 'em," medd Jedi, a neidio ar ei draed, a dechra chwifio'r cleddyf y bu'n ffidlan efo hi ers rhyw bum munud, uwch ei ben. *"I am the Jedi! The Force is with me!"*

"Fucking take it easy with that, ya mad cunt!" gwaeddodd Mike. *"It's not a fuckin replica, it's a fuckin genuine North Carolina Confederate forces sword!"*

"American Civil War, eh? How many nigger lovers did it slice open then, eh?" Chwifiodd y cleddyf o gwmpas eto, fel petai'n torri pennau pobol i ffwrdd, mewn brwydr. *"Worth a bob or two 'n all, eh?"*

"You could say that, yes, so fuckin put it down, before you fuckin hit somethin and dent the fucking blade!"

≈ 82 ≈

PARCIODD Y FAN Escort ym mynedfa'r ffordd i Lyn Gwinau. Rowliodd pawb eu balaclafas i lawr dros eu gwynebau, gafael yn eu harfau, a neidio allan, fel platŵn bach o sowldiwrs, heb ddeud gair.

Rhedodd Bic, Drwgi, Cledwyn a Sban, yn dawel ac yn eu cwrcwd drwy'r eira, efo tu allan wal y buarth – Bic a Drwgi at ddrws y garej, oedd yn arwain i mewn i'r tŷ drwy ddrws ochor, a Cled a Sban yn eu blaenau rownd at ddrws y cefn.

Aeth y Dybyl-Bybyls efo Tintin, at giât y buarth, a sefyll yno. Roeddan nhw'n clywed y miwsig yn bwm-bwmio o gyfeiriad y tŷ. Wislodd un o'r Dybyl-Bybyls, ac fel pe bai'n ateb, rhoddodd yr anghenfil Saruman gyfarthiad. Wislodd y Dybyl-bybyl arall, a than gyfarth yn ffyrnig, rhuthrodd y ci i'w cwfwr o'r tywyllwch. Daeth y gwyneb danheddog i'r golwg, fel drychiolaeth, wrth i olau gwan ffenestri'r tŷ ddisgyn arno, fel y gadawodd y cysgodion.

Daliodd y Dybyl-Bybyl arall stecan bîff a brynodd yn Somerfield yn gynharach, uwchben y boltan yn y *crossbow*, a sticio'r teclyn rhwng bariau'r giât. Daeth y bwystfil amdano, ac agor ei geg fawr i'w llyncu…

'*TSHLWNC!*' Saethodd y bolt yn syth allan trwy gefn ei ben, a bownsio oddi ar lawr y buarth, tu ôl iddo. Disgynnodd Saruman, yn cicio a thwitshio i lonyddwch, ar lawr. Rhoddodd y Dybyl-Bybyls y *crossbow* – heb foltan – i Tintin, a neidio'r giât. Ac wrth dynnu trosol a bat criced allan o dan eu cotiau, rhedodd y ddau am ddrws ffrynt y tŷ.

Rownd ochor y buarth, roedd Bic a Drwgi wedi neidio dros y wal, ac yn llechu – eu calonnau'n pwmpian yn y gwyll – wrth ddrws y garej. Tua cefn y tŷ, roedd Cledwyn a Sbanish yn dringo'r wal, ac yn sleifio rhwng pentwr o bridd, berfa, micsar sment, a thwr o grawia – eu crawia nhw – tuag at y drws cefn. Cododd y ddau eu peipia *alkathene* glas, ac aros, yn barod i ruthro trwy'r drws, unwaith y bydda nhw'n clywad comôsiwn yn dod o'r tu mewn.

Cyrhaeddodd y Dybyl-Bybyls y drws ffrynt. Trodd y ddau i edrych ar ei gilydd.

"Iawn Wynff?"

"Iawn Wynff."

Rhoddodd Gwyndaf ysgwydd i'r drws pren, a chwalodd yn agorad. Daeth Mike i'w cwfwr, yn nrws y lownj, a'i lygid yn llawn braw. Rhoddodd hannar bloedd a hannar sgrech, a thaflu'i freichiau i fyny o'i flaen, wrth i fat criced Gwyndaf ddod amdano. Hitiodd o ar hanner isaf ei fraich dde. Gwaeddodd y dyn mewn poen, cyn cael ei daflu yn ôl i mewn i'r stafall fyw, ar ei hyd ar lawr, gan ruthr yr efeilliaid.

Camodd Gwyndaf drosto, a swingio'r bat tuag at ben y boi pen moel oedd yn codi o'r soffa, o'i flaen. Wedi'r glec erchyll, disgynnodd Porky'n llipa, wysg ei ochor, yn ôl i le'r eisteddai eiliadau ynghynt.

Tu ôl i'r Dybyl-Bybyl, rhoddodd y Dybyl-Bybyl arall bedair neu bump swadan dda i asennau a choesau Mike, efo'r trosol, cyn ymuno â'i frawd, i gornelu Jedi, oedd fel llygodan fawr, yn chwilio am ffordd allan rhwng y ddau. "*IT'S FUCKING YOU WE WANT, YOU FUCKING CUNT!*"

Tu allan i'r drws cefn, clywodd Cled a Sban y gweiddi, a

gwasgodd Cled y gliciad, a phwsio. Symudodd dim byd. Roedd y drws wedi'i gloi. Contiodd, cyn rhoi ysgwydd i'r drws. Wnaeth o'm symud. Contiodd eto, a rhoi ysgwydd caletach. Ildiodd y drws ddim. "FFYC!"

Clywodd Bic a Drwgi'r twrw hefyd, ac aeth y ddau am ddrws y garej, a'i agor – cyn rhewi, pan ddaeth sŵn cyfarth amdanynt o'r tywyllwch. Roedd 'na ail gi! Heb feddwl ddwywaith, trodd y ddau ar eu sodlau, a neidio i fyny'r wal oedd yn ymuno â wal y garej, reit wrth eu hymyl. Aeth Drwgi i fyny mewn chwinciad – mwy fel morlo mewn sioc, nag fel wiwar – a neidio i ben to rhyw gwt pren oedd yn terfynu â'r wal, ar yr ochor arall. Tu ôl iddo, daeth carreg uchaf y wal yn rhydd yn nwylo Bic, ac aeth hwnnw'n ei ôl, wysg ei gefn, i'r twllwch – ac fel oedd Drwgi'n troi'n ôl i'w helpu, chwalodd y to oddi tano, ac aeth drwyddo, i'r pydew islaw.

"COME AND FUCKING GET ME THEN, YOU FUCKING PRICKS!" bytheiriodd Jedi, wrth godi'r cleddyf oddi ar y cwpwrdd tu ôl iddo, a neidio i gwfwr y ddau gawr.

Methodd y cleddyf ben Gwyndaf o drwch blewyn. Swingiodd Gwynedd y trosol a dal Jedi ar ei ysgwydd. Aeth i lawr, ond cododd fel siot, a swingio eto, fel oedd y Dybyl-Bybyls yn ei gyrraedd.

Yn y cefn, roedd Cled a Sban yn dal i drio hyrddio'r drws yn agorad, heb unrhyw lwyddiant. "Ffenast!" gwaeddodd Sban, a neidio i'r tywyllwch i chwilio am garrag go lew o faint.

Wrth ddrws y garej, roedd Bic newydd lanio ar ei gefn yn yr eira, pan ddaeth y ci amdano o'r tywyllwch, gan gyfarth. Ciliodd yr ofn pan welodd mai dim ond daeargi bach Jack Russell oedd o, a'i fod wedi newid ei feddwl am ymosod, unwaith y gwelodd faint mor fawr oedd y 'llwynog'. Cododd Bic ar ei draed, ailafael yn ei beipan, a rhuthro am y garej.

Gan ddal i swingio'r cleddyf, neidiodd Jedi dros y soffa, a rhuthro trwy ddrws y stafall fyw, â'r Dybyl-Bybyls ar ei sodla, fel llewod. Aeth drwy'r drws, ac anelu am y gegin, lle'r oedd y drws cefn, a hefyd y drws drwodd i'r garej. Unwaith y cyrhaeddodd y gegin, trodd a swingio'r cleddyf unwaith eto, a gorfodi'r Dybyl-Bybyls i stopio'n eu hunfan, i osgoi'r llafn. Methodd y cleddyf y ddau, o fodfadd, a cododd Jedi'r arf i drio eto – ar yr union eiliad y chwalodd y ffenast, wrth ei ochor, a gyrru gwydrau mân drosto, wrth i garrag maint pêl droed fflio drwyddi.

Trodd Jedi, ac agor y drws i'r garej. Llifodd y golau drwodd o'r gegin, a goleuo'r peil o fagia sment, a tsiênsôs a jeneretyrs ar ganol y llawr – fel oedd Bic yn dod i'w gwfwr, o gyfeiriad y drws allan. Rhewodd Bic wrth weld y cleddyf yn dod amdano, o'r ochor, a'i daro ar dop ei ysgwydd. Gwaeddodd mewn braw, ac aeth i lawr.

Llamodd y Sais drosto, wrth i fat criced Gwyndaf fethu ei ben o siafan. Daeth y daeargi bach i mewn, dan gyfarth, a chael cic giaidd gan Jedi, am ei draffarth. Yna, bron yn yr un symudiad, a chan ddal y cleddyf i gyfeiriad ei ymlidwyr, plygodd y dihiryn a chodi bwcad du efo'i law chwith o'r llawr, tu ôl y palet o fagia sment, a llamu fel ewig am y drws. Ond cyn iddo gyrraedd, daeth trosol Gwynedd Dybyl-Bybyl i lawr ar y llaw chwith, a disgynnodd y bwcad ar lawr. Gwaeddodd Jedi mewn poen, cyn swingio'r cleddyf eto, yn ffyrnig, efo'i law dde. Neidiodd y Dybyl-Bybyls am yn ôl, a gwelodd Jedi ei gyfle i fynd am y bwcad unwaith eto. Gwaeddodd eto, wrth i'r boen o'i arddwrn saethu i fyny'i fraich, ac yn ei frys i ddianc, cydiodd yn un o'r bagiau plastig oedd yn nhop y bwcad, cyn ei gluo hi, drwy'r drws agored, i'r nos...

Yn ôl yn y gegin, roedd Cledwyn yn trio stwffio trwy'r ffenast. Roedd hi braidd yn gyfyng i'w ffrâm heglog, ac roedd o'n cael traffarth. Tu ôl iddo, roedd Sban, yn gwthio'i ffrind cyn galetad ag y medrai. A dyna pryd y daeth Porky drwodd o'r stafall fyw. Roedd o wedi dod ato'i hun, ond yn amlwg yn eitha dryslyd, ac mewn tipyn go lew o boen. Roedd o'n gwaedu'n ddrwg o ochor ei ben. Gwelodd fod Cled yn sownd, ac aeth yn syth am y bloc cyllyll, a gafael yn y gyllall gig...

Yn y garej, trodd y Dybyl-Bybyls eu sylw at Bic, oedd yn ista ar ei din ar lawr, yn dal ei fraich, oedd yn gwaedu, jysd o dan yr ysgwydd. Dechreuodd y daeargi gyfarth eto, ond estynnodd Gwynedd ei law, a rhoi mwytha iddo, a'i dawelu.

"FFYC'S SÊCS! FFYC! FFYC! FFYC'S SÊCS!"

"Cau dy geg a sa'n ffycin llonydd, Bic!" medda Gwyndaf, a rhwygo braich yr ofyrôls i ffwrdd, a chodi llawas y crys-t i fyny, i ddangos y briw. "Twt! 'Di o ffyc ôl, Bic," medd y Dybyl-Bybyl, wrth weld mai ond torri'r croen wnaeth llafn y cleddyf. Yr adrenalin oedd yn gyrru cymaint o waed i lawr ei fraich. "Dos am y fan, cyn i chdi waedu dros y lle… Lle ffwc ma Drwgi?!"

Chafodd Bic ddim amsar i ateb, heb sôn am redag i'r fan. Daeth bloedd o'r gegin gefn…

≈ **83** ≈

HEBLAW AM YN ei hunllefau, doedd Drwgi erioed wedi bod mewn un o'r blaen. Er hynny, roedd o'n gwybod yn union lle'r oedd o, ymhell cyn i'w lygid ddod i arfer efo'r tywyllwch. Doeddan nhw heb gynhyrfu gymaint ag a fyddai rhywun yn ei ddisgwyl o gael dyn pymthag stôn yn disgyn o'r awyr ar eu pennau, gan eu bod nhw'n clwydo – neu'n 'cysgu ar eu traed'. Ond unwaith y daethon nhw'n ymwybodol fod creadur heb blu yn y twllwch efo nhw, mi ddechreuodd un neu ddwy oedd yn fwy effro na'r gweddill glwcian rhyw synau bach o anniddigrwydd.

Ond yn fwy na dim, y plu – a hogla'r cachu yr oedd o newydd ddisgyn ar ei wynab i mewn iddo – wnaeth i Drwgi wybod ei fod o mewn cwt ieir. Rhewodd, wrth ddychmygu'r *horror* oedd ar fin cael ei ddatgelu. Rhywle yn y tywyllwch, o'i gwmpas ymhob man – o fewn modfeddi – yr oedd ugeiniau o lygid crynion, oer...

Ieir!

Â'i galon yn curo fel gordd yn ei wddw, gorfododd Drwgi ei hun allan o'r parlys oedd wedi ei rewi yn yr unfan. Edrychodd i fyny at do'r cwt. Gwelodd gwpwl o sêr, rhwng cymylau, drwy'r twll ynddo. Doedd o ond tua pedair i bum troedfedd i fyny. Perswadiodd ei hun mai dyna oedd y ffordd i ddianc…

Llwyddodd i godi'i hun i eistedd – gweithred a achosodd i fwy o ieir ddechra clwcian, yn uwch, ac efo cryn dipyn mwy o arddeliad. Wrth symud, cyffyrddodd ei law mewn rwbath pluog, ac ymatebodd y peth hwnnw drwy symud. Neidiodd Drwgi yn ei groen, wrth dynnu ei law yn ôl, fel 'sa fo wedi rhoi ei fys yn tân.

Tra'n trio rheoli'i anadlu, ymbalfalodd ym mhocad ei drwsus, drwy'r twll pwrpasol yn nhop coes ei ofyrôls, a daeth o hyd i'w ffôn. Rhoddodd hi mlaen, er mwyn defnyddio ei golau i weld. Daliodd hi allan o'i flaen, yn y gwyll, wrth iddi ganu i fywyd. Anadlodd yn ddwfn, a pharatodd ei hun am yr olygfa erchyll oedd yn aros amdano...

≈ 84 ≈

GWYLIODD TINTIN 'Y Jedi' yn rhedag am giât y buarth, efo cleddyf yn un llaw, a rhywbeth yn y llall, yna'n clirio'r giât fel Colin Jackson. Wrth iddo lanio, swingiodd Tintin y *crossbow* i ganol ei wynab, ac aeth i lawr fel tunnall o frics, i'r tarmác, efo sgrech, gan yrru'r cleddyf yn diasbedain ar hyd y ffordd, i'r gwyll. Rhuthrodd Tintin amdano, ond cododd, yn llawn adrenalin, a rhedag dros y ffordd, i'r eira a'r tywyllwch yr ochor draw.

Rhedodd Tintin ar ei ôl, a'i ddal o i fyny, ddecllath o'r ffordd. Llamodd ar ei gefn, fel llewpart, a'i hyrddio i'r llawr. Gollyngodd y *crossbow*, a dechrau dyrnu. Hitiodd o'n galad, drosodd a throsodd, yn ei wynab, nes y teimlai ei benglog yn meddalu dan yr ergydion... dwrn, dwrn, dwrn, dwrn, dwrn, dwrn... Daliodd ati, nes llonyddodd y prae...

Eisteddodd Tintin ar ei ben o am eiliad, yn chwythu wrth gael ei wynt yn ôl ato. Daeth y lleuad allan o du ôl i gwmwl am y tro cynta'r noson honno, fel 'sa hi wedi dod i fusnesu, ar ôl clywad sŵn. Roedd Jedi'n hanner anymwybodol, heb unrhyw fath o egni i wneud mwy na griddfan. Roedd o'n edrych dros ei ysgwydd dde, ar rywbeth oedd yn sgleinio yn yr eira, dan sidan y lleuad.

Estynnodd Tintin am y bag, a chodi ar ei draed, cyn rhoi gwadan ei esgid ar wddw Jedi, rhag ofn iddo ddod at ei hun. Edrychodd ar y bag plastig, clir, llawn powdwr brown, yn ei law. Diflannodd y lleuad.

Poerodd Jedi waed, a phledio rhywbeth aneglur.

Gwasgodd Tintin ei droed yn galetach ar ei wddw, nes ei fod o'n cael trafferth anadlu. "Shwsh rŵan! 'Na chdi, hogyn da!"

Er ei bod hi'n dywyll, gallai Tintin weld pob math o ddrysau'n cau yng nghefn llygid y boi. Gwasgodd ei droed yn drymach eto. "Ti'n meddwl gelli di ddod i 'ngwlad *i* a gwerthu'r cachu yma? Wyt, Sais cont? Ti'n meddwl gei di werthu hwn i 'mhlant i, Sais cont?"

Triodd Jedi wasgu geiriau allan o'i ben.

"Na, paid â siarad, washi. Dwi heb orffan eto, 'sdi…" Gwasgodd Tintin yn galetach ar ei wddw fo, a rhoddodd Jedi ymdrech dila i afael yn ei goes, mewn gobaith o'i reslo i'r llawr. Ond doedd ei frên heb ddod at ei hun ar ôl y gweir, ac roedd ei freichiau fel rwber…

"Ti'n meddwl gei di ddod yma i ddwyn 'yn petha ni? Dod yma i fyw ar 'yn cefna ni, Sais cont?! Dod yma a ffycin dyrnu'n hen bobol ni? 'Yn ffrindia *fi!* Wyt, Sais?"

Dechreuodd Jedi wneud sŵn tagu, ac mi gafodd nerth o rywle, mwya sydyn, wrth sylweddoli mai dyma fyddai ei gyfle olaf cyn marw, a dechreuodd gicio'i goesa, a chrafangu am ganol y Cymro. Ysgafnodd Tintin y pwysau ar ei wddw. Llonyddodd eto, wrth ganolbwyntio ar ail-lenwi'i waed efo ocsigen. Gwyliodd Tintin o'n gagio, fel pysgodyn allan o ddŵr.

"*If you want this, you fucking shithead, go and fucking get it!*" Cododd Tintin ei droed, camu oddi wrth ei garcharor, a thaflu'r bag o smac i'r gwyll. Cododd y *crossbow*, cyn cerdded chydig lathenni yn ôl i gyfeiriad y ffordd, ac eistedd ar ei din yn yr eira, ar fymryn o godiad tir. Gwyliodd y Sais yn symud. Cododd y *crossbow*, a'i gocio.

Cymrodd rhyw hannar munud i Jedi gael ei draed. Sythodd fymryn, a theimlo'r briwiau a'r gwaed ar ei wynab. Sylwodd fod y Cymro'n dal yno, yn gwylio – efo'r *crossbow* yn ei law. Yn y tywyllwch, allai o ddim gweld nad oedd boltan ynddo.

"*Like I said,*" medda Tintin. "*If you want it, go and get it.*"

Edrychodd Jedi ar Tintin am eiliad, yn ansicr o'i fwriad, cyn stryffaglio'n hannar dall, i'r düwch, ar ôl y bag. Yna daeth y floedd, a gwaedd o banig...

"*AAAH!... HELP!... JESUS!... HEEEEEEELP!*"

Yn araf, cerddodd Tintin i gyfeiriad y sŵn, a daeth i olwg y Sais, at ei geseiliau yn y gors, a'i freichiau allan o'i flaen, yn crafangu'n ofer am dir caled. Roedd wedi llwyddo i droi'n ôl i wynebu'r cyfeiriad ddaeth o, ond erbyn hynny roedd y siglen wedi lapio'i blanced ddu yn dynn amdano.

"*PLEASE!... FUCK'S SAKES! HELP ME... JESUS...!*"

Roedd o'n suddo'n is, ac yn cael traffarth i gadw'i freichiau uwchben y mawnddwr du. Roedd pob symudiad a wnâi yn gwylltio'r gors yn fwy, ac i lawr â fo, fesul modfadd.

"*PLEASE! FOR GOD'S SAKES! HELP ME PLEEEEEASE!*"

Daeth y lleuad allan eto, a thaflu'i mantell ysgafn dros eira'r fawnog, a throi'r nos yn arian byw. Roedd hi'n olygfa hyfryd, bron yn arallfydol. Edrychodd Tintin i mewn i'r twll du o'i flaen, lle'r oedd y Sais yn stryffaglian am ei fywyd. Gwelai ei lygid glas, yn daer yn y golau gwan, a'r trydan yn fflachio drwyddyn nhw, wrth i'w dynged ei daro.

"*PLEASE... HELP ME... I'VE GOT KIDS... DON'T... LET ME DIE... AAAARGH!... PLEASE HELP!*"

Roedd y boi'n crio. Estynnodd Tintin ei law. Roedd o bron â bod yn rhy bell, ond cyffyrddodd blaenau'i bysidd. Triodd Tintin fynd yn nes ato, ond roedd y tir yn rhy feddal i gyrraedd yn iawn.

"*Stretch!*" gwaeddodd ar y boi, oedd â'r mawn yn cyrraedd ei wefus isa, erbyn hyn. "*STRETCH!*"

"*I CAN'T...!*"

"*STRETCH!*"

Ymestynnodd Tintin eto, a llwyddo i gael rhyw fath o afael. Gwasgodd y llaw, a thynnu. Daeth y Sais rhyw fodfedd yn nes i ddiogelwch, cyn i'w law wlyb lithro o afael y Cymro.

"*NO! I'M GOING...! JESUS...*"

Ailgydiodd Tintin yn ei law, ac angori ei hun ar lan y twll du. Ond roedd pwysau'r Sais, a chryfder llwnc y gors yn ormod. Llithrodd ei draed i mewn i ymyl y fawnog. Roedd o'n mynd i lawr efo'r Sais. Ceisiodd gael tir caled eto, ond methodd. Edrychodd i fyw llygid Jedi. Gwyddai'r ddau be oedd yn mynd i ddigwydd. Roedd rhaid iddo ollwng...

Llithrodd llaw'r Sais o'i afael. Disgynnodd Tintin am yn ôl, ac ar ei din ar y tir caled. Gwyliodd wynab Jedi'n troi tua'r lleuad mewn un ymgais olaf i anadlu, yn gweddïo am i'w draed gyffwrdd â thir caled cyn i'r mawnddwr lenwi'i wddw a meddiannu ei gorff. Yna, diflannodd, mewn un sgrech fud a drodd yn swigod yn y nos ddu, wrth i'r gors fygu'i eiliadau olaf, a hawlio'i haberth.

Arhosodd Tintin i'r dŵr du lonyddu, a diflannodd y lleuad, fel tasa hi wedi edrych i ffwrdd. Aeth â'i blanced arian efo hi, a llithrodd y wlad yn ôl i ddu.

Llusgodd Tintin ei hun o ymyl y gors, ac eisteddodd yn yr eira eto. Sychodd ei ddwylo ar ei ofyrôls, cyn estyn i bocad ei grys, oddi tanynt, i nôl ei faco. Rowliodd ffag, a'i thanio. Cododd, a mynd 'nôl at y tŷ.

⇒ 85 ⇐

ROEDD POPETH DROSODD yn y tŷ erbyn i Tintin gyrraedd. Roedd y ddau leidr arall wedi'u clymu'n dynn wrth gadeiria, a'r ddwy gadair wedi'u clymu yn ei gilydd, gefn wrth gefn. Mi oedd 'na olwg druenus ar y ddau – yr hogia wedi rhoi stîd da iddyn nhw efo'r peipia glas, ar ôl i'r Dybyl-Bybyls ruthro o'r garej ac arbed Cledwyn rhag cael cyllall yn ei wddw.

Teimlodd Tintin rywun yn cerddad dros ei fedd. Roedd hi'n amlwg, o'r siapiau rhyfedd ar gymalau'r ddau, fod y dynion wedi torri breichia, migyrna a phenglinia, o leia. Roedd y rhaffau'n siŵr o fod yn arteithiol iddyn nhw.

"Ffycin hel! Be ffwc 'di hyn – *Reservoir* ffycin *Dogs*?!" medda Tintin.

"Hisht!" medda un o'r Dybyl-Bybyls, ac amneidio'n wyllt arno i fynd drwodd i'r garej at y lleill.

Yno, safai Sbanish efo dau fag o bowdwr brown yn ei ddwylo – bagiau yn union fel yr un a daflodd Tintin i'r gors gynna fach. Ond denwyd llygada Tintin at be oedd yn nwylo Cled...

"Fforti grand!" medda Cledwyn, wrth fyseddu'r wads tew o bapura pum deg punt yn ei law.

"Lle oedd o?"

"Fa'na," medda Cled, ac amneidio at y bwcad du oedd ar lawr rhwng drws y garej a'r palet o fagia sment. "Efo'r smac 'na!"

"Be 'dan ni'n mynd i neud? 'Dyn nw'm yn mynd i…?"

"Nac 'dyn siŵr! 'Dan ni'n mynd â'r cash, ond gada'l y smac, a'r ddau dwat… Wedyn ffonio'r ambiwlans rhyw awran ar ôl 'ni fynd adra. Neith 'heiny ffonio'r cops, ma'n siŵr…"

"Lle ma Drwgi?"

"Wedi'i botlo hi, dwi'n meddwl," medda Bic, oedd yn sefyll yn y drws, wedi clymu'r llewys a rwygodd y Dybyl-Bybyl oddi ar ei ofyrôls, fel bandej rownd y briw gwaedlyd ar dop ei fraich.

"Lle ma'r llall? Y ffycin Jedi 'na?" arthiodd un o'r Dybyl-Bybyls ar Tintin, wrth ruthro i mewn i'r garej.

"Ymm… ia, wel, sleit problem yn fa'na…" dechreuodd Tintin.

"'Dio 'di denig?"

"Na… Ma 'di, *sort of*… marw…"

"Be ti'n ffycin feddwl, '*sort of* marw'?!"

"Ymm, fod o *wedi* marw…"

"Ti 'di'i ffycin ladd o'r ffycin seico!" Roedd Gwyndaf yn gandryll.

"Naddo! Tsilia allan! 'Nes i drio'i achub o. A'th o ar 'i ben i'r ffycin fawnog 'na, dros ffor' – fflat owt, fel ffycin leming…!"

Allai'r hogia ddim credu'u clustia, ac am unwaith, roeddan nhw i gyd yn hollol fud. Trodd Bic a Sban yn wyn fel y galchan, ac eisteddodd Cled i lawr ar y bagia sment. Dechreuodd Gwyndaf gerddad rownd mewn cylchoedd, ei ben yn ei ddwylo, yn meddwl.

Yna tarfwyd ar y tawelwch gan sŵn sgrechian a rhegi, a sŵn ieir yn clochdar, yn dod o'r ochor arall i'r wal, tu allan drws y garej. Trodd pawb i edrych, a gweld Drwgi'n ymddangos, ar do'r cwt ieir, fel Godzilla'n cyfodi o'r môr – a ieir mewn panig, yn dianc am eu bywydau i'r nos, o'i gwmpas. Doedd ganddyn nhw ddim syniad fod gan y 'llwynog' arbennig yma fwy o'u hofn nhw nag oedd ganddyn nhw o'i ofn o.

"FFYCIN BASDAD THINGS! GEROFF Y FFYCARS! CALWCH NHW OFF FI! CALWCH NHW OFF FI!"

Neidiodd Drwgi i lawr o ben y wal, rowlio unwaith, fel paratrŵpar, a sbringio'n ôl i'w draed – ei freichia'n mynd fel Jackie Chan ar asid – yn poeri plu i bob cyfeiriad. O be welai'r hogia, o dan y cachu a guddiai hannar ei wynab o, roedd y cradur yn wyn efo dychryn.

Ysgwydodd Gwyndaf Dybyl-Bybyl ei ben mewn anobaith llwyr, cyn troi a mynd yn ôl i mewn i'r tŷ. Cododd Cled a mynd ar ei ôl.

Yn ôl yn y gegin, roedd Gwynedd wedi gneud yn siŵr nad oedd ffôn na goriadau cerbyd ar ôl yn y tŷ, nac ar unrhyw un o'r ddau oedd wedi'u clymu i'r cadeiria. Gafaelodd Gwyndaf mewn dau gadach llestri o'r sinc, a thaflu un i Cled, cyn mynd draw at y Pen Moel i stwffio cadach yn ei geg o.

Aeth Cled draw at foi y tŷ, i wneud run fath. Dechreuodd hwnnw wingo, a rhegi. *"Fucking fishing up the lake my fucking arse!"* medda fo, gan edrych yn syth i lygid Cled. Roedd wedi rhoi dau a dau efo'i gilydd, ac wedi adnabod y llygid tu ôl i'r balaclafa. *"Somewhere to fucking park! I know who you are, Cled, and I know where to find you. And so will my Boss…"*

"I'm sure he'll also be happy to hear that your mate legged it with his cash and drugs?"

"Jedi would never do that!"

"Well he just fucking has, mate…"

"Fuck you – you and your family are mmfffmmmfff…"

Llanwodd Cled ei geg o efo *cheesecloth*. *"Sorry mate, can't understand a fucking word you're saying."*

"Right!" medda Gwyndaf. *"An ambulance will be on its way. But if you don't leave the area when you get out of hospital, your next ride will by in a hearse. Now sit tight, stop wriggling, and them ropes won't hurt."*

Roedd hi'n pluo eira'n drwm erbyn i bawb ymgynnull am

drafodaeth sydyn ar y buarth. Cafodd Cled syniad. Roedd rhaid cael gwarad o fan Jedi. Roedd y goriada gan Gwynedd – oedd wedi'u ffendio nhw ym mhocad côt y Jedi, yn y stafall fyw, wrth chwilio, gynt – a thra aeth y Dybyl-Bybyls i agor y giât, a symud corff y ci o'r ffordd, neidiodd Cled tu ôl i'r olwyn. Trodd y goriad yn yr ignishiyn, fel bod y *steering lock* yn gollwng, ond wnaeth o mo'i thanio. Doedd o'm isio i'r Mike 'na glywed sŵn fan yn tanio. Gora'n byd os y byddai'n credu fod ei ffrind wedi gneud rynar ynddi, chydig funudau'n gynt.

Roedd 'na chydig o riw yn rhedeg i lawr o le oedd y fan wedi'i pharcio ar dop y buarth, at y giât ar ei waelod. Gollyngodd Cled yr hambrec, a gadael iddi rowlio i lawr tuag at y ffordd. Unwaith y sythodd ei llwybr, neidiodd allan, a'i gadael i fynd, ac i ffwrdd â hi, yn syth ar draws y ffordd, i'r eira ar yr ochor draw, ac i lawr y codiad tir bach y bu Tintin yn ista arno, efo'r *crossbow*, chydig funudau ynghynt. Cynyddodd mewn cyflymdra eto, cyn bownsio dros y lwmpyn nesa, a mynd ar ei phen i mewn i'r union yr un siglen â'i pherchennog. Rhedodd yr hogia ar ei hôl, a'u calonnau'n dyrnu waliau'u brestia. Oedd y gors yn ddigon dwfn i'w llyncu? Credai Cledwyn y byddai hi. Ac mi oedd o'n iawn. Suddodd y fan o'r golwg yn llwyr, heb unrhyw draffarth.

Doedd dim byd ar ôl rŵan, ond mynd adra i losgi'u dillad.

⁼ 86 ⁼

Roedd Pennylove wedi pasio fod 'na Dduw, wedi'r cwbwl. Ar ôl gadael y Dybyl-Bybyls ddreifio i ffwrdd yn eu car Nodi, roedd gweddill ei shifft wedi profi'n ddiffrwyth o ran cael unrhyw flaen ar Elton efo'r boi fan wen, nac unrhyw strôc o lwc fel arall, chwaith. Tan ddaeth yr alwad, am hannar awr wedi saith y nos, fel oedd o ar fin gadael y Stesion...

A fynta mwy neu lai wedi derbyn fod ei yrfa ar ben, roedd o wedi gorfod troi ei feddwl at ffendio ffyrdd o sabotâjio gyrfa'r Ffril o Rhyl, cyn gadael. Wedi'r cwbwl, efallai na fyddai yn ôl, ac na châi gyfle i ddefnyddio cyfrifiaduron a ffeils Heddlu Gogledd

Cymru eto. Roedd hi'n bosib na châi ei waharddiad ei godi o gwbl. Hwyrach y byddai'r holl *'psychiatric assessments'* y byddai, mwy na thebyg yn gorfod eu cymeryd, yn dangos *fod* yna rywbeth yn bod arno fo – rhyw fath o *'stress-related condition'* er enghraifft – ac y byddai'n gorfod ymddeol. Roedd y syniad hynny'n ei ddychryn a'i dristáu i eithafion dychrynllyd, a'r unig beth oedd yn ei gadw rhag un ai ffrwydro neu dorri i lawr i grio, oedd ei ymgyrch bersonol a phreifat, i ddarganfod y botwm coch fyddai'n chwythu gyrfa Elton 'ffycwit' Jones i jibi-ffycin-dêrs...

Yn y stafall locars oedd o, yn newid i'w *civvies*. Roedd o'n corddi. I ddeud y gwir, roedd o'n trio'i orau i gwffio'r awydd i fynd yn ôl i'r swyddfa a hannar lladd y basdad bach dan din. Roedd Elton newydd ei basio yn y coridor, ac wedi troi ato a deud, "*Goodnight Wynnie, see yer tomorrow, mate!*" – a fynta'n gwybod yn iawn nad oedd yn dechrau tan y shifft nos, ac y byddai llythyr neu alwad gan yr Insbectyr wedi ei gyrraedd erbyn hynny, yn ei hysbysu o'r gwaharddiad a'r *'disciplinary proceedings!'* Ac mi oedd hi'n amlwg ei fod yn goractio'i gyfeillgarwch a'i 'gwybod dim', achos roedd o wedi llithro'n ôl i'w acen Rhyl pan ddudodd o fo.

Roedd Pennylove newydd rhoi dwrn i'w locar, pan gerddodd Elton i mewn a dweud fod angan pawb oedd yn rhydd – yn cynnwys y rhai oedd eisoes ar ofyrteim – ar ddyletswydd mewn *serious incident*, dair milltir tu allan Graig, ar y Migneint.

Chwartar awr yn ddiweddarach, roedd Pennylove a tri heddwas arall, mewn un o dri car heddlu yn dilyn arad eira'r Cyngor, trwy fodfeddi o eira, ar y ffordd gefn, fynyddig i fyny o Graig. Teimlai'r cyffro'n llifo trwy'i wythiennau. Dyma pam yr ymunodd â'r heddlu, a dyma pam nad oedd eisiau gadael. Allai o'm peidio meddwl fod ffawd wedi taflu rhaff iddo, ac mi oedd am gydio'n dynn ynddi, a gwneud yn fawr o'r cyfle hwn i achub ei hunan-barch.

Roedd yr ambiwlans yn aros amdanyn nhw, ar y buarth. Gan fod yr eira wedi disgyn mor drwm yn ystod yr awr flaenorol, roedd hi bron wedi methu â'i gneud hi i fyny yno, a bu rhaid iddi aros am yr arad eira, cyn trio mynd â'r cleifion i'r ysbyty. Doedd 'na'm gobaith cael hofrennydd i fyny yno drwy'r storm eira, a doedd 'na'm lle i lanio ar y fawnog, beth bynnag.

Wedi cael gair sydyn efo'r parafeddygon, a ddangosodd iddyn nhw ble y cafwyd hyd i'r cleifion, cyn egluro nad oedd yr un o'r ddau ddyn yn honni eu bod yn adnabod eu hymosodwyr, seliodd y plismyn y buarth i ffwrdd, a dechrau archwilio'r tŷ. Roedd o'n amlwg yn mynd i fod yn achos i'r CID, ac roedd hynny'n cyffroi Pennylove, achos bu'n agos at gael dyrchafiad parhaol atyn nhw ar ddau achlysur – neu felly y teimlai. Roedd hwn yn gyfla arall i ddangos ei ddoniau iddyn nhw. A be oedd hyd yn oed yn well, oedd y câi gyfla i ddefnyddio'i drwyn dictectydda am sbelan, cyn i CID gyrraedd, gan fod y ditectifs yn aros i un o *offroaders* Heddlu'r Gogledd – Ffôr-Bai-Ffôrs-y-Ffôr – gyrraedd Bae Colwyn.

Daeth Pennylove o hyd i'w drwydd cyntaf o fewn eiliadau i gerdded i mewn i'r tŷ efo'r parafeddygon. Yno, ar lawr, lle'r oeddan nhw wedi'u tynnu oddi ar draed un o'r ddau glaf, er mwyn ei drin, roedd pâr o slipars nofylti Daleks.

Doedd 'na'm rheswm yn y byd i feddwl nad slipars dyn y tŷ oeddan nhw, ond rŵan eu bod nhw wedi'i atgoffa fo o Drwgi Ragarug, a'i slipars o, yn yr ysbyty, pan oedd o'n holi Jac Bach y Gwalch, roedd 'na rwbath wedi dechra cnoi yng nghefn ei ben. Cofiai fod slipars Drwgi'n ddiffygiol, felly arhosodd nes bod Elton a'r plismyn eraill mewn stafall arall, a cododd y slipar dde – roedd o'n meddwl ei fod o'n cofio mai'r dde oedd yr un a wnâi'r sŵn – a gwasgu'r Dalek. Ymatebodd hwnnw efo'i 'EXTERMINATE!' cras. Yna tynnodd ei esgid dde i ffwrdd, a rhoi'r slipar ar ei droed. Cerddodd ar draws y stafall ac yn ôl.

'EXTERMINATE! ...EXTERMINATE! ...EXTERMINATE...!'

"*This is no time to fuck around, Wynnie!*" medda llais Elton, y tu ôl iddo.

Brathodd Pennylove ei dafod. Roedd y bastad bach yn gwasgu hynny fedra fo allan o oriau olaf Pennylove ar y job, a rŵan roedd o'n pwsio'i hun o gwmpas hefyd, y ffycin wancar. Ciciodd y slipar i ffwrdd o'i droed, a phlygu i roi ei esgid yn ôl ymlaen. "*I was just... well...*" Stopiodd Pennylove ei hun. Ffwcio fo. Pam ddyla fo ddeud wrtho?

"*Wanna do something useful, like have a look through the front room...?*"

Torrwyd ar draws y sarjant gan lais un o'r copars eraill yn gweiddi, o gyfeiriad y drws ffrynt.

"*Sir! Forced entry, Sir. A great deal of force, too, Sir!*"

"*Aah! Good work constable...!*" medda Elton, a cerdded draw i weld drosto'i hun.

Anhygoel, meddyliodd Pennylove! Rhingyll yr heddlu wedi cerddad i mewn i dŷ heb sylwi fod y drws wedi cael i chwalu'n agorad! Twt-twtiodd wrtho'i hun, cyn troi ei sylw'n ôl at y slipars.

Roedd hi'n fwy na phosib fod y nam ar y slipar yn un cyffredin, oedd yn effeithio ar bob pâr o slipars Daleks yn y wlad. Ond roedd Drwgi Ragarug bellach yn ei ben o – a thrwy hynny, Cledwyn Bagîtha a Bic Flannagan *and Co.* Ac unwaith bod rheiny yn ei ben o, roedd Pennylove wedi tiwnio'i feddwl i ddarganfod arwyddion pellach o'u presenoldeb o gwmpas y tŷ. Pethau fel cwrw a chyffuriau, a'r paraffernalia cysylltiedig...

Roedd 'na ddigonadd o hynny ar hyd y lle yn y stafall fyw – can o lagyr wedi'i iwsio fel cetyn crac, pacedi rislas wedi rhwygo, sigarets heb faco ynddyn nhw, pibelli, ac ati. Roedd 'na ddigon o gania cwrw gwag hefyd. Gwelai fod gwaed dros y soffa, a thystiolaeth o ryw fath o ffrwgwd dros y lle'n gyffredinol. Ond allai Pennylove ddim anwybyddu'r teimlad oedd yn cnoi yng nghefn ei feddwl, fod a wnelo hyn rwbath â'i 'hen ffrindia' o Graig. Mae drygis yn hel at ddrygis, wedi'r cwbwl, meddyliodd...

Yna sylwodd fod tri gwahanol set o drugareddau yn y stafall. Roedd rhai eitemau yn amlwg wedi disgyn i'r llawr yn ystod y ffeit, ond yn gyffredinol, roedd hi'n edrych yn debyg fod tri person yn y tŷ heno, pan ddechreuodd y trwbwl. Roedd 'na ganiau lagyr gwag wrth droed tair gwahanol sêt – y ddwy gadair a'r soffa – ac efo pob set o ganiau gwag, roedd 'na bowtsh o faco, rislas, leitar a blwch llwch...

Aeth yn ôl am y gegin, ac edrych o'i gwmpas am arwyddion

pellach o drydydd person. Sylwodd fod yr eira wedi dechra chwythu i mewn trwy'r ffenast oedd wedi malu.

Ystyriodd. Roedd 'na drydydd person yma. Roedd o'n westai, yn amlwg, achos roedd o'n yfad a smocio – felly doedd o ddim wedi dod i mewn drwy'r ffenast, na thrwy falu'r drws. Doedd y trydydd person ddim yma rŵan, felly gellid tybio ei fod o'n adnabod y sawl ddaeth i mewn trwy'r drws a'r ffenast. Ond roedd y trydydd person wedi gadael ar frys – achos roedd ei faco a'i leitar, a ballu, yn dal ar ôl yn y stafall fyw. Un ai ei fod o wedi dianc, neu wedi cael ei gidnapio – oedd yn syniad sili – neu ei fod o'n rhan o'r cynllun. Ond cynllun i be?

"*Sir! Sir!*" gwaeddodd llais oedd yn crynu efo cynnwrf, drwodd yn y garej.

Roedd yr holl blismyn 'ma'n galw Elton yn 'syr' yn troi stumog Pennylove, ac er mwyn gwneud pwynt, cyrhaeddodd y garej cyn ei fòs.

"*What's up, lads?*"

"Heroin, Wynne. Dau fag o'r stwff!"

Dechreuodd wawrio ar Pennylove be oedd wedi digwydd. Roedd boi y tŷ'n gwerthu cyffuria, ac roedd rhywun wedi gneud cyrch ar y lle, efo'r bwriad o ddwyn y cyffuriau – a'r pres... Dyna'r math o beth oedd yn digwydd ymysg y *lowlifes*, meddyliodd, cyn ystyried a oedd Drwgi, Bagîtha a'r criw, yn ffitio'r proffeil o rywrai fyddai'n gwneud y fath beth. Doedd o erioed wedi meddwl y byddai ganddyn nhw'r brêns i neud, ond fydda fo'n synnu dim petaen nhw'n ddigon gwirion.

"'Di'r drws yna'n agor?" gofynnodd Pennylove, am ddrws ffrynt y garej, i'r ddau heddwas oedd bron â gwlychu'u hunain efo'r wefr o ffendio'r smac. Ysgwydodd un ei ben, a chododd y llall ei ysgwyddau, cyn i Elton gerddad i mewn a dwyn eu sylw. Trodd y ddau i grafu tin eu bòs.

Agorodd Pennylove y drws, a chamu allan i'r eira. Roedd hi'n pluo'n drwm o hyd, ac mi oedd 'na chwe modfadd, yn braf, ar lawr yn barod. Goleuai'r cwbwl – y plu a'r carpad – yn las yng ngoleuadau ceir yr heddlu ar y buarth.

Clywodd rywbeth. Craffodd ei glustia, a gwrandawodd. Roedd 'na rwbath yn canu, rhywle o'i flaen, ar lawr. Anelodd am y sŵn, a sgubodd yr eira i ffwrdd efo'i droed. Fe'i gwelodd hi, yn goleuo fel coedan Ddolig, ac yn canu fel caneri. Ffôn symudol!

Peidiodd y ffôn ganu wrth iddo afael ynddi. Aeth trwy'r *menu*, ac at y *Missed Calls*. Neidiodd ei galon i'r entrychion pan welodd enw'r sawl oedd wedi ffonio.

≈ 87 ≈

"DIM ATAB, DRWGI!" medda Cledwyn. "Ti'n siŵr nas di'm gadal hi'n tŷ?"

"Yndw, achos o'dd hi gena fi yn… shit…!"

"Lle Drwgi?! Paid â ffycin deud…!"

"Yn y cwt ieir…"

"Ffor ffyc's sêcs! Y ffycin idiyt!"

"Rois hi mlaen i iwsio'r gola, i weld lle ffwc o'n i!"

"Shit!"

"Ffyc!"

"Bôls!"

Eisteddodd yr hogia i lawr. Roeddan nhw yn fflat Tintin ers dros awr, a newydd fod dros bob *loose end* yn fanwl, am y degfed tro. Doedd neb wedi anghofio dim byd i fyny yno – arfau, menig, balaclafas – ac roedd y cwbwl, efo'u hofyrôls a'u sgidia – yn cynnwys rhai newydd Drwgi, oedd yn gachu ieir i gyd – mewn bagiau du yng nghefn yr Escort fan, yn barod i fynd efo'r Dybyl-Bybyls – a'r daeargi bach oedd Gwynedd wedi penderfynu ei fabwysiadu – i'r tân yn Nant-y-Fagddu.

Roedd alibis pawb yn gadarn hefyd – roeddan nhw i gyd i fyny'n Nant-y-Fagddu'n mwynhau diod bach tawal i groesawu Tintin adra o jêl. Dyna oeddan nhw wedi'i ddeud wrth y merchaid, hefyd, felly os fyddai'r heddlu'n holi rheiny, fyddan nhw ddim callach eu bod nhw'n deud celwydd. Doedd yr hogia ddim yn disgwyl y byddai'r lladron yn cydweithio efo'r heddlu, o dan yr amgylchiada, ond roedd yn well bod yn saff.

Roeddan nhw wedi dod i'r casgliad mai'r unig beth oedd ar ôl i'w wneud, oedd i Tintin gysylltu efo Essie Cullen, neu Johnny, ei fêts yn y carchar, i ddweud wrthyn nhw am roi'r gair allan i gangstars Lerpwl fod boi oedd yn gwerthu smac yn yr ardal wedi'u ripio nhw off. Byddai hynny'n rhoi Cledwyn yn y clir, ac yn sicrhau y byddai 'Mike' yn diflannu o'r ardal am fwy na be oedd o'n mynd i'w gael am y smac fyddai'r heddlu'n ffendio'n y garej. A beth bynnag – hyd yn oed os oedd Mike wedi amau mai Cledwyn oedd tu ôl y masg, roedd hi'n gwneud fwy o synnwyr iddo feddwl mai'r Jedi oedd wedi gweld ei gyfla i ddianc efo'r pres.

O ystyriad fod 'na berson wedi colli'i fywyd, roedd petha'n edrych yn weddol. Roeddan nhw wedi bod yn lwcus. Roedd hyd yn oed yr eira wedi disgyn, i guddio hoel y fan yn plannu i'r gors – ac unrhyw hoel arall a adawyd. A go brin y byddai unrhyw un – dim hyd yn oed y graduras, a'i phlant, oedd yn byw efo'r dihiryn – yn credu na fyddai diflannu efo £40,000 a cilo o heroin yn rhywbeth y byddai cymeriad mor ddichellgar â Jedi yn ei wneud, heb feddwl ddwywaith.

Ac ar ôl bodloni'u hunain orau allen nhw, nad oedd 'na unrhyw fater arall, trafodwyd be i'w wneud efo'r pres. Cytunwyd iddyn nhw i gyd gymeryd mil yr un am rŵan, ac y byddai Cled yn mynd â'r gweddill i'r ocsiwn efo fo, fory, ac yn ei ddefnyddio i helpu Jerry brynu'r Trowt, os oedd Sid Finch yn mynd â fo'n rhy uchal. Roedd achub y Trowt rhag crafangau'r diafol yn achos teilwng iawn. Ac roedd y syniad o fod yn rhyw fath o gyfranddalwyr yn y dafarn yn apelio hefyd.

Unwaith oedd pawb yn hapus, gadawodd y Dybyl-Bybyls, a'u ci bach newydd, am Nant-y-Fagddu. Newydd fynd oeddan nhw, pan sylwodd Drwgi ei fod wedi colli'i ffôn.

"Fydd rhaid i chdi'i riportio hi wedi'i dwyn," medda Cled. "'Nes di'm ffonio neb arni o gwbwl rhwng gadael fan hyn, a fyny fa'na, naddo?"

"Naddo. Oedd hi off gena fi – tan i fi roi hi mlaen yn y cwt ieir…"

"Pryd ffonisd di rhywun ddwytha?"

"Amsar cinio rywbryd..."

"A tecstio?"

"Run fath."

"A ti heb atab y ffôn i neb?"

"Na."

"Iawn. Duda fod ti wedi'i cholli hi tu allan Co-op. Oedd y Jedi 'na, a'r Pen Moel, yno pnawn 'ma, yn nôl cwrw, medda'r Dybyl-Bybs. Sgin ti nymbyr Orange yn tŷ?"

"Oes, ma gin Fflur. Ma hi'n Orange hefyd."

"Ffonia hi o'r ciosg i gael y nymbyr ganddi, a sortia fo rŵan hyn. OK – os oes rwbath yn digwydd, sticiwch at eich storis. Nant-y-Fagddu, swig i Tint, a *no comment* i bob dim arall. Tintin – ti'n iawn?"

Roedd Tintin yn dawal, ac yn bell i ffwrdd.

"Tint!"

"Be?"

"Ti'n OK?"

"Yndw."

"Gwranda, mêt. Dim dy fai di oedd o. Fo aeth ar ei ben i'r gors. Drias di dy ora..."

"Hy!"

"Do, siŵr dduw! Well iddo *fo* fynd na mynd â chdi efo fo..."

"Ac oedd o'n barod i'n ffycin *lladd* ni – efo'r ffycin sôrd, 'na!" medda Sban. "Sbia be nath o i Bic – lwcus fod o heb dorri'i ben o i ffwrdd!"

"Dwi'n gwbod hynny, bois..."

"Dor hi fel hyn," medda Cled. "Fydd 'na fawr o neb yn colli cwsg dros y cont. Llygod mawr, cofia! Tintin!"

"Ia, Cled. Llygodan fawr *oedd* y cont..."

"Na fo, 'ta. *End of, full stop!*"

"Pla!" Poerodd Tintin y gair.

"Nionyn – *an onion* – yn union, Tintin. Ecsacto-ffycin-mwndo! Rŵan, pwy sy'n dod efo fi i Crewe fory?"

"Fi," medda Drwgi.

"A fi 'fyd," medda Bic.

"A fi," medda Sban. "'Dwi'm isio methu gwynab Sid Finch am y ffycin byd!"

⁼ 88 ⁼

FFIDLODD PENNYLOVE EFO'R ffôn, ac aeth drwy bob enw yn y 'llyfr cyfeiriadau' ynddi. Roedd enw a rhif ffôn pawb yno – Bagîtha, Flannagan, Sbanish Newman, y Dybyl-Bybyls, Tintin, a fflyd o adar brith eraill yr ardal.

O fwy o ddiddordeb i Pennylove, fodd bynnag, oedd y ffaith nad oedd enw Drwgi Ragarug ynddi o gwbwl. Matar bach fyddai cadarnhau – os oedd y ffôn wedi'i chofrestru, wrth gwrs – drwy ffonio Orange i gael y manylion, ond roedd hi'n amlwg i Pennylove ffôn pwy oedd hi.

Nafigêtiodd ei ffordd i'r ffolder lluniau, a gweithio'i ffordd drwyddyn nhw. Roeddan nhw i gyd yno, y 'Bagîtha Gang' mewn pyb... mewn parti... yn smocio sbliffs... yn sgota, ryw ha...

"Bingo!" medda Pennylove, wrth ddod o hyd i luniau teuluol. *"Drwgi and brood! The spawn of Satan!"*

Gwenodd yn fileinig. Roedd Drwgi yma, wedi'r cwbwl – ac mi oedd o, Pennylove, wedi dangos unwaith eto fod ganddo'r reddf a'r gallu naturiol i fod yn dditectif. Roedd ei ddoniau'n cael eu wastio mewn iwnifform.

Aeth i mewn i'r garej, gan ystyried be i wneud. Recordio'r darganfyddiad, a rhoi'r ffôn mewn bag tystiolaeth, rŵan hyn – a gadael i Elton gael y clod i gyd, ar ôl iddo gael ei wahardd o'i waith fory? Neu aros i'r CID gyrraedd, a mynd â'r ffôn yn syth atyn nhw, i wneud yn siŵr eu bod yn nodi ei ddoniau dictectydda craff?

"Pennylove!" medda Elton. *"I did say that I needed you in here, not out there building snowmen!"*

Roedd y contyn bach ar ben ei geffyl rŵan, yn dangos ei hun i'r *minnions* o'i gwmpas, yn absenoldeb swyddog o ranc uwch.

"Shall we bag these, Sir?" gofynnodd un o'r ddau heddwas oedd newydd ddarganfod y bagia heroin.

"Erm... no, give them to me. I'll bag 'em..."

Basdad bach slei, meddyliodd Pennylove. Byddai Elton yn siŵr o roi ei enw'i hun, fel darganfyddwr, ar y bagiau tystiolaeth. Penderfynodd beidio rhoi'r ffôn i mewn, am rŵan.

Yna sylwodd ar y pethau eraill oedd yn y garej. Yn ymyl y palet o fagiau sment, roedd 'na ddwy jenerator, tair tshênsô a bocs o dŵls. Aeth draw i gael golwg agosach. Husqvarna oedd mêc un o'r tshênsôs – yr un fath ag un Gronwy Ty'n Twll.

"Pennylove," medda Elton, eto. *"The lounge?"* Roedd hi'n amlwg fod y rhingyll bach yn credu mai'r garej oedd y *gold mine*, a doedd o'm isio'i rannu fo efo neb.

Aeth Pennylove drwodd yn ôl i'r lownj, a thynnu lluniau o'r tri set o baraffernalia a welodd gynt, ar ei fobeil ffôn heddlu. Roedd o'n ystyried bagio'r cwbwl, wedyn, ond cofiodd na fyddai CID yn hapus iddo symud pethau cyn iddyn nhw gyrraedd. Crechwenodd wrth gofio fod Elton, yn ei awch i roi ei hun mewn goleuni da, eisoes yn bagio'r smac o'r garej. Roedd petha'n mynd yn well nag y gallai Pennylove fod wedi breuddwydio. Diolch byth iddo gytuno i ddod i fyny yma. Oedd, yn wir, mi oedd 'na Dduw...

Drwodd yn y gegin, roedd Elton newydd roi'r cyffuriau mewn bag tystiolaeth, ac roedd o wrthi'n sgwennu'i enw ar y label, ac ar y log, pan ganodd ei ffôn. Pan welodd pwy oedd yno, rhoddodd ei feiro i lawr, ac atebodd.

"Hello Sir!" meddai'n glên a siriol. *"Yes Sir, and there's more to it than meets the eye, Sir!"* Doedd o'n methu aros i adrodd am ei lwyddiant i'r Insbectyr.

Daeth un o'r plismyn eraill i mewn, i ddangos rhywbeth i Elton, ond chwifiodd ei sarjant o i ffwrdd, yn ddiamynadd. *"Sorry, Sir...? Ah... erm... Yes he is, Sir..."*

Gostyngodd llais Elton, cyn newid octef a dechra crynu.

"Yes, Sir... I tried, Sir... Yes, Sir... No, Sir... Yes, Sir..." Roedd o'n gwingo rŵan, ac yn chwysu. *"I just thought we were short of staff, Sir... Yes, of course I did, Sir..."* Edrychodd Elton o'i gwmpas, yn llechwraidd, a rhoi pesychiad bach nerfus. *"Yes, Sir... Very insistent, Sir... Yes... yes, he... refused... What, Sir...? Yes, Sir... he..."* Edrychodd dros ei sygwydd eto, a gostwng ei lais hyd yn

oed yn is. "...*disobeyed my orders, Sir, yes...*"

Yn ôl yn y stafall fyw, roedd Pennylove yn dal i feddwl am y tshênsô drwodd yn y garej. Tybad os mai un Gronwy oedd hi? A tybad ai dyna be oedd Drwgi a'i fêts yn ei wneud yma – dial ar y lladron? Doedd y plisman ddim yn credu mewn 'anrhydedd ymysg lladron', ond roedd o wedi bod o gwmpas yn ddigon hir i wybod nad oedd angen llawar o esgus ar fân-droseddwyr, fel y 'Bagîtha Gang,' i droi'n anghenfilod treisgar. Esgus am drais oedd fijilantiaeth, dim arall. Er – allai Pennylove ddim eu beio, yn yr achos yma... Os mai dyna oedd tu ôl i'r...

Torrwyd ar ei fyfyrdodau gan Elton. Roedd o'n sefyll wrth ddrws y stafall, a golwg boenus ac euog, ci-lladd-defaid, ar ei wynab. Dim byd newydd yn hynny, meddyliodd, ond roedd 'na rhyw naws cynffon rhwng ei goesau ar y twat – ac roedd hynny'n gneud Pennylove yn anniddig...

"*Wynnie,*" medda fo.

Hylô, meddyliodd yr heddwas. Pam yr anffurfioldeb, mwya sydyn? Doedd o byth yn mynd i ymddiheuro am ei agwedd ychydig funudau'n ôl?

"*Sir?*" medda Pennylove, yn sarcastig.

"*Erm... I'm... I've... I...*"

Gwenodd Pennylove ei wên oer, draddodiadol. Roedd o'n mynd i fwynhau hyn.

"*I don't know how to put this...*" Roedd Elton yn gwingo. Gwelai Pennylove ei wefus ucha'n twitshio, gan wneud i'w fwstash ffelt pen, boi-bandaidd, wneud y Mecsican Wêf o dan ei drwyn. "*I'm very... sorry... I tried my best...*"

Roedd hyn yn ffordd ofnadwy o boenus o ymddiheuro, meddyliodd Pennylove. Bron – bron – nad oedd o'n dechra teimlo piti drosto.

"*I've had Inspector Williams on the phone...*"

Diflannodd gwên Pennylove.

"*And, like I said, I tried to clear up that 'misunderstanding' with the unauthorized taking of...*"

"*Get fucking on with it, Elton!*"

"Well, I… er… did try, like I said…"

"The point, Elton!" medda Pennylove, yn fileinig, wrth y celwyddgi.

"The point is… and please don't take it the wrong way…"

"Point!"

"You're suspended… and…"

"I'm fucking suspended?!"

"Wynnie, please…" Cododd Elton Jones ei ddwylo i fyny o'i flaen, fel Tommy Cooper.

"Suspended as of when? Now?! In the middle of a fucking scene of crime?!"

"No… "

"Then tell me after we finish here…"

Allai Pennylove dderbyn hynny. Er ei fod yn golygu na fyddai yma i wneud enw iddo'i hun ar yr achos yma, ac y byddai'r ffordd yn rhydd i Elton gymryd y clod am bopeth, o leiaf roedd ganddo chydig oriau ar ôl, eto, i sabotâjio uchelgais y ffwcsyn di-liw. Penderfynodd fod Plan B – Opyrêshiyn Sabotâj – wedi dechrau. Fyddai o *ddim* yn rhoi mobeil ffôn Drwgi i mewn o gwbwl. Ffwcio helpu Elton ar ei lwybr i entrychion swyddfeydd clyd Bae Colwyn.

"As of yesterday, actually," medda Elton – cyn i'w waed o fferru yn y fan a'r lle. Roedd 'na olwg ryfadd yn ymlwybro dros wynab ei gyd-heddwas, a rhyw ddüwch, gwag, yn disgyn dros ei lygid. Roedd o yr un golwg ag a welodd o arno nos Wenar, tu allan tafarn yr Het. *"Please don't take it to heart, Wynnie. It's only temporary, as you know… "*

"Fucking yesterday?!"

"Yes…"

"You fucking maggot…!"

"Don't blame me, Pennylove – I told you to take the weekend off. You chose to come back today…"

"And you promised to get it all sorted!"

"I did… I mean I tried! He wouldn't listen…!"

Honna oedd hi. Yr un celwydd bach hynny yn ormod. Y fflam a

daniodd y ffiws. Y sbarc o drydan i'r detonêshiyn. Cyn i Pennylove wybod ei fod o'n gwneud, roedd o ar ben Elton, ar y llawr, wrth ddrws y lownj, â'i ddwylo rownd ei wddw, yn gwasgu...

"YOU FUCKING LYING FUCKING PIECE OF FUCKING TWO-FACED BASTARD FUCKING SHIT! I'LL FUCKING KILL YOU, YOU FUCKING LITTLE FUCKING FUCK! WITH YOUR FUCKING THREE FUCKING STRIPES AND YOUR FUCKING TWATO DI CONTI FUCKING MOUSTACHE... AND YOUR FUCKING AFTERSHAVE AND FUCKING BULLSHIT... YOU FUCKING USELESS TWO-FACED LITTLE PRICK... CUNT... I'LL FUCKING KILL YOU, YOU WILL YOUNG BOYZONE TAKE THAT TWAT... I FUCKING HAAAAAATE YOUUUUUUU! AAAAAAAAAAAARRRRRGH...!"

Neidiodd dau o gopars, o rywle, a trio tynnu Pennylove i ffwrdd. "Wynne! Wynne! Ti'n ladd o, Wynne!"

Ond roedd Pennylove yn rhy gryf. Roedd bron i ddwy flynadd o rwystredigaeth a chasineb pur yn llifo trwy ei gyhyrau. Roedd ei fysidd yn troi'n wyn am wddw Elton, wrth i wynab hwnnw droi'n las o flaen ei lygid...

Daeth copar arall o rywle, ac ymuno yn yr ymdrech, ond dal ei afael wnaeth Pennylove. Roedd tafod Elton allan, ac roedd hynny'n grêt i weld...

Tynnodd un o'r heddweision ei wn Taser, o'i felt. "Wynne! 'Dan ni'n mynd i Tasio chdi os ti'm yn gollwng! Wynne! OK – *stand back*, pawb."

Anelodd y copar, a saethu'r weiars am gefn Pennylove. Ond tarodd y ddau fachyn, ar flaen y weiars, gôt law felyn, dew Pennylove, ar ongl angyhyfleus, a bownsio i ffwrdd o'r plastig, a mynd yn syth i mewn i Elton – rhwng coesau'r cradur. Trodd coc y Frill o Rhyl yn gondyctor trydan, a yrrodd 50,000 folt drwy'i gorff – a thrwy gorff Pennylove, oedd yn sownd iddo – mewn llai na chwartar eiliad.

Gwaeddodd y ddau – roedd hi'n fwy o sgrech yn achos Elton – a disgynnodd Pennylove yn llipa, wysg ei ochor, i'r llawr.

LLOWCIODD FINCH EI lwncdestun i'r bore, allan yn yr eira ar ei batio yn Nhyddyn Tatws. Roedd 'na rhyw bedair modfadd wedi disgyn dros nos – ac roedd hynny'n lot i Abereryri. Dychmygai fod 'na o leiaf wyth modfadd i fyny'n Graig a Dre.

Edmygodd pa mor hyfryd edrychai ei garafanau, yn heddychlon a thlws o dan y flancad wen, fel golygfa ar gerdyn Nadolig. Roedd rheiny wedi dechrau cyrraedd hefyd. Glaniodd y ddau gynta ar stepan ei ddrws heddiw – un gan James Codd, a'r llall gan Gwilym, landlord y Snowdon Squire. A chan fod yr eira – a'r ffaith fod heddiw'n mynd i fod yn ddiwrnod hanesyddol – wedi ei ddeffro'n hwyliog, rhoddodd gardiau'r ŵyl i fyny ar ben ei gwpwrdd drincs.

Gwenodd, wrth wylio robin goch yn sboncio ar hyd y patio, gan adael ôl ei draed fel ogam yn yr eira, tu ôl iddo.

"Bora da, Robin," medda Finch, gan godi'i wydryn. "Sud w't ti'r hen ffrind?"

Atebodd y deryn bach ddim. Er hynny, ac er ei bod hi'n rhewi, mi *oedd* hi'n fora da. Roedd 'na awyr las yn ymwthio rhwng y cymyla, ac mi oedd Walter Sidney 'Claudius' Finch yn mynd i greu ymerodraeth gadarn, unwaith ac am byth. Heddiw oedd y diwrnod y byddai y *Finchian Empire* yn cymeryd y cam olaf at fod yn anorchfygol – yn *financially secure* am byth, bythoedd, amen. A heddiw, hefyd, roedd yr Ymerawdwr Finch yn mynd i chwalu ei elynion. Bagîtha, Ragarug, Tintin, Flannagan *et al* – heddiw oedd diwrnod y Dial Mawr...

Dwy awr oedd hi i Crewe, meddyliodd. Roedd yr ocsiwn am un o'r gloch. Felly er mwyn cael amsar i ffendio'r lle iawn, cael cinio, a setlo i mewn, byddai angan cychwyn am hannar awr wedi naw. Roedd ganddo bum munud, felly. Aeth yn ôl at ei gwpwrdd drincs, a thollti brandi arall.

ROEDD DRWGI WEDI ffendio'r dudalen am y Trowt ar safle we'r ocsiwnîars. Roedd 'na *guide price* yno – hannar can mil, ac fel oedd Jerry wedi'i ddeud wrth Cled ar y ffôn, eglurwyd ar y dudalen fod "'*substantial renovation work needed*'".

"Geith Jerry boeni am hynny," medda Cled, wrth roi llwyad o Weetabix yng ngheg Swyn, yn ei chadair uchal. "Cyn bellad â'n bod ni'n ennill y bid."

"Dwi'n deu 'tha chi, rŵan, hogia," medda Sban, wrth sbio ar y print-owt o'r dudalen yn nwylo Drwgi. "Os 'dan ni'n dod adra efo'r Trowt yn ein pocad, dwi'n mynd i ga'l un o'r seshys mwya dwi rioed wedi'i gael!"

"Ffycin finna, 'fyd," medda Cled. "A pan fyddan ni'n agor y lle, dwi'n mynd i neud yn siŵr fod Sid Finch yn ca'l cardyn gwadd drw'r post!"

"Edra i weld 'i wynab o, ŵan," medda Bic. "Ffwcin hel, ma hyn yn mynd i fod yn hwyl!"

"Fyswn i'm yn cyfri'ch wya cyn i'r ieir ddodwy," medda Jeni Fach, oedd yn sefyll wrth y sinc efo Branwen yn ei breichia.

"Ffwcin hel, paid â sôn am ieir efo Drwgi 'ma yma!" medda Cled, a wincio ar Drwgi.

"Hwci hel!" gwaeddodd Swyn, a gneud i bawb chwerthin – a wnaeth iddi hitha ailadrodd ei hun ddwy neu dair o weithia, wedyn.

Daeth Sian i mewn, wedi bod yn toilet. "Ti'm yn dysgu hon i regi, eto, Cledwyn!"

"Ffwcin hel, nacdw!"

"Hwci hel!" gwaeddodd y fechan eto.

"Ynda," medda Cled, a pasio'r llwy i Sian. "Well i ni 'i chychwyn hi. Dwi jesd isio mynd i roi dŵr i 'blant y sied'. Anghofias i eto neithiwr."

"Paid poeni," medda Sian. "Wnes i, 'li – *eto!*"

"Sian fach, ti'n ffycin angal," medda Cled, a phlygu i lawr i roi sws iddi hi a'r fechan. "Dwi isio'u torri nhw fory. Ma nw'n barod ŵan."

"Ffoniwch ni i adal ni wbod sut aeth hi," siarsiodd Jeni Fach, wrth i'r hogia'i droi hi am y drws.

"Ia, mi nown ni," medda Bic, a rhoi saliwt, fel soldiar, i'w wraig.

Peiliodd yr hogia i mewn i'r Fiesta bach coch. "'Di'r cash gen ti, Cled?" tsieciodd Sbanish, oedd yn ista'n y sêt ffrynt. Tapiodd Cled frest ei siaced, i nodi'i fod o yn y bocad tu mewn, yn saff. Yna trodd oriad y car, un clic i aros yr hîtar, yna'r holl ffordd, i'w danio...

'CLIC'

"Shit."

'CLIC'

"O ffyc…"

"'Dio'm yn tanio?" holodd Drwgi.

'CLIC'

"Ffyc's sêcs, màn!"

'CLIC CLIC CLIC…'

"'Sa ffyc ôl 'na! 'Dio'm yn trio, sbia!"

'CLIC CLIC…'

Dyrnodd Cled y dash. "Am amsar i ffycin farw arna fi, y basdad bach coch! Ffycin typical! Ffycin ffycin typical…"

"Awn ni'n car Fflur, Cled," medda Drwgi.

"Gawn ni?"

"Cawn. Sganddi'm ffycin dewis – ma hyn yn preioriti. 'Dan ni'n comandîrio'r Piwgot, a dyna ni!"

Drwgi oedd i ddreifio car Fflur, felly gwnaeth Cledwyn yn siŵr ei fod yn cyrraedd drws y pasenjyr cyn Sbanish a Bic. Gwnaeth yn siŵr, hefyd ei fod o'n dod â cwpwl o CDs o'r Fiesta efo fo. Roedd car Fflur yn llawn o gachu fel James Blunt, *Classic Drive Anthems* a Bryn Fôn.

"Paid â ffycin gyrru'n yr eira 'ma, Drwgi," medda Cledwyn, pan ddechreuon nhw allan o fynedfa Bryn Derwydd. "Cofia fod gin ti bôld teiars."

"Ti'n swnio fel ffycin Fflur," atebodd Drwgi. "Dyna'r cwbwl ges i ganddi rŵan, wrth nôl y ffycin goriad! Jîsys – ceg ar yr hogan 'na myn ffwc!"

"Ma hi'n siarad sens, dydi, Drwgi?"

"Yndi ffwc! Mwydro ma'r gont wirion! Dwi 'di ca'l ffyc ôl ond stic ganddi e's ddos i nôl heb sgidia nithiwr! 'Ti 'di colli dy job, a ti 'di colli dy slipars, ti 'di colli dy ffôn, ŵan ti 'di colli dy ffycin sgidia!' Ma'n rhyfadd fel ma merchaid yn gallu rhestru bob dim allan, jysd fel 'na, pan ma nw'n penderfynu ca'l go arna chdi. Ffycin robots cont! 'Lle ti'n mynd i ga'l pres i brynu rhei erill?' Ffycin hel! Tiwn ffycin gron! 'Sgwenna i lythyr at Siôn Corn,' medda fi. 'Ffyc off!' medda hi. 'Ma 'Siôn Corn' yn sgint!'"

"Llawn o Crusmas Sburut yn tŷ chi, 'lly, Drwgi?" medda Bic.

"Wel, mi ddechreuodd hi drimio neithiwr, efo'r plant, 'de. Ond ddat's abowt it!"

"Dach chi 'di ca'l coedan?" gofynnodd Sban.

"Na, un blastig sgenan ni leni." A fynta wedi bod wrthi – fel pawb arall – ers blynyddoedd, roedd Drwgi wedi cael copsan yn dwyn coedan o'r fforestri llynadd.

"Llai o hasyl, dydi, Drwgs," cytunodd Sban, oedd hefyd wedi prynu coedan blastig, gan fod Carys 'di cael llond bol ar hwfro nodwydda pîn am wythnosau ar ôl bob Dolig.

Hogleuodd Drwgi dan ei geseiliau. "Dwi'n dal i hogleuo ieir, y cont. Basdad petha! Dach chi'n hogleuo ieir arna fi?"

"Sut ma ieir yn hogleuo?" holodd Cled.

"Fel plu!"

Trodd Cledwyn y sŵn i fyny ar y chwaraewr CDs, a dechreuodd pawb ganu efo riff bachog 'Gwyddbwyll' gan Tystion. "*De-ne-de-ne-ne-ne-ne-new-new, daw-new-de-naw-ne-ne-ne-new-new...*" Roeddan nw'n swnio fel llond car o gathod.

"Stopia'r car!" medda Cled, mwya sydyn, pan welodd Megi Parri'n cerddad am y safle bws, dros ffordd i'r Trowt.

Breciodd Drwgi, a sleidiodd y car rhyw bum troedfadd, gan dynnu tua'r dde, cyn stopio rhyw lathan o flaen Megi.

"Be ffwc ti'n drio'i neud i ddynas, ddyn!" hefrodd honno yn ei llais 'baritôn' fflat, wedi cael braw. "W't ti'n gall, d'wad?"

Plygodd Cled drosodd i siarad efo hi. "Megi," medda fo. "Wsti Richard Branson?"

"Ia."

"Wel ma 'di gofyn i fi redag y Trowt iddo fo."

"Cer o'na'r diawl gwirion!"

"Ar fy marw, Megi. Yndo hogia?"

"Do," medda pawb.

"Dwi ar 'yn ffordd i Crewe i gwrdd â fo, rŵan. Ma'r hogia'n dod efo fi'n gwmni. Mae'i helicoptar o 'di rhewi, dio'n methu dod draw."

"Ti'n malu cachu?" medda Megi, trwy lygid culion.

"Nacdw, onest tw God. 'Uff Ddy Mownten Don't Cym Tw Mohamed, Mohamed Cymeth Tw Ddy Mownten,' medda fo, ar y ffôn, jysd cynt... Ne' rwbath tebyg..."

"Cer o'na!" medda Megi. "Wel, wel...!"

"Reit, rhaid 'fi fynd," medda Cled. "Ma Dic yn aros. *Ciao* ffor now." Gadawyd Megi Parri'n ysgwyd ei phen, wrth ymbalfalu yn ei hambag, am ei ffôn.

Roedd yr hogia'n stônd gachu erbyn cyrraedd Traws. Roeddan nhw wedi dewis mynd trwy Gwm Prysor, am Bala, gan fod y ffordd honno wastad yn cael blaenoriaeth gan grittars y cownsil. Gawson nhw chydig o fraw o weld fod y ffordd o dop y cwm, i lawr am Arenig, yr un mor ddrwg â ffordd y Migneint wedi'r cwbwl, a dechreuon nhw boeni na fyddan nhw'n gallu mynd drwodd. Roedd yr arad eira wedi bod ar ei hyd 'ddi, ond roedd 'na dal drwch o eira calad ar yr wynab, oedd yn gneud y ffordd fel gwydr. Ond wrth fynd yn ara deg, roedd Drwgi'n llwyddo i gadw'r Piwgot bach gwyn o dan reolaeth go lew. Jesd.

"Ddylsa ni wedi tsiansio mynd drwy Jyncshiyn, ac ar hyd yr A55, hogia," medda Bic, cyn hir.

"Na, màn," medda Drwgi, "O'dd y bwlch 'di cau, o'dd o'n deud ar y radio."

"Oedd y radio 'di bod i fyny yno, bora 'ma, 'ta be?"

"Bic!"

"Be?"

"Ffyc off!"

≈ 91 ≈

CANAI SID FINCH yn braf efo CD Jackson Saint and the Dudes, rhyw grŵp Cyntri and Westyrn cachu o Doncaster, ym mheiriant CDs ei Ffôr-Bai-Ffôr. Roedd hi'n fore bendigedig i fyny ar y Migneint, a'r cwbwl oedd i'w weld am filltiroedd o'i gwmpas, oedd mynyddoedd a mawnogydd gwyn, gwyn, gwyn ac awyr las, las, las…

Doedd 'na ddim creadur byw i'w weld yn unman, a doedd Finch heb weld car arall yn ei basio o gwbwl – oedd ddim yn syndod, gan mai dim ond ffôr wîl dreif fyddai'n gallu gneud y daith, drwy'r trwch o eira oedd ar y ffordd. Roedd 'na tua troedfadd, yn braf, o eira wedi disgyn fyny'r topia 'ma, ac roedd 'na fynyddoedd o'r sdwff wedi ei hel i ochrau'r ffordd gan yr arad, rywbryd yn ystod y nos, cyn iddi fwrw chwanag eto.

Gwenodd wrth ganu. Roedd y geiriau'n rhyfeddol o addas. *"Alone on the mountain, That's where I want to be, Where the snowline meets the railway, And bla-bly-dw-di me…"* Roedd y CD gan Finch ers tua blwyddyn, a doedd o byth wedi gallu gneud allan be oedd y boi'n ganu yn llinell ola'r gytgan.

Yna mi welodd o'r car cynta iddo weld ers Graig. Roedd o'n dod o gyfeiriad Traws, ar y ffordd o Gwm Prysor, islaw ac i'r dde o ffordd y Migneint. Roedd o'n gyrru'n araf, gan fod cyflwr y ffordd yn ddrwg, i gar bach. Doedd Finch ddim isio bod yn sownd tu ôl iddo – rhag ofn iddo fod yn hwyr yn Crewe. Doedd o'm isio gorfod llowcio'i ginio – roedd o angen ymlacio, a cael cachiad dda ar ôl ei fwyd, cyn canolbwyntio ar y dasg bwysig o gael y blaen ar unrhyw ddarpar-brynwyr eraill yn y frwydr am y Trowt.

"Howdy pilgrim, goin' my way?" medda fo, wrth wylio'r car yn cyrraedd y stretsh hir, cyn y jynschiyn lle byddai Finch yn ymuno â'r ffordd isaf, ymhen rhyw chwe chan llath. *"I don't think so, brethren!"*

Rhoddodd ei droed i lawr.

"ALLA I'M DIODDA'R TWYLL, TEIMLO FEL DARN MEWN GÊM O WYDDBWYLL... ALLA I'M DIODDA'R TWYLL, TEIMLO FEL DARN MEWN GÊM O WYDDBWYLL..."

Roedd yr hogia'n canu ar dop eu lleisiau wrth nesu, ar hyd y stretsh, am Arenig. Roeddan nw'n gwrando ar y trydydd mics gwahanol o glasur Y Tystion, ac roeddan nhw wrth eu bodda. Sownds da, scync lyfli, diwrnod braf a golygfeydd bendigedig – a'r hogia ar yr 'Orchwyl Sanctaidd' i achub eu byd o grafangau'r Dark Lord Twat. Roedd pawb wedi egseitio'n botsh – fel plant ar drip ysgol Sul.

"ALLA I'M DIODDA'R TWYLL, TEIMLO FEL DARN MEWN GÊM O WYDDBWYLL... ALLA I'M DIODDA'R TWYLL, TEIMLO FEL DARN..."

"Ffôr-bai-ffôr Sid Finch, 'di hwnna, hogia?" gofynnodd Cledwyn, wrth wylio'r Cherokee du yn rhuthro i lawr am jyncshiyn Arenig, o ffordd y Migneint, i fyny ar y chwith iddyn nhw.

"Ma'n debyg iddo fo," medda Drwgi.

"Fo 'dio, garantîd," medda Cled.

"Naci, ffwc..." medda Sban.

"Ia, fo 'dio," medda Bic. "Slofa lawr, Drwgi, i ada'l y cont fynd o'n blaena ni. 'Dan ni'm isio'r ffycar tew wbod bo ni'n dod. Yr arf gora mewn unrhyw ryfal ydi syrpreis..."

"Ffycin hel, ma'n ffycin gyrru, dydi?"

"Ffycin reit, Cled! 'Dio'n mynd i stopio cyn y jyncshiyn d'wad?"

"Ma gin y cont *anti-lock brakes*, garantîd, Sban..."

"'Di 'heiny'm yn sdopio chdi sleidio ar eira, chwaith," nododd Bic.

"Ffycin hel, no we neith o sto... Well i ti slofi lawr, Drwgi..."

"'Dwi'n ffycin trio, Cled..."

"Wel tria'n galetach!"

Tapiodd Drwgi'i droed ar y brêc, ond aeth y car i mewn i sleid yn syth, a chynyddu sbîd, yn hytrach nag arafu. Edrychodd pawb yn ôl ac ymlaen, rhwng y jîp a'r jyncshiyn. Roedd y jîp yn twistio fel sgodyn, wrth lithro i lawr y rhiw, allan o reolaeth yn llwyr... Roedd hi'n gneud o leia chwe deg milltir yr awr... Roeddan nhw'n mynd i gyrraedd y jyncshiyn ar yr union run adag, a doedd hi'm yn edrych fel bod yr un o'r ddau gerbyd yn mynd i allu stopio cyn gneud...

"Drwwwgiiiiii...!" Rhoddodd Cled ei ddwylo ar y dash, wrth i Drwgi newid lawr drwy'r gêrs, i drio stopio'r sleid... "Drwgi... stopia... STOPIA...!"

HEFYD GAN DEWI PRYSOR

Mae 'na dawelwch nefolaidd yn Tyddyn Tatws Trout – rhan o ymerodraeth rech Walter Sidney Finch – nes i Pero, ci seicotig Hfod Wisgi, gael ei aflonyddu...

0 86243 930 2

£7.95

AC HEFYD...

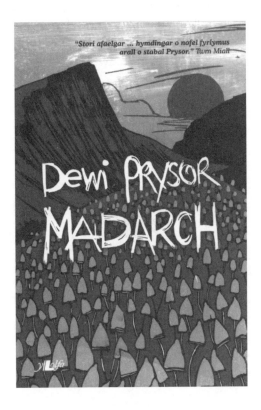

Mae rhyw hud yng Nghwm Derwyddon – cwm
sy'n llawn o hanes a chwedlau ...a chyfrinachau...

978 1 847771 010 9

£7.95

Am restr gyflawn o nofelau cyfoes Y Lolfa,
a'n holl lyfrau eraill, mynnwch gopi o'n
catalog newydd, rhad – neu hwyliwch i
mewn i'n gwefan

www.ylolfa.com

lle gallwch archebu llyfrau ar lein.

TALYBONT CEREDIGION CYMRU SY24 5HE
ebost ylolfa@ylolfa.com
gwefan www.ylolfa.com
ffôn 01970 832 304
ffacs 832 782